GEORGE ORWELL

1984

roman

Traduit de l'anglais
par Amélie Audiberti

FRANCE LOISIRS
123, boulevard de Grenelle, Paris

Édition du Club France Loisirs, S. A. R. L.
avec l'autorisation des éditions Gallimard

© *Éditions Gallimard, 1950, renouvelé en 1977.*

ISBN : 2-7242-2084-6

Né aux Indes en 1903, d'une famille anglo-indienne, George Orwell, de son vrai nom Eric Blair, fit ses études à Eton. En 1922, il partit pour la Birmanie, où il entra dans la Police impériale des Indes. C'était un métier qui lui convenait mal, aussi, en 1928, lors d'un congé qu'il passait en Angleterre, il donna sa démission et voulut vivre de sa plume. Sans ressources, il vint à Paris où il mena longtemps une véritable existence de clochard avant de devenir plongeur dans un restaurant. C'est de cette période difficile qu'il rapporta son livre de souvenirs Down and out in Paris and in London qui parut en traduction française en 1935, sous le titre La Vache Enragée, aux Editions de la N. R. F. De retour en Angleterre, il fut maître d'école, employé de librairie, puis s'engagea dans les rangs du P.O.U.M. lors de la guerre civile espagnole. Blessé en 1937 à Huesca, George Orwell, dégoûté du totalitarisme stalinien, déçu par la mollesse des démocrates, partit pour le Maroc En 1939, il fut mobilisé comme sergent, puis réformé, et dut gagner sa vie en travaillant la nuit dans les usines. Enfin, on lui accorda un poste de speaker à la B.B.C. En 1943, il devient directeur de l'hebdomadaire The Tribune, puis, en 1945, envoyé spécial du The Observer en France et en Allemagne. Atteint de tuberculose depuis plusieurs années, il mourut dans une clinique de la banlieue londonienne en janvier

1950. *C'est au cours de ses dernières années, alors qu'il luttait contre la mort, qu'il écrivit son roman « 1984 » où il exprime la plus grave inquiétude des hommes libres de notre temps.*

PREMIÈRE PARTIE

I

C'était une journée d'avril froide et claire. Les
horloges sonnaient treize heures. Winston Smith, le
menton rentré dans le cou, s'efforçait d'éviter le vent
mauvais. Il passa rapidement la porte vitrée du bloc
des « Maisons de la Victoire », pas assez rapidement
cependant pour empêcher que s'engouffre en même
temps que lui un tourbillon de poussière et de sable.
Le hall sentait le chou cuit et le vieux tapis. A
l'une de ses extrémités, une affiche en couleur, trop
vaste pour ce déploiement intérieur, était clouée au
mur. Elle représentait simplement un énorme visage,
large de plus d'un mètre : le visage d'un homme
d'environ quarante-cinq ans, à l'épaisse moustache
noire, aux traits accentués et beaux.
Winston se dirigea vers l'escalier. Il était inutile
d'essayer de prendre l'ascenseur. Même aux meilleures époques, il fonctionnait rarement. Actuellement, d'ailleurs, le courant électrique était coupé dans
la journée. C'était une des mesures d'économie prises
en vue de la Semaine de la Haine.
Son appartement était au septième. Winston, qui
avait trente-neuf ans et souffrait d'un ulcère variqueux au-dessus de la cheville droite, montait lentement. Il s'arrêta plusieurs fois en chemin pour
se reposer. A chaque palier, sur une affiche collée au

mur, face à la cage de l'ascenseur, l'énorme visage
vous fixait du regard. C'était un de ces portraits
arrangés de telle sorte que les yeux semblent suivre
celui qui passe. Une légende, sous le portrait, disait :
BIG BROTHER VOUS REGARDE.

A l'intérieur de l'appartement de Winston, une
voix sucrée faisait entendre une série de nombres qui
avaient trait à la production de la fonte. La voix
provenait d'une plaque de métal oblongue, miroir
terne encastré dans le mur de droite. Winston tourna
un bouton et la voix diminua de volume, mais les
mots étaient encore distincts. Le son de l'appareil
(du télécran, comme on disait) pouvait être assourdi,
mais il n'y avait aucun moyen de l'éteindre complètement. Winston se dirigea vers la fenêtre. Il était de
stature frêle, plutôt petite, et sa maigreur était sou-
lignée par la combinaison bleue, uniforme du Parti.
Il avait les cheveux très blonds, le visage naturellement sanguin, la peau durcie par le savon grossier,
les lames de rasoir émoussées et le froid de l'hiver
qui venait de prendre fin.

Au dehors, même à travers le carreau de la fenêtre
fermée, le monde paraissait froid. Dans la rue, de
petits remous de vent faisaient tourner en spirale la
poussière et le papier déchiré. Bien que le soleil
brillât et que le ciel fût d'un bleu dur, tout semblait
décoloré, hormis les affiches collées partout. De tous
les carrefours importants, le visage à la moustache
noire vous fixait du regard. Il y en avait un sur le
mur d'en face. BIG BROTHER VOUS REGARDE,
répétait la légende, tandis que le regard des yeux
noirs pénétrait les yeux de Winston. Au niveau de
la rue, une autre affiche, dont un angle était déchiré,
battait par à-coups dans le vent, couvrant et découvrant alternativement un seul mot : ANGSOC. Au
loin, un hélicoptère glissa entre les toits, plana un
moment, telle une mouche bleue, puis repartit
comme une flèche, dans un vol courbe. C'était une

patrouille qui venait mettre le nez aux fenêtres des gens. Mais les patrouilles n'avaient pas d'importance. Seule comptait la Police de la Pensée.

Derrière Winston, la voix du télécran continuait à débiter des renseignements sur la fonte et sur le dépassement des prévisions pour le neuvième plan triennal. Le télécran recevait et transmettait simultanément. Il captait tous les sons émis par Winston au-dessus d'un chuchotement très bas. De plus, tant que Winston demeurait dans le champ de vision de la plaque de métal, il pouvait être vu aussi bien qu'entendu. Naturellement, il n'y avait pas moyen de savoir si, à un moment donné, on était surveillé. Combien de fois, et suivant quel plan, la Police de la Pensée se branchait-elle sur une ligne individuelle quelconque, personne ne pouvait le savoir. On pouvait même imaginer qu'elle surveillait tout le monde, constamment. Mais de toute façon, elle pouvait mettre une prise sur votre ligne chaque fois qu'elle le désirait. On devait vivre, on vivait, car l'habitude devient instinct, en admettant que tout son émis était entendu et que, sauf dans l'obscurité, tout mouvement était perçu.

Winston restait le dos tourné au télécran. Bien qu'un dos, il le savait, pût être révélateur, c'était plus prudent. A un kilomètre, le Ministère de la Vérité, où il travaillait, s'élevait vaste et blanc au-dessus du paysage sinistre. Voilà Londres, pensa-t-il avec une sorte de vague dégoût, Londres, capitale de la première région aérienne, la troisième, par le chiffre de sa population, des provinces de l'Océania. Il essaya d'extraire de sa mémoire quelque souvenir d'enfance qui lui indiquerait si Londres avait toujours été tout à fait comme il la voyait. Y avait-il toujours eu ces perspectives de maisons du dix-neuvième siècle en ruines, ces murs étayés par des poutres, ce carton aux fenêtres pour remplacer les vitres, ces toits plâtrés de tôle ondulée, ces clôtures de jardin délabrées et penchées dans tous les sens ? Y avait-il eu toujours ces emplacements bombardés où la poussière de plâtre tourbillonnait, où l'épilobe grimpait sur des monceaux de décombres ? Et ces endroits où les bombes avaient dégagé un espace plus large et où avaient jailli de sordides colonies d'habitacles en bois semblables à des cabanes à lapins ? Mais c'était inutile, Winston n'arrivait pas à se souvenir. Rien ne lui restait de son enfance, hors une série de tableaux brillamment éclairés, sans arrière-plan et absolument inintelligibles.

Le Ministère de la Vérité — Miniver, en Novlangue [1] — frappait par sa différence avec les objets environnants. C'était une gigantesque construction pyramidale de béton d'un blanc éclatant. Elle étageait ses terrasses jusqu'à trois cents mètres de hauteur. De son poste d'observation, Winston pouvait encore déchiffrer sur la façade l'inscription artistique des trois slogans du Parti :

LA GUERRE C'EST LA PAIX
LA LIBERTE C'EST L'ESCLAVAGE
L'IGNORANCE C'EST LA FORCE

Le Ministère de la Vérité comprenait, disait-on, trois mille pièces au-dessus du niveau du sol, et des ramifications souterraines correspondantes. Disséminées dans Londres, il n'y avait que trois autres constructions d'apparence et de dimensions analogues. Elles écrasaient si complètement l'architecture environnante que, du toit du bloc de la Victoire, on pouvait les voir toutes les quatre simultanément. C'étaient les locaux des quatre ministères entre lesquels se partageait la totalité de l'appareil gouvernemental. Le Ministère de la Vérité, qui s'occupait

1. Le Novlangue était l'idiome officiel de l'Océania. Sur le Novlangue, voir l'appendice.

des divertissements, de l'information, de l'éducation et des beaux-arts. Le Ministère de la Paix, qui s'occupait de la guerre. Le Ministère de l'Amour qui veillait au respect de la loi et de l'ordre. Le Ministère de l'Abondance, qui était responsable des affaires économiques. Leurs noms, en Novlangue, étaient : Miniver, Minipax, Miniamor, Miniplein.

Le Ministère de l'Amour était le seul réellement effrayant. Il n'avait aucune fenêtre. Winston n'y était jamais entré et ne s'en était même jamais trouvé à moins d'un kilomètre. C'était un endroit où il était impossible de pénétrer, sauf pour affaire officielle, et on n'y arrivait qu'à travers un labyrinthe de barbelés enchevêtrés, de portes d'acier, de nids de mitrailleuses dissimulés. Même les rues qui menaient aux barrières extérieures étaient parcourues par des gardes en uniformes noirs à face de gorille, armés de matraques articulées.

Winston fit brusquement demi-tour. Il avait fixé sur ses traits l'expression de tranquille optimisme qu'il était prudent de montrer quand on était en face du télécran. Il traversa la pièce pour aller à la minuscule cuisine. En laissant le Ministère à cette heure, il avait sacrifié son repas de la cantine. Il n'ignorait pas qu'il n'y avait pas de nourriture à la cuisine, sauf un quignon de pain noirâtre qu'il devait garder pour le petit déjeuner du lendemain. Il prit sur l'étagère une bouteille d'un liquide incolore, qui portait une étiquette blanche où s'inscrivaient clairement les mots « Gin de la Victoire ». Le liquide répandait une odeur huileuse, écœurante comme celle de l'eau-de-vie de riz des Chinois. Winston en versa presque une pleine tasse, s'arma de courage pour supporter le choc et avala le gin comme une médecine.

Instantanément, son visage devint écarlate et des larmes lui sortirent des yeux. Le breuvage était comme de l'acide nitrique et, de plus, on avait en

l'avalant la sensation d'être frappé à la nuque par
une trique de caoutchouc. La minute d'après, cependant, la brûlure de son estomac avait disparu et le
monde commença à lui paraître plus agréable. Il prit
une cigarette dans un paquet froissé marqué « Cigarettes de la Victoire », et, imprudemment, la tint
verticalement, ce qui fit tomber le tabac sur le parquet. Il fut plus heureux avec la cigarette suivante.
Il retourna dans le living-room et s'assit à une petite
table qui se trouvait à gauche du télécran. Il sortit
du tiroir un porte-plume, un flacon d'encre, un in-
quarto épais et vierge au dos rouge et à la couverture marbrée.

Le télécran du living-room était, pour une raison
quelconque, placé en un endroit inhabituel. Au lieu
de se trouver, comme il était normal, dans le mur
du fond où il aurait commandé toute la pièce, il était
dans le mur plus long qui faisait face à la fenêtre.
Sur un de ses côtés, là où Winston était assis, il y
avait une alcôve peu profonde qui, lorsque les appartements avaient été aménagés, était probablement
destinée à recevoir des rayons de bibliothèque. Quand
il s'asseyait dans l'alcôve, bien en arrière, Winston
pouvait se maintenir en dehors du champ de vision
du télécran. Il pouvait être entendu, bien sûr, mais
aussi longtemps qu'il demeurait dans sa position
actuelle, il ne pourrait être vu. C'était l'aménagement
particulier de la pièce qui avait en partie fait naître
en lui l'idée de ce qu'il allait maintenant entreprendre.

Mais cette idée lui avait aussi été suggérée par
l'album qu'il venait de prendre dans le tiroir. C'était
un livre spécialement beau. Son papier crémeux et
lisse, un peu jauni par le temps, était d'une qualité
qui n'était plus fabriquée depuis quarante ans au
moins. Winston estimait cependant que le livre était
beaucoup plus vieux que cela. Il l'avait vu traîner
à la vitrine d'un bric-à-brac moisissant, dans un sor-

dide quartier de la ville (lequel exactement, il ne
s'en souvenait pas) et avait immédiatement été saisi
du désir irrésistible de le posséder. Les membres du
Parti, normalement, ne devaient pas entrer dans les
boutiques ordinaires (cela s'appelait acheter au marché libre), mais la règle n'était pas strictement
observée, car il y avait différents articles, tels que
les lacets de souliers, les lames de rasoir, sur lesquels
il était impossible de mettre la main autrement. Il
avait d'un rapide coup d'œil parcouru la rue du haut
en bas, puis s'était glissé dans la boutique et avait
acheté le livre deux dollars cinquante. Il n'avait pas
conscience, à ce moment-là, que son désir impliquât
un but déterminé. Comme un criminel, il avait
emporté dans sa serviette ce livre qui, même sans
aucun texte, était compromettant.

Ce qu'il allait commencer, c'était son journal. Ce
n'était pas illégal, (rien n'était illégal, puisqu'il n'y
avait plus de lois), mais s'il était découvert, il serait,
sans aucun doute, puni de mort ou de vingt-cinq ans
au moins de travaux forcés dans un camp. Winston
adapta une plume au porte-plume et la suça pour en
enlever la graisse. Une plume était un article
archaïque, rarement employé, même pour les signa-
tures. Il s'en était procuré une, furtivement et avec
quelque difficulté, simplement parce qu'il avait le
sentiment que le beau papier crémeux appelait le
tracé d'une réelle plume plutôt que les éraflures d'un
crayon à encre. A dire vrai, il n'avait pas l'habitude
d'écrire à la main. En dehors de très courtes notes,
il était d'usage de tout dicter au phonoscript, ce qui,
naturellement, était impossible pour ce qu'il pro-
jetait. Il plongea la plume dans l'encre puis hésita
une seconde. Un tremblement lui parcourait les
entrailles. Faire un trait sur le papier était un acte
décisif. En petites lettres maladroites, il écrivit :

4 avril 1984

Il se redressa. Un sentiment de complète impuissance s'était emparé de lui. Pour commencer, il n'avait aucune certitude que ce fût vraiment 1984. On devait être aux alentours de cette date, car il était sûr d'avoir trente-neuf ans, et il croyait être né en 1944 ou 1945. Mais, par les temps qui couraient, il n'était possible de fixer une date qu'à un ou deux ans près.

Pour qui écrivait-il ce journal ? Cette question, brusquement, s'imposa à lui. Pour l'avenir, pour des gens qui n'étaient pas nés. Son esprit erra un moment autour de la date approximative écrite sur la page, puis bondit sur un mot novlangue : *doublepensée*. Pour la première fois, l'ampleur de son entreprise lui apparut. Comment communiquer avec l'avenir. C'était impossible intrinsèquement. Ou l'avenir ressemblerait au présent, et on ne l'écouterait pas, ou il serait différent, et son enseignement, dans ce cas, n'aurait aucun sens.

Pendant un moment, il fixa stupidement le papier. L'émission du télécran s'était changée en une stridente musique militaire. Winston semblait, non seulement avoir perdu le pouvoir de s'exprimer, mais avoir même oublié ce qu'il avait d'abord eu l'intention de dire. Depuis des semaines, il se préparait à ce moment et il ne lui était jamais venu à l'esprit que ce dont il aurait besoin, c'était de courage. Ecrire était facile. Tout ce qu'il avait à faire, c'était transcrire l'interminable monologue ininterrompu qui, littéralement depuis des années, se poursuivait dans son cerveau. En ce moment, cependant, même le monologue s'était arrêté. Par-dessus le marché, son ulcère variqueux commençait à le démanger d'une façon insupportable. Il n'osait pas le gratter car l'ulcère s'enflammait toujours lorsqu'il y touchait. Les secondes passaient. Winston n'était conscient que du vide de la page qui était devant lui, de la démangeaison de sa peau au-dessus de la cheville, du beuglement de la musique et de la légère ivresse provoquée par le gin.

Il se mit soudain à écrire, dans une véritable panique, imparfaitement conscient de ce qu'il couchait sur le papier. Minuscule quoique enfantine, son écriture montait et descendait sur la page, abandonnant, d'abord les majuscules, finalement même les points.

4 avril 1984. Hier, soirée au ciné. Rien que des films de guerre. Un très bon film montrait un navire plein de réfugiés, bombardé quelque part dans la Méditerranée. Auditoire très amusé par les tentatives d'un gros homme gras qui essayait d'échapper en nageant à la poursuite d'un hélicoptère. On le voyait d'abord se vautrer dans l'eau comme un marsouin. Puis on l'apercevait à travers le viseur du canon de l'hélicoptère. Il était ensuite criblé de trous et la mer devenait rose autour de lui. Puis il sombrait aussi brusquement que si les trous avaient laissé pénétrer l'eau. Le public riait à gorge déployée quand il s'enfonça. On vit ensuite un canot de sauvetage plein d'enfants que survolait un hélicoptère. Une femme d'âge moyen, qui était peut-être une Juive, était assise à l'avant, un garçon d'environ trois ans dans les bras. petit garçon criait de frayeur et se cachait la tête entre les seins de sa mère comme s'il essayait de se terrer en elle et la femme l'entourait de ses bras et le réconfortait alors qu'elle était elle-même verte de frayeur elle le recouvrait autant que possible comme si elle croyait que ses bras pourraient écarter de lui les balles, ensuite l'hélicoptère lâcha sur eux une bombe de vingt kilogs qui éclata avec un éclair terrifiant et le bateau vola en éclats. il y eut ensuite l'étonnante projection d'un bras d'enfant montant droit dans l'air. un hélicoptère muni d'une camera a dû le suivre et il y eut des applaudissements nourris venant des fauteuils mais une femme qui se trouvait aux

*poules s'est mise brusquement à faire du bruit en
frappant du pied et en criant on ne doit pas montrer
cela pas devant les petits on ne doit pas ce n'est pas
bien pas devant les enfants ce n'est pas jusqu'à ce que
la police la saisisse et la mette à la porte je ne pense
pas qu'il lui soit arrivé quoi que ce soit personne ne
s'occupe de ce que disent les prolétaires les typiques
réactions prolétaires jamais on.—*

Winston s'arrêta d'écrire, en partie parce qu'il souffrait d'une crampe. Il ne savait ce qui l'avait poussé
à déverser ce torrent d'absurdités, mais le curieux
était que, tandis qu'il écrivait, un souvenir totalement
différent s'était précisé dans son esprit, au point qu'il
se sentait presque capable de l'écrire. Il réalisait
maintenant que c'était à cause de cet autre incident
qu'il avait soudain décidé de rentrer chez lui et de
commencer son journal ce jour-là.

Cet incident avait eu lieu le matin au Ministère,
si l'on peut dire d'une chose si nébuleuse qu'elle a
eu lieu.

Il était presque onze heures et, au Commissariat
aux Archives, où travaillait Winston, on tirait les
chaises hors des bureaux pour les grouper au centre
du hall, face au grand télécran afin de préparer les
Deux Minutes de la Haine. Winston prenait place
dans un des rangs du milieu quand deux personnes
qu'il connaissait de vue, mais à qui il n'avait jamais
parlé, entrèrent dans la salle à l'improviste. L'une
était une fille qu'il croisait souvent dans les couloirs.
Il ne savait pas son nom, mais il savait qu'elle travaillait au Commissariat aux Romans. Il l'avait parfois vue avec des mains huileuses et tenant une clef
anglaise. Elle s'occupait probablement à quelque
besogne mécanique sur l'une des machines à écrire
des romans. C'était une fille d'aspect hardi, d'environ vingt-sept ans, aux épais cheveux noirs, au visage
couvert de taches de rousseur, à l'allure vive et spor-

tive. Une étroite ceinture rouge, emblème de la Ligue
Anti-Sexe des Juniors,. plusieurs fois enroulée à sa
taille, par-dessus sa combinaison, était juste assez
serrée pour faire ressortir la forme agile et dure de
ses hanches. Winston l'avait détestée dès le premier
coup d'œil. Il savait pourquoi. C'était à cause de
l'atmosphère de terrain de hockey, de bains froids,
de randonnées en commun, de rigoureuse propreté
morale qu'elle s'arrangeait pour transporter avec
elle. Il détestait presque toutes les femmes, surtout
celles qui étaient jeunes et jolies. C'étaient toujours
les femmes, et spécialement les jeunes, qui étaient
les bigotes du Parti : avaleuses de slogans, espionnes
amateurs, dépisteuses d'hérésies. Mais cette fille en
particulier lui donnait l'impression qu'elle était plus
dangereuse que les autres. Une fois, alors qu'ils se
croisaient dans le corridor, elle lui avait lancé un
rapide regard de côté qui semblait le transpercer et
l'avait rempli un moment d'une atroce terreur. L'idée
lui avait même traversé l'esprit qu'elle était peut-être
un agent de la Police de la Pensée. C'était à vrai dire
très improbable. Néanmoins, il continuait à ressentir
un malaise particulier, fait de frayeur autant que
d'hostilité, chaque fois qu'elle se trouvait près de lui
quelque part.

L'autre personne était un homme nommé O'Brien,
membre du Parti Intérieur. Il occupait un poste si
important et si élevé que Winston n'avait qu'une idée
obscure de ce qu'il pouvait être. Un silence momentané s'établit dans le groupe des personnes qui entouraient les chaises quand elles virent approcher sa
combinaison noire, celle d'un membre du Parti Intérieur. O'Brien était un homme grand et corpulent, au
cou épais, au visage rude, brutal et caustique. En dépit de cette formidable apparence, il avait un certain
charme dans les manières. Il avait une façon d'assurer ses lunettes sur son nez qui était curieusement
désarmante — et, d'une manière indéfinissable,

curieusement civilisée. C'était un geste qui, si quelqu'un pouvait encore penser en termes semblables, aurait rappelé celui d'un homme du dix-huitième offrant sa tabatière. Winston avait vu O'Brien une douzaine de fois peut-être, dans un nombre presque égal d'années. Il se sentait vivement attiré par lui. Ce n'était pas seulement parce qu'il était intrigué par le contraste entre l'urbanité des manières d'O'Brien et son physique de champion de lutte. C'était, beaucoup plus, à cause de la croyance secrète — ce n'était peut-être même pas une croyance, mais seulement un espoir — que l'orthodoxie de la politique d'O'Brien n'était pas parfaite. Quelque chose dans son visage le suggérait irrésistiblement. Mais peut-être n'était-ce même pas la non-orthodoxie qui était inscrite sur son visage, mais, simplement, l'intelligence. De toutes façons, il paraissait être quelqu'un à qui l'on pourrait parler si l'on pouvait duper le télécran et le voir seul. Winston n'avait jamais fait le moindre effort pour vérifier cette supposition ; en vérité, il n'y avait aucun moyen de la vérifier. O'Brien, à ce moment, regarda son bracelet-montre, vit qu'il était près de onze heures et décida, de toute évidence, de rester dans le Commissariat aux Archives jusqu'à la fin des Deux Minutes de la Haine. Il prit une chaise sur le même rang que Winston, deux places plus loin. Une petite femme rousse, qui travaillait dans la cellule voisine de celle de Winston, les séparait. La fille aux cheveux noirs était assise immédiatement derrière eux.

Un instant plus tard, un horrible crissement, comme celui de quelque monstrueuse machine tournant sans huile, éclata dans le grand télécran du bout de la salle. C'était un bruit à vous faire grincer des dents et à vous hérisser les cheveux. La Haine avait commencé.

Comme d'habitude, le visage d'Emmanuel Goldstein, l'Ennemi du Peuple, avait jailli sur l'écran. Il y

eut des coups de sifflet çà et là dans l'assistance. La
petite femme rousse jeta un cri de frayeur et de
dégoût. Goldstein était le renégat et le traître. Il y
avait longtemps (combien de temps, personne ne le
savait exactement) il avait été l'un des meneurs du
Parti presque au même titre que Big Brother lui-
même. Il s'était engagé dans une activité contre-
révolutionnaire, avait été condamné à mort, s'était
mystérieusement échappé et avait disparu. Le programme des Deux Minutes de la Haine variait d'un
jour à l'autre, mais il n'y en avait pas dans lequel
Goldstein ne fût la principale figure. Il était le traître
fondamental, le premier profanateur de la pureté. du
Parti. Tous les crimes subséquents contre le Parti,
trahisons, actes de sabotage, hérésies, déviations,
jaillissaient directement de son enseignement. Quelque part, on ne savait où, il vivait encore et ourdis-
sait des conspirations. Peut-être au delà des mers,
sous la protection des maîtres étrangers qui le
payaient. Peut-être, comme on le murmurait parfois, dans l'Océania même, en quelque lieu secret.

Le diaphragme de Winston s'était contracté. Il ne
pouvait voir le visage de Goldstein sans éprouver un
pénible mélange d'émotions. C'était un mince visage
de Juif, largement auréolé de cheveux blancs vapo-
reux, qui portait une barbiche en forme de bouc, un
visage intelligent et pourtant méprisable par quelque
chose qui lui était propre, avec une sorte de sottise
sénile dans le long nez mince sur lequel, près de
l'extrémité, était perchée une paire de lunettes. Ce
visage ressemblait à celui d'un mouton et la voix,
elle aussi, était du genre bêlant. Goldstein débitait
sa venimeuse attaque habituelle contre les doctrines
du Parti. Une attaque si exagérée et si perverse qu'un
enfant aurait pu la percer à jour, et cependant juste
assez plausible pour emplir chacun de la crainte que
d'autres, moins bien équilibrés pussent s'y laisser
prendre. Goldstein insultait Big Brother, dénonçait

la dictature du Parti, exigeait l'immédiate conclusion
de la paix avec l'Eurasia, défendait la liberté de
parler, la liberté de la presse, la liberté de réunion,
la liberté de pensée. Il criait hystériquement que la
révolution avait été trahie, et ceci en un rapide discours polysyllabique qui était une parodie du style
habituel des orateurs du Parti et comprenait même
des mots novlangue, plus de mots novlangue même
qu'aucun orateur du Parti n'aurait normalement
employés dans la vie réelle. Et pendant ce temps,
pour que personne ne pût douter de la réalité de ce
que recouvrait le boniment spécieux de Goldstein,
derrière sa tête, sur l'écran, marchaient les colonnes
sans fin de l'armée eurasienne, rang après rang
d'hommes à l'aspect robuste, aux visages inexpressifs
d'Asiatiques, qui venaient déboucher sur l'écran et
s'évanouissaient, pour être immédiatement remplacés
par d'autres exactement semblables. Le sourd martè-
lement rythmé des bottes des soldats formait l'arrière-
plan de la voix bêlante de Goldstein.

Avant les trente secondes de la Haine, la moitié
des assistants laissait échapper des exclamations de
rage. Le visage de mouton satisfait et la terrifiante
puissance de l'armée eurasienne étaient plus qu'on
n'en pouvait supporter. Par ailleurs, voir Goldstein,
ou même penser à lui, produisait automatiquement
la crainte et la colère. Il était un objet de haine plus
constant que l'Eurasia ou l'Estasia, puisque lorsque
l'Océania était en guerre avec une de ces puissances,
elle était généralement en paix avec l'autre. Mais
l'étrange était que, bien que Goldstein fût haï et
méprisé par tout le monde, bien que tous les jours et
un millier de fois par jour, sur les estrades, aux télécrans, dans les journaux, dans les livres, ses théories
fussent réfutées, écrasées, ridiculisées, que leur
pitoyable sottise fût exposée aux regards de tous, en
dépit de tout cela, son influence ne semblait jamais
diminuée. Il y avait toujours de nouvelles dupes qui

attendaient d'être séduites par lui. Pas un jour ne se passait que des espions et des saboteurs à ses ordres ne fussent démasqués par la Police de la Pensée. Il commandait une grande armée ténébreuse, un réseau clandestin de conspirateurs qui se consacraient à la chute de l'Etat. On croyait que cette armée s'appelait la Fraternité. Il y avait aussi des histoires que l'on chuchotait à propos d'un livre terrible, résumé de toutes les hérésies, dont Goldstein était l'auteur, et qui circulait clandestinement çà et là. Ce livre n'avait pas de titre. Les gens s'y référaient, s'ils s'y référaient jamais, en disant simplement *le livre*. Mais on ne savait de telles choses que par de vagues rumeurs. Ni la Fraternité, ni *le livre,* n'étaient des sujets qu'un membre ordinaire du Parti mentionnerait s'il pouvait l'éviter..

A la seconde minute, la Haine tourna au délire. Les gens sautaient sur place et criaient de toutes leurs forces pour s'efforcer de couvrir le bêlement affolant qui venait de l'écran. Même le lourd visage d'O'Brien était rouge. Il était assis très droit sur sa chaise. Sa puissante poitrine se gonflait et se contractait comme pour résister à l'assaut d'une vague. La petite femme aux cheveux roux avait tourné au rose vif, et sa bouche s'ouvrait et se fermait comme celle d'un poisson hors de l'eau. La fille brune qui était derrière Winston criait : « Cochon ! Cochon ! Cochon ! » Elle saisit soudain un lourd dictionnaire novlangue et le lança sur l'écran. Il atteignit le nez de Goldstein et rebondit. La voix continuait, inexorable. Dans un moment de lucidité, Winston se vit criant avec les autres et frappant violemment du talon contre les barreaux de sa chaise. L'horrible, dans ces Deux Minutes de la Haine était, non qu'on fût obligé d'y jouer un rôle, mais que l'on ne pouvait, au contraire, éviter de s'y joindre. Au bout de trente secondes, toute feinte, toute dérobade devenait inutile. Une hideuse extase, faite de frayeur et

de rancune, un désir de tuer, de torturer, d'écraser
des visages sous un marteau, semblait se répandre
dans l'assistance comme un courant électrique et
transformer chacun, même contre sa volonté, en un
fou vociférant et grimaçant.

Mais la rage que ressentait chacun était une émotion abstraite, indirecte, que l'on pouvait tourner
d'un objet vers un autre comme la flamme d'un pho-
tophore. Ainsi, à un moment, la haine qu'éprouvait
Winston n'était pas du tout dirigée contre Goldstein,
mais contre Big Brother, le Parti et la Police de la
Pensée. A de tels instants, son cœur allait au solitaire hérétique bafoué sur l'écran, seul gardien de
la vérité et du bon sens dans un monde de mensonge.
Pourtant, l'instant d'après, Winston était de cœur
avec les gens qui l'entouraient et tout ce que l'on
disait de Goldstein lui semblait vrai. Sa secrète aver-
sion contre Big Brother se changeait alors en ado-
ration. Big Brother semblait s'élever, protecteur
invincible et sans frayeur dressé comme un roc contre
les hordes asiatiques. Goldstein, en dépit de son isolement, de son impuissance et du doute qui planait
sur son existence même, semblait un sinistre enchan-
teur capable, par le seul pouvoir de sa voix, de briser la structure de la civilisation.

On pouvait même, par moments, tourner le courant de sa haine dans une direction ou une autre par
un acte volontaire. Par un violent effort analogue à
celui par lequel, dans un cauchemar, la tête s'arrache
de l'oreiller, Winston réussit soudain à transférer sa
haine, du visage qui était sur l'écran, à la fille aux
cheveux noirs placée derrière lui. De vivaces et splen-
dides hallucinations lui traversèrent rapidement
l'esprit. Cette fille, il la fouettait à mort avec une
trique de caoutchouc. Il l'attachait nue à un poteau
et la criblait de flèches comme un saint Sébastien. Il
la violait et, au moment de la jouissance, lui coupait
la gorge. Il réalisa alors, mieux qu'auparavant, pour

quelle raison, exactement, il la détestait. Il la détestait parce qu'elle était jeune, jolie et asexuée, parce
qu'il désirait coucher avec elle et qu'il ne le ferait
jamais, parce qu'autour de sa douce et souple taille
qui semblait appeler un bras, il n'y avait que
l'odieuse ceinture rouge, agressif symbole de chasteté.

La Haine était là à son paroxysme. La voix de
Goldstein était devenue un véritable bêlement de
mouton et, pour un instant, Goldstein devint un mouton. Puis le visage de mouton se fondit en une
silhouette de soldat eurasien qui avança, puissant et
terrible dans le grondement de sa mitrailleuse et
sembla jaillir de l'écran, si bien que quelques personnes du premier rang reculèrent sur leurs sièges.
Mais au même instant, ce qui provoqua chez tous un
profond soupir de soulagement, la figure hostile fut
remplacée, en fondu, par le visage de Big Brother,
aux cheveux et à la moustache noirs, plein de puissance et de calme mystérieux, et si large qu'il occupa
presque tout l'écran. Personne n'entendit ce que
disait Big Brother. C'étaient simplement quelques
mots d'encouragement, le genre de mots que l'on prononce dans le fracas d'un combat. Ils ne sont pas
précisément distincts, mais ils restaurent la confiance
par le fait même qu'ils sont dits. Le visage de Big
Brother disparut ensuite et, à sa place, les trois slogans du Parti s'inscrivirent en grosses majuscules :

LA GUERRE C'EST LA PAIX
LA LIBERTE C'EST L'ESCLAVAGE
L'IGNORANCE C'EST LA FORCE

Mais le visage de Big Brother sembla persister plusieurs secondes sur l'écran, comme si l'impression
faite sur les rétines était trop vive pour s'effacer
immédiatement. La petite femme aux cheveux roux
s'était jetée en avant sur le dos d'une chaise. Avec

un murmure tremblotant qui sonnait comme « **Mon Sauveur** », elle tendit les bras vers l'écran. Puis elle cacha son visage dans ses mains. Elle priait.

L'assistance fit alors éclater en chœur un chant profond, rythmé et lent : B-B !... B-B !... B-B ! — encore et encore, très lentement, avec une longue pause entre le premier « B » et le second. C'était un lourd murmure sonore, curieusement sauvage, derrière lequel semblaient retentir un bruit de pieds nus et un battement de tam-tams. Le chant dura peut-être trente secondes. C'était un refrain que l'on entendait souvent aux moments d'irrésistible émotion. C'était en partie une sorte d'hymne à la sagesse et à la majesté de Big Brother, mais c'était, plus encore, un acte d'hypnose personnelle, un étouffement délibéré de la conscience par le rythme. Winston en avait froid au ventre. Pendant les Deux Minutes de la Haine, il ne pouvait s'empêcher de partager le délire général, mais ce chant sous-humain de « B-B !... B-B ! » l'emplissait toujours d'horreur. Naturellement il chantait avec les autres. Il était impossible de faire autrement. Déguiser ses sentiments, maîtriser son expression, faire ce que faisaient les autres étaient des réactions instinctives. Mais il y avait une couple de secondes durant lesquelles l'expression de ses yeux aurait pu le trahir. C'est exactement à ce moment-là que la chose significative arriva — si, en fait, elle était arrivée.

Son regard saisit un instant celui d'O'Brien. O'Brien s'était levé. Il avait enlevé ses lunettes et, de son geste caractéristique, il les rajustait sur son nez. Mais il y eut une fraction de seconde pendant laquelle leurs yeux se rencontrèrent, et dans ce laps de temps Winston sut — il en eut l'absolue certitude — qu'O'Brien pensait la même chose que lui. Un message clair avait passé. C'était comme si leurs deux esprits s'étaient ouverts et que leurs pensées avaient coulé de l'un à l'autre par leurs yeux. « Je suis avec vous » semblait lui dire O'Brien. « Je sais exactement ce que vous ressentez. Je connais votre mépris, votre haine, votre dégoût. Mais ne vous en faites pas, je suis avec vous ! » L'éclair de compréhension s'était alors éteint et le visage d'O'Brien était devenu aussi indéchiffrable que celui des autres.

C'était tout, et Winston doutait déjà que cela se fût passé. De tels incidents n'avaient jamais aucune suite. Leur seul effet était de garder vivace en lui la croyance, l'espoir, que d'autres que lui étaient les ennemis du Parti. Peut-être les rumeurs de vastes conspirations étaient-elles après tout exactes ! Peut-être la Fraternité existait-elle réellement ! Il était impossible, en dépit des innombrables arrestations, confessions et exécutions, d'être sûr que la Fraternité n'était pas simplement un mythe. Il y avait des jours où il y croyait, des jours où il n'y croyait pas. On ne possédait pas de preuves, mais seulement de vacillantes lueurs qui pouvaient tout signifier, ou rien : bribes entendues de conversations, griffonnages indistincts sur les murs des waters — une fois même, lors de la rencontre de deux étrangers, un léger mouvement des mains qui aurait pu être un signe de reconnaissance. Ce n'étaient que des suppositions. Il avait probablement tout imaginé. Il était retourné à son bureau sans avoir de nouveau regardé O'Brien. L'idée de prolonger leur contact momentané lui traversa à peine l'esprit. Cela aurait été tout à fait dangereux, même s'il avait su comment s'y prendre. Pendant une, deux secondes, ils avaient échangé un regard équivoque, et l'histoire s'arrêtait là. Même cela, pourtant, était un événement mémorable, dans la solitude fermée où chacun devait vivre.

Winston se réveilla et se redressa. Il éructa. Le gin lui remontait de l'estomac.

Son attention se concentra de nouveau sur la page. Il s'aperçut que pendant qu'il s'était oublié à méditer, il avait écrit d'une façon automatique. Ce n'était plus la même écriture maladroite et serrée. Sa plume avait glissé voluptueusement sur le papier lisse et avait tracé plusieurs fois, en grandes majuscules nettes, les mots :

A BAS BIG BROTHER
A BAS BIG BROTHER
A BAS BIG BROTHER
A BAS BIG BROTHER
A BAS BIG BROTHER

La moitié d'une page en était couverte.

Il ne put lutter contre un accès de panique. C'était absurde, car le fait d'écrire ces mots n'était pas plus dangereux que l'acte initial d'ouvrir un journal, mais il fut tenté un moment de déchirer les pages gâchées et d'abandonner entièrement son entreprise.

Il n'en fit cependant rien, car il savait que c'était inutile. Qu'il écrivît ou n'écrivît pas A BAS BIG BROTHER n'avait pas d'importance. Qu'il continuât ou arrêtât le journal n'avait pas d'importance. De toute façon, la Police de la Pensée ne le raterait pas. Il avait perpétré — et aurait perpétré, même s'il n'avait jamais posé la plume sur le papier — le crime fondamental qui contenait tous les autres. Crime par la pensée, disait-on. Le crime par la pensée n'était pas de ceux que l'on peut éternellement dissimuler. On pouvait ruser avec succès pendant un certain temps, même pendant des années, mais tôt ou tard, c'était forcé, ils vous avaient.

C'était toujours la nuit. Les arrestations avaient invariablement lieu la nuit. Il y avait le brusque sursaut du réveil, la main rude qui secoue l'épaule, les lumières qui éblouissent, le cercle de visages durs autour du lit. Dans la grande majorité des cas, il n'y avait pas de procès, pas de déclaration d'arrestation. Des gens disparaissaient, simplement, toujours pen-

dant la nuit. Leurs noms étaient supprimés des regis-
tres, tout souvenir de leurs actes était effacé, leur
existence etait niée, puis oubliée. Ils étaient abolis,
rendus au néant. *Vaporisés*, comme on disait.

Winston, un instant, fut en proie à une sorte d'hystérie.

Il se mit à écrire en un gribouillage rapide et désor-
donné :

*ils me fusilleront ça m'est égal ils me troueront
la nuque cela m'est égal à bas Big Brother ils visent
toujours la nuque cela m'est égal A bas Big Brother.*

Il se renversa sur sa chaise, légèrement honteux de
lui-même et déposa son porte-plume. Puis il sursauta
violemment. On frappait à la porte.

Déjà ! Il resta assis, immobile comme une souris,
dans l'espoir futile que le visiteur, quel qu'il fût,
s'en irait après un seul appel. Mais non, le bruit se
répéta. Le pire serait de faire attendre. Son cœur
battait à se rompre, mais son visage, grâce à une longue habitude, était probablement sans expression. Il
se leva et se dirigea lourdement vers la porte.

II

Winston posait la main sur la poignée de la porte
quand il s'aperçut qu'il avait laissé le journal ouvert
sur la table. A BAS BIG BROTHER y était écrit de
haut en bas en lettres assez grandes pour être lisibles
de la porte. C'était d'une stupidité inconcevable,
mais il comprit que, même dans sa panique, il n'avait
pas voulu, en fermant le livre alors que l'encre était
humide, tacher le papier crémeux.

Il retint sa respiration et ouvrit la porte. Instantanément, une chaude vague de soulagement le parcourut. Une femme incolore, aux cheveux en mèches,
au visage ridé, et qui semblait accablée, se tenait
devant la porte.

— Oh ! camarade, dit-elle d'une voix lugubre et
geignarde, je pensais bien vous avoir entendu rentrer. Pourriez-vous jeter un coup d'œil sur notre
évier ? Il est bouché et —

C'était madame Parsons, la femme d'un voisin de
palier. « Madame » était un mot quelque peu désap-
prouvé par le Parti. Normalement, on devait appeler
tout le monde « camarade » — mais avec certaines
femmes, on employait « Madame » instinctivement.
C'était une femme d'environ trente ans, mais qui
paraissait beaucoup plus âgée. On avait l'impression
que, dans les plis de son visage, il y avait de la
poussière. Winston la suivit le long du palier. Ces
besognes d'amateur, pour des réparations presque
journalières, l'irritaient chaque fois. Les appartements
du bloc de la Victoire étaient anciens (ils avaient
été construits en 1930 environ), et tombaient en morceaux. Le plâtre des plafonds et des murs s'écaillait
continuellement, les conduites éclataient à chaque
gelée dure, le toit crevait dès qu'il neigeait, le chauf-
fage central marchait habituellement à basse pression, quand, par économie, il n'était pas fermé tout
à fait. Les réparations, sauf celles qu'on pouvait faire
soi-même, devaient être autorisées par de lointains
comités. Elles étaient sujettes à des retards de deux
ans, même s'il ne s'agissait que d'un carreau de fenêtre.

— Naturellement, si je viens, c'est que Tom n'est
pas là, autrement... dit vaguement madame Parsons.

L'appartement des Parsons était plus grand que
celui de Winston. Il était médiocre d'une autre façon.
Tout avait un air battu et piétiné, comme si l'endroit venait de recevoir la visite d'un grand et violent

animal. Sur le parquet traînaient partout des instruments de jeu — des bâtons de hockey, des gants de
boxe, un ballon de foot-ball crevé, un short à l'envers, trempé de sueur. Il y avait sur la table un
fouillis de plats sales et de cahiers écornés. Sur les
murs, on voyait des bannières écarlates des Espions
et de la Ligue de la Jeunesse, et un portrait grandeur
nature de Big Brother. Il y avait l'odeur habituelle
de chou cuit, commune à toute la maison, mais qui
etait ici traversée par un relent de sueur plus accen-
tué. Et cette sueur, on s'en apercevait dès la première
bouffée — bien qu'il fût difficile d'expliquer comment — était la sueur d'une personne pour le moment
absente. Dans une autre pièce, quelqu'un essayait, à
l'aide d'un peigne et d'un bout de papier hygiénique,
d'harmoniser son chant avec la musique militaire que
continuait à émettre le télécran.

— Ce sont les enfants, dit madame Parsons, en
jetant un regard à moitié craintif vers la porte. Ils
ne sont pas sortis aujourd'hui et, naturellement...

Elle avait l'habitude de s'arrêter au milieu de ses
phrases. L'évier de la cuisine était rempli, presque
jusqu'au bord, d'une eau verdâtre et sale qui sentait
plus que jamais le chou. Winston s'agenouilla et examina le joint du tuyau. Il détestait se servir de ses
mains, il détestait se baisser, ce qui pouvait le faire
tousser. Madame Parsons regardait, impuissante.

— Naturellement, dit-elle, si Tom était là, il aurait
réparé cela tout de suite. Il aime ce genre de travaux. Il est tellement adroit de ses mains, Tom.

Parsons était un collègue de Winston au Ministère
de la Vérité. C'était un homme grassouillet mais
actif, d'une stupidité paralysante, un monceau d'en-
thousiasmes imbéciles, un de ces esclaves dévôts qui
ne mettent rien en question et sur qui, plus que sur
la Police de la Pensée, reposait la stabilité du Parti.
A trente-cinq ans, il venait, contre sa volonté, d'être
évincé de la Ligue de la Jeunesse et avant d'obtenir

le grade qui lui avait ouvert l'accès de cette ligue, il s'était arrangé pour passer parmi les Espions une année de plus que le voulait l'âge réglementaire. Au Ministère, il occupait un poste subalterne où l'intelligence n'était pas nécessaire, mais il était, par ailleurs, une figure directrice du Comité des Sports et de tous les autres comités organisateurs de randonnées en commun, de manifestations spontanées, de campagnes pour l'économie et, généralement, d'activités volontaires. Il pouvait, entre deux bouffées de sa pipe, vous faire savoir avec une fierté tranquille que, pendant ces quatre dernières années, il s'était montré chaque soir au Centre Communautaire. Une accablante odeur de sueur, inconscient témoignage de l'ardeur qu'il déployait, le suivait partout et, même, demeurait derrière lui alors qu'il était parti.

— Avez-vous une clef anglaise, demanda Winston qui tournait et retournait l'écrou sur le joint.

— Une clef anglaise, répéta madame Parsons immédiatement devenue amorphe. Je ne sais pas, bien sûr. Peut-être que les enfants...

Il y eut un piétinement de souliers et les enfants entrèrent au pas de charge dans le living-room, en soufflant sur le peigne. Madame Parsons apporta la clef anglaise. Winston fit couler l'eau et enleva avec dégoût le tortillon de cheveux qui avait bouché le tuyau. Il se nettoya les doigts comme il put sous l'eau froide du robinet et retourna dans l'autre pièce.

— Haut les mains ! hurla une voix sauvage. Un garçon de neuf ans, beau, l'air pas commode, s'était brusquement relevé de derrière la table et le menaçait de son jouet, un pistolet automatique. Sa sœur, de deux ans plus jeune environ, faisait le même geste avec un bout de bois. Ils étaient tous deux revêtus du short bleu, de la chemise grise et du foulard rouge qui composaient l'uniforme des Espions.

Winston leva les mains au-dessus de sa tête, mais l'attitude du garçon était à ce point malveillante qu'il en éprouvait un malaise et le sentiment que ce n'était pas tout à fait un jeu.

— Vous êtes un traître, hurla le garçon. Vous trahissez par la pensée ! Vous êtes un espion eurasien ! Je vais vous fusiller, vous vaporiser, vous envoyer dans les mines de sel !

Les deux enfants se mirent soudain à sauter autour de lui et à crier : « Traître! Criminel de la Pensée! » La petite fille imitait tous les mouvements de son frère. C'était légèrement effrayant, cela ressemblait à des gambades de petits tigres qui bientôt grandiraient et deviendraient des mangeurs d'hommes. Il y avait comme une férocité calculée dans l'œil du garçon, un désir tout à fait évident de frapper Winston des mains et des pieds, et la conscience d'être presque assez grand pour le faire. C'était une chance pour Winston que le pistolet ne fût pas un vrai pistolet.

Les yeux de madame Parsons voltigèrent nerveusement de Winston aux enfants et inversement. Winston, dans la lumière plus vive du living-room, remarqua avec intérêt qu'elle avait véritablement de la poussière dans les plis de son visage.

— Ils sont si bruyants! dit-elle. Ils sont désappointés parce qu'ils ne peuvent aller voir la pendaison. C'est pour cela. Je suis trop occupée pour les conduire et Tom ne sera pas rentré à temps de son travail.

— Pourquoi ne pouvons-nous pas aller voir la pendaison ! rugit le garçon de sa voix pleine.

— Veux voir la pendaison ! Veux voir la pendaison ! chanta la petite fille qui gambadait encore autour d'eux.

Winston se souvint que quelques prisonniers eurasiens, coupables de crimes de guerre, devaient être pendus dans le parc cet après-midi-là. Cela se répétait chaque mois environ et c'était un spectacle populaire. Les enfants criaient pour s'y faire conduire.

Winston salua madame Parsons et sortit. Mais il n'avait pas fait six pas sur le palier que quelque chose le frappait à la nuque. Le coup fut atrocement douloureux. C'était comme si on l'avait transpercé avec un fil de fer chauffé au rouge. Il se retourna juste à temps pour voir madame Parsons tirer son fils pour le faire rentrer tandis que le garçon mettait une fronde dans sa poche.

— Goldstein ! hurla le garçon, tandis que la porte se refermait sur lui. Mais ce qui frappa le plus Winston, ce fut l'expression de frayeur impuissante du visage grisâtre de la femme.

De retour dans son appartement, il passa rapidement devant l'écran et se rassit devant la table, tout en se frottant le cou. La musique du télécran s'était tue. Elle était remplacée par une voix coupante et militaire qui lisait, avec une sorte de plaisir brutal, une description de la nouvelle forteresse flottante qui venait d'être ancrée entre la Terre de Glace et les îles Faroe.

Cette pauvre femme, pensa Winston, doit vivre dans la terreur de ses enfants. Dans un an ou deux, ils surveilleront nuit et jour chez elle les symptômes de non orthodoxie. Presque tous les enfants étaient maintenant horribles. Le pire c'est qu'avec des organisations telles que celle des Espions, ils étaient systématiquement transformés en ingouvernables petits sauvages. Pourtant cela ne produisait chez eux aucune tendance à se révolter contre la discipline du Parti. Au contraire, ils adoraient le Parti et tout ce qui s'y rapportait : les chansons, les processions, les bannières, les randonnées en bandes, les exercices avec des fusils factices, l'aboiement des slogans, le culte de Big Brother. C'était pour eux comme un jeu magnifique. Toute leur férocité était extériorisée contre les ennemis de l'Etat, contre les étrangers, les traîtres, les saboteurs, les criminels par la pensée. Il était presque normal que des gens de plus de trente

ans aient peur de leurs propres enfants. Et ils avaient
raison. Il se passait en effet rarement une semaine
sans qu'un paragraphe du *Times* ne relatât comment
un petit mouchard quelconque — « enfant héros »
disait-on — avait, en écoutant aux portes, entendu
une remarque compromettante et dénoncé ses parents
à la Police de la Pensée.

La brûlure causée par le projectile s'était éteinte.
Winston prit sa plume sans entrain. Il se demandait
s'il trouverait quelque chose de plus à écrire dans
son journal. Tout d'un coup sa pensée se reporta
vers O'Brien.

Il y avait longtemps — combien de temps ? sept
ans, peut-être, — il avait rêvé qu'il traversait une
salle où il faisait noir comme dans un four. Quelqu'un, assis dans cette salle, avait dit, alors que
Winston passait devant lui : « Nous nous rencontrerons là où il n'y a pas de ténèbres. » Ce fut dit calmement, comme par hasard. C'était une constatation,
non un ordre. Winston était sorti sans s'arrêter. Le
curieux était qu'à ce moment, dans le rêve, les mots
ne l'avaient pas beaucoup impressionné. C'est seulement plus tard, et par degrés, qu'ils avaient pris
tout leur sens. Il ne pouvait maintenant se rappeler
si c'était avant ou après ce rêve qu'il avait vu O'Brien
pour la première fois. Il ne pouvait non plus se rappeler à quel moment il avait identifié la voix comme
étant celle d'O'Brien. L'identification en tout cas
était faite. C'était O'Brien qui avait parlé dans
l'obscurité.

Winston n'avait jamais pu savoir avec certitude si
O'Brien était un ami ou un ennemi. Même après le
coup d'œil de ce matin, il était encore impossible de
le savoir. Cela ne semblait pas d'ailleurs avoir une
grande importance. Il y avait entre eux un lien basé
sur la compréhension réciproque, qui était plus
important que l'affection ou le rattachement à un
même parti. « Nous nous rencontrerons là où il n'y

a pas de ténèbres » avait dit O'Brien. Winston ne savait pas ce que cela signifiait, il savait seulement que, d'une façon ou d'une autre, cela se réaliserait. La voix du télécran se tut. Une sonnerie de clairon, claire et belle, flotta dans l'air stagnant. La voix grinçante reprit :

— Attention ! Attention ! je vous prie. Un télégramme vient d'arriver du front de Malabar. Nos forces ont remporté une brillante victoire dans le sud de l'Inde. Je suis autorisé à vous dire que cet engagement pourrait bien rapprocher le moment où la guerre prendra fin. Voici le télégramme...

Cela présage une mauvaise nouvelle, pensa Winston. En effet, après une description réaliste de l'anéantissement de l'armée eurasienne et la proclamation du nombre stupéfiant de tués et de prisonniers, la voix annonça qu'à partir de la semaine suivante, la ration de chocolat serait réduite de trente à vingt grammes.

Winston éructa encore. Le gin s'évaporait, laissant une sensation de dégonflement. Le télécran, peut-être pour célébrer la victoire, peut-être pour noyer le souvenir du chocolat perdu, se lança dans le chant : *Océania, c'est pour toi !* On était censé être au garde à vous. Mais là où il se tenait, Winston était invisible.

Océania, c'est pour toi ! fit place à une musique plus légère Winston alla à la fenêtre, le dos au télécran. C'était une journée encore froide et claire. Quelque part, au loin, une bombe explosa avec un grondement sourd qui se répercuta. Il y avait chaque semaine environ vingt ou trente de ces bombes qui tombaient sur Londres.

Dans la rue, le vent faisait claquer de droite à gauche l'affiche déchirée et le mot ANGSOC apparaissait et disparaissait tour à tour. Angsoc. Les principes sacrés de l'Angsoc. Novlangue, double-pensée, mutabilité du passé. Winston avait l'impression d'errer dans les forêts des profondeurs sous-marines, perdu dans un monde monstrueux dont il était lui-même le monstre. Il était seul. Le passé était mort, le futur inimaginable. Quelle certitude avait-il qu'une seule des créatures humaines actuellement vivantes pensait comme lui ? Et comment savoir si la souveraineté du Parti ne durerait pas éternellement ? Comme une réponse, les trois slogans inscrits sur la façade blanche du Ministère de la Vérité lui revinrent à l'esprit.

LA GUERRE C'EST LA PAIX
LA LIBERTE C'EST L'ESCLAVAGE
L'IGNORANCE C'EST LA FORCE

Il prit dans sa poche une pièce de vingt-cinq cents. Là aussi, en lettres minuscules et distinctes, les mêmes slogans étaient gravés. Sur l'autre face de la pièce, il y avait la tête de Big Brother dont les yeux, même là, vous poursuivaient. Sur les pièces de monnaie, sur les timbres, sur les livres, sur les bannières, sur les affiches, sur les paquets de cigarettes, partout ! Toujours ces yeux qui vous observaient, cette voix qui vous enveloppait. Dans le sommeil ou la veille, au travail ou à table, au dedans ou au dehors, au bain ou au lit, pas d'évasion. Vous ne possédiez rien, en dehors des quelques centimètres cubes de votre crâne.

Le soleil avait tourné et les myriades de fenêtres du Ministère de la Vérité qui n'étaient plus éclairées par la lumière paraissaient sinistres comme les meurtrières d'une forteresse. Le cœur de Winston défaillit devant l'énorme construction pyramidale. Elle était trop puissante, on ne pourrait la prendre d'assaut. Un millier de bombes ne pourraient l'abattre.

Winston se demanda de nouveau pour qui il écrivait son journal. Pour l'avenir? Pour le passé? Pour un âge qui pourrait n'être qu'imaginaire? Il avait devant lui la perspective, non de la mort, mais de l'anéantissement. Son journal serait réduit en cendres et lui-même en vapeur. Seule, la Police de la Pensée lirait ce qu'il aurait écrit avant de l'effacer de l'existence et de la mémoire. Comment pourrait-on faire appel au futur alors que pas une trace, pas même un mot anonyme griffonné sur un bout de papier ne pouvait matériellement survivre ?

Le télécran sonna quatorze heures. Winston devait partir dans dix minutes. Il lui fallait être à son travail à quatorze heures trente.

Curieusement, le carillon de l'heure parut lui communiquer un courage nouveau. C'était un fantôme solitaire qui exprimait une vérité que personne n'entendrait jamais. Mais aussi longtemps qu'il l'exprimerait, la continuité, par quelque obscur processus, ne serait pas brisée. Ce n'était pas en se faisant entendre, mais en conservant son équilibre que l'on portait plus loin l'héritage humain. Winston retourna à sa table, trempa sa plume et écrivit :

Au futur ou au passé, au temps où la pensée est libre, où les hommes sont dissemblables mais ne sont pas solitaires, au temps où la vérité existe, où ce qui est fait ne peut être défait,

De l'âge de l'uniformité, de l'âge de la solitude, de l'âge de Big Brother, de l'âge de la doublepensée, Salut !

Il réfléchit qu'il était déjà mort. Il lui apparut que c'était seulement lorsqu'il avait commencé à être capable de formuler ses idées qu'il avait fait le pas décisif. Les conséquences d'un acte sont incluses dans l'acte lui-même. Il écrivit :

Le crime de penser n'entraîne pas la mort. Le crime de penser est la mort.

Maintenant qu'il s'était reconnu comme mort, il
devenait important de rester vivant aussi longtemps
que possible. Deux doigts de sa main droite étaient
tachés d'encre. C'était exactement le genre de détail
qui pouvait vous trahir. Au Ministère, quelque zéla-
teur au flair subtil, (une femme, probablement, la
petite femme rousse ou la fille brune du Commissariat
aux Romans) pourrait se demander pourquoi il avait
écrit à l'heure du déjeuner, pourquoi il s'était servi
d'une plume démodée, et surtout ce qu'il avait écrit,
puis glisser une insinuation au service compétent.
Winston alla dans la salle de bains et frotta soigneusement avec du savon l'encre de son doigt. Ce savon,
brun foncé, était granuleux et râpait la peau comme
du papier émeri. Il convenait donc parfaitement.

Winston rangea ensuite le journal dans son tiroir.
Il était absolument inutile de chercher à le cacher,
mais Winston pourrait au moins savoir s'il était découvert ou non. Un cheveu au travers de l'extrémité
des pages serait trop visible. Du bout de son doigt,
il ramassa un grain de poussière blanchâtre qu'il
pourrait reconnaître, et le déposa sur un coin de la
couverture. Le grain serait ainsi rejeté si le livre
était déplacé.

III

Winston rêvait de sa mère.

Il devait avoir dix ou onze ans, croyait-il, quand
sa mère avait disparu. Elle était grande, sculpturale,
plutôt silencieuse, avec de lents mouvements et une
magnifique chevelure blonde. Le souvenir qu'il avait
de son père était plus vague. C'était un homme brun
et mince, toujours vêtu de costumes sombres et nets,

qui portait des lunettes. (Winston se rappelait surtout les minces semelles des chaussures de son père). Tous deux avaient probablement été engloutis dans l'une des premières grandes épurations des années 50.

Sa mère, dans ce rêve, était assise en quelque lieu profond au-dessous de Winston, avec, dans ses bras, la jeune sœur de celui-ci. Il ne se souvenait pas du tout de sa sœur, sauf que c'était un bébé petit, faible, toujours silencieux, aux grands yeux attentifs. Toutes les deux le regardaient. Elles étaient dans un endroit souterrain — le fond d'un puits, par exemple, ou une tombe très profonde — mais c'était un endroit qui, bien que déjà très bas, continuait à descendre. Elles se trouvaient dans le salon d'un bateau qui sombrait et le regardaient à travers l'eau de plus en plus opaque. Il y avait de l'air dans le salon, ils pouvaient encore se voir les uns les autres, mais elles s'enfonçaient de plus en plus dans l'eau verte qui bientôt les cacherait pour jamais. Il était dehors, dans l'air et la lumière tandis qu'elles étaient aspirées vers la mort. Et elles étaient là *parce que* lui était en haut.

Il le savait et il pouvait voir sur leurs visages qu'elles le savaient. Il n'y avait de reproche ni sur leurs visages, ni dans leurs cœurs. Il y avait seulement la certitude qu'elles devaient mourir pour qu'il vive et que cela faisait partie de l'ordre inévitable des choses.

Il ne pouvait se souvenir de ce qui était arrivé, mais il savait dans son rêve que les vies de sa mère et de sa sœur avaient été sacrifiées à la sienne. C'était un de ces rêves qui, tout en offrant le décor caractéristique du rêve, permettent et prolongent l'activité de l'intelligence. Au cours de tels rêves, on prend conscience de faits et d'idées qui gardent leur valeur quand on s'est réveillé. Ce qui frappa soudain Winston, c'est que la mort de sa mère, survenue il y avait près de trente ans, avait été d'un tragique et d'une tristesse qui seraient actuellement impossibles. Il comprit que le tragique était un élément des temps anciens, des temps où existaient encore l'intimité, l'amour et l'amitié, quand les membres d'une famille s'entr'aidaient sans se demander au nom de quoi. Le souvenir de sa mère le déchirait parce qu'elle était morte en l'aimant, alors qu'il était trop jeune et trop égoïste pour l'aimer en retour. C'était aussi parce qu'elle s'était sacrifiée, il ne se rappelait plus comment, à une conception, personnelle et inaltérable, de la loyauté. Il se rendait compte que de telles choses ne pouvaient plus se produire. Aujourd'hui, il y avait de la peur, de la haine, de la souffrance, mais il n'y avait aucune dignité dans l'émotion. Il n'y avait aucune profondeur, aucune complexité dans les tristesses. Il lui semblait voir tout cela dans les grands yeux de sa mère et de sa sœur qui, à des centaines de brasses de profondeur, le regardaient à travers les eaux vertes et s'enfonçaient encore.

Il se trouva soudain debout sur du gazon élastique. par un soir d'été, alors que les rayons obliques du soleil dorent la terre. Le paysage qu'il regardait revenait si souvent dans ses rêves qu'il n'était jamais tout à fait sûr de ne pas l'avoir vu dans le monde réel. Lorsque à son réveil il s'en souvenait, il l'appelait le Pays Doré. C'était un ancien pâturage, dévoré par les lapins et que traversait un sentier sinueux. Des taupinières l'accidentaient çà et là. Dans la haie mal taillée qui se trouvait de l'autre côté du champ, des branches d'ormes se balançaient doucement dans la brise et leurs feuilles se déplaçaient par masses épaisses comme des chevelures de femmes. Quelque part, tout près, bien que caché au regard, il y avait un ruisseau lent et clair. Il formait, sous les saules, des étangs dans lesquels nageaient des poissons dorés.

La fille aux cheveux noirs se dirigeait vers Winston à travers le champ. D'un seul geste, lui sembla-t-il, elle déchira ses vêtements et les rejeta dédaigneusement. Son corps était blanc et lisse, mais il n'éveilla aucun désir chez Winston, qui le regarda à peine. Ce qui en cet instant le transportait d'admiration, c'était le geste avec lequel elle avait rejeté ses vêtements. La grâce négligente de ce geste semblait anéantir toute une culture, tout un système de pensées, comme si Big Brother, le Parti, la Police de la Pensée, pouvaient être rejetés au néant par un unique et splendide mouvement du bras. Cela aussi était un geste de l'ancien temps.

Winston se réveilla avec sur les lèvres le mot « Shakespeare ».

Le télécran émettait un coup de sifflet assourdissant sur une note unique qui dura trente secondes. Il était sept heures un quart, heure du lever des employés de bureau. Winston s'arracha du lit. Il était nu car les membres du Parti Extérieur ne recevaient annuellement que trois mille points textiles, et il en fallait six cents pour un pyjama. Il attrapa sur une chaise un médiocre gilet de flanelle et un short. L'heure de culture physique allait commencer dans trois minutes. Une violente quinte de toux, qui presque toujours le prenait tout de suite après son réveil, l'obligea à se plier en deux. L'air lui manquait à tel point qu'il ne put reprendre son souffle qu'après une série de profondes inspirations, couché sur le dos. Ses veines s'étaient gonflées dans l'effort qu'il avait fait pour tousser et son ulcère variqueux commençait à le démanger.

— Groupe trente à quarante ! glapit une voix perçante de femme. Groupe trente à quarante ! En place, s'il vous plaît. Les trente à quarante.

Winston se mit rapidement au garde à vous en face du télécran sur lequel venait d'apparaître l'image d'une femme assez jeune, fine, mais musclée, vêtue d'une tunique et chaussée de sandales de gymnastique.

— Flexion et extension des bras ! lança-t-elle. En

même temps que moi. *Un,* deux, trois, quatre ! *Un,*
deux, trois, quatre ! Allons, camarades ! un peu
d'énergie ! *Un,* deux, trois, quatre ! *Un,* deux, trois,
quatre !...

La souffrance causée par sa quinte n'avait pas tout
à fait effacé de l'esprit de Winston l'impression faite
par son rêve, et les mouvements rythmés de l'exercice la ravivèrent. Tandis qu'il lançait mécanique-
ment ses bras en arrière et en avant et maintenait
sur son visage l'expression de satisfaction et de
sérieux que l'on considérait comme normale pendant
la culture physique, il luttait pour retourner mentalement à la période imprécise de sa petite enfance.
C'était extrêmement difficile. Au delà des dernières
années 50, tout se décolorait. Lorsque quelqu'un n'a
pas de points de repère extérieurs à quoi se référer,
le tracé même de sa propre vie perd de sa netteté.
Il se souvient d'événements importants qui n'ont probablement pas eu lieu, il retrouve le détail d'incidents dont il ne peut recréer l'atmosphère, et il y a
de longues périodes vides à quoi rien ne se rapporte.
Tout était alors différent. Même les noms des pays
et leur forme sur la carte étaient différents. La première Région Aérienne, par exemple, était appelée
autrement dans ce temps-là. On l'appelait Angleterre, ou Grande-Bretagne. Mais la ville de Londres,
il en était sûr, avait toujours été nommée Londres.

Winston ne pouvait se souvenir avec précision
d'une époque pendant laquelle son pays n'avait pas
été en guerre. Il était évident cependant que, durant
son enfance, il y avait eu un assez long intervalle de
paix. Un de ses plus anciens souvenirs, en effet, était
celui d'un raid aérien qui avait paru surprendre tout
le monde. Peut-être était-ce à l'époque où la bombe
atomique était tombée sur Colchester. Il ne se souvenait pas du raid lui-même, mais il se rappelait
l'étreinte sur la sienne de la main de son père, tandis
qu'ils dégringolaient toujours plus bas, vers le cen-

tre de la terre, un escalier sonore en spirale qui fuyait
sous leurs pieds et lui fatigua tellement les jambes
qu'il se mit à pleurnicher. Ils durent s'arrêter pour
se reposer. Sa mère, à sa manière lente et rêveuse,
les suivait très loin en arrière. Elle portait la petite
sœur, ou peut-être était-ce seulement un paquet de
couvertures ? Winston n'était pas certain que sa
sœur fût déjà née. Ils émergèrent à la fin dans un
endroit bruyant et bondé de gens. C'était, il le comprit, une station de métro.

Partout, sur le sol dallé, il y avait des gens assis.
D'autres se pressaient les uns contre les autres sur
des banquettes de métal. Winston, son père et sa
mère trouvèrent une place sur le sol. Près d'eux,
deux vieillards étaient assis côte à côte sur une cou-
chette. L'homme était décemment vêtu d'un costume
sombre. Une casquette de drap, noire, repoussée en
arrière, découvrait ses cheveux très blancs. Son
visage était écarlate, ses yeux étaient bleus et pleins
de larmes. Il sentait le gin à plein nez. L'odeur semblait sourdre de sa peau à la place de la sueur et l'on
pouvait imaginer que les larmes qui jaillissaient de
ses yeux étaient du gin pur. Mais, bien que légèrement ivre, il était sous le coup d'un chagrin sincère
et intolérable. Winston, d'une manière enfantine,
comprit qu'un événement terrible, un événement
impardonnable et pour lequel il n'y avait pas de
remède, venait de se passer. Il lui sembla aussi qu'il
savait ce que c'était. Quelqu'un que le vieillard
aimait, une petite fille peut-être, avait été tué. Le
vieillard répétait toutes les deux minutes : « Nous
n'aurions pas dû leur faire confiance. Je l'avais dit,
maman, n'est-ce pas ? C'est ce qui arrive quand on
leur fait confiance. Je l'ai toujours dit. Nous n'aurions pas dû faire confiance à ces types. »

Mais à quels types ils n'auraient pas dû se fier,
Winston ne s'en souvenait plus.

A partir de ce moment, la guerre, pour ainsi dire,

n'avait jamais cessé, mais, à proprement parler, ce n'était pas toujours la même guerre. Pendant plusieurs mois de l'enfance de Winston, il y avait eu des combats de rue confus dans Londres même, et il se souvenait avec précision de quelques-uns d'entre eux. Mais retrouver l'histoire de toute la période, dire qui combattait contre qui à un moment donné était absolument impossible. Tous les rapports écrits ou oraux ne faisaient jamais allusion qu'à l'événement actuel. En ce moment, par exemple, en 1984 (si c'était bien 1984) l'Océania était alliée à l'Estasia et en guerre avec l'Eurasia. Dans aucune émission publique ou privée il n'était admis que les trois puissances avaient été, à une autre époque, groupées différemment. Winston savait fort bien qu'il y avait seulement quatre ans, l'Océania était en guerre avec l'Estasia et alliée à l'Eurasia. Mais ce n'était qu'un renseignement furtif et frauduleux qu'il avait retenu par hasard parce qu'il ne maîtrisait pas suffisamment sa mémoire. Officiellement, le changement de partenaires n'avait jamais eu lieu. L'Océania était en guerre avec l'Eurasia. L'Océania avait, par conséquent, toujours été en guerre avec l'Eurasia. L'ennemi du moment représentait toujours le mal absolu et il s'ensuivait qu'aucune entente passée ou future avec lui n'était possible.

L'effrayant, pensait Winston pour la dix millième fois, tandis que d'un mouvement douloureux il forçait ses épaules à tourner en arrière, (mains aux hanches, ils faisaient virer leurs bustes autour de la taille, exercice qui était bon, paraît-il, pour les muscles du dos) l'effrayant était que tout pouvait être vrai. Que le Parti puisse étendre le bras vers le passé et dire d'un événement : *cela ne fut jamais,* c'était bien plus terrifiant que la simple torture ou que la mort.

Le Parti disait que l'Océania n'avait jamais été l'alliée de l'Eurasia. Lui, Winston Smith, savait que

l'Océania avait été l'alliée de l'Eurasia, il n'y avait
de cela que quatre ans. Mais où existait cette connaissance ? Uniquement dans sa propre conscience
qui, dans tous les cas, serait bientôt anéantie. Si tous
les autres acceptaient le mensonge imposé par le
Parti — si tous les rapports racontaient la même
chose — le mensonge passait dans l'histoire et devenait vérité. « Celui qui a le contrôle du passé »,
disait le slogan du Parti, « a le contrôle du futur.
Celui qui a le contrôle du présent a le contrôle du
passé. » Et cependant le passé, bien que par nature
susceptible d'être modifié, n'avait jamais été retou-
ché. La vérité actuelle, quelle qu'elle fût, était vraie
d'un infini à un autre infini. C'était tout à fait simple.
Ce qu'il fallait à chacun, c'était avoir en mémoire
une interminable série de victoires. Cela s'appelait
« Contrôle de la Réalité ». On disait en Novlangue,
doublepensée.

— Repos ! aboya la monitrice, un peu plus cor-
dialement.

Winston laissa tomber ses bras et remplit lentement d'air ses poumons. Son esprit s'échappa vers le
labyrinthe de la doublepensée. Connaître et ne pas
connaître. En pleine conscience et avec une absolue
bonne foi, émettre des mensonges soigneusement
agencés. Retenir simultanément deux opinions qui
s'annulent alors qu'on les sait contradictoires et
croire à toutes deux. Employer la logique contre la
logique. Répudier la morale alors qu'on se réclame
d'elle. Croire en même temps que la démocratie est
impossible et que le Parti est gardien de la démocratie. Oublier tout ce qu'il est nécessaire d'oublier,
puis le rappeler à sa mémoire quand on en a besoin,
pour l'oublier plus rapidement encore. Surtout, appli-
quer le même processus au processus lui-même. Là
était l'ultime subtilité. Persuader consciemment l'inconscient, puis devenir ensuite inconscient de l'acte
d'hypnose que l'on vient de perpétrer. La compré-

hension même du mot « doublepensée » impliquait
l'emploi de la double pensée.

La monitrice les avait rappelés au garde à vous.
« Voyons maintenant », dit-elle avec enthousiasme,
« quels sont ceux d'entre nous qui peuvent toucher
leurs orteils. Droits sur les hanches, camarades ! *Un*-
deux ! *Un*-deux !... »

Winston détestait cet exercice qui provoquait, des
talons aux fesses, des élancements douloureux et
finissaient par provoquer une autre quinte de toux.
Ses méditations en perdirent leur agrément mitigé.
Le passé, réfléchit-il, n'avait pas été seulement modifié, il avait été bel et bien détruit. Comment en effet
établir, même le fait le plus patent, s'il n'en existait
aucun enregistrement que celui d'une seule mémoire ?
Il essaya de se rappeler en quelle année il avait pour
la première fois entendu parler de Big Brother. Ce
devait être vers les années 60, mais comment en être
sûr ? Dans l'histoire du Parti, naturellement, Big
Brother figurait comme chef et gardien de la Révolution depuis les premiers jours. Ses exploits avaient
été peu à peu reculés dans le temps et ils s'étendaient
maintenant jusqu'au monde fabuleux des années 40
et 30, à l'époque où les capitalistes, coiffés d'étranges
chapeaux cylindriques, parcouraient les rues de Londres dans de grandes automobiles étincelantes ou
dans des voitures vitrées tirées par des chevaux. Il
était impossible de savoir jusqu'à quel point la
légende de Big Brother était vraie ou inventée. Winston ne pouvait même pas se rappeler à quelle date le
Parti· lui-même était né. Il ne croyait pas avoir
jamais entendu le mot Angsoc avant 1960, mais il
était possible que sous la forme « Socialisme anglais »
qu'il avait dans l'Ancien Langage, il eût existé plus
tôt. Tout se fondait dans le brouillard. Parfois, certainement, on pouvait poser le doigt sur un mensonge précis. Il était faux, par exemple, que le Parti,
ainsi que le clamaient les livres d'histoire, eût in-

venté les aéroplanes. Winston se souvenait d'avoir vu
des aéroplanes dès sa plus tendre enfance. Mais on
ne pouvait rien prouver. Il n'y avait jamais de témoignage. Une seule fois, dans toute son existence, Winston avait tenu entre les mains la preuve écrite indé-
niable de la falsification d'un fait historique. Et cette
fois-là...

— Smith ! cria la voix acariâtre dans le télécran,
6079 Smith W ! Oui, vous-même ! Baissez-vous plus
bas, s'il vous plaît ! Vous pouvez faire mieux que
cela. Vous ne faites pas d'efforts. Plus bas, je vous
prie ! Cette fois c'est mieux, camarade. Maintenant,
repos, tous, et regardez-moi.

Le corps de Winston s'était brusquement recouvert
d'une ondée de sueur chaude, mais son visage demeura
absolument impassible. Ne jamais montrer d'épou-
vante ! Ne jamais montrer de ressentiment ! Un seul
frémissement des yeux peut vous trahir. Winston
resta debout à regarder tandis que la monitrice levait
les bras au-dessus de la tête et, on ne pouvait dire
avec grâce, mais avec une précision et une efficacité
remarquables, se courba et rentra sous ses orteils la
première phalange de ses doigts.

— Voilà, camarades ! Voilà comment je veux vous
voir faire ce mouvement. Regardez-moi. J'ai trente-
neuf ans et j'ai quatre enfants. Maintenant, attention ! Elle se pencha de nouveau. Vous voyez que
mes genoux ne sont pas pliés. Vous pouvez tous le
faire, si vous voulez, ajouta-t-elle en se redressant.
N'importe qui, au-dessous de quarante-cinq ans, est
parfaitement capable de toucher ses orteils. Nous
n'avons pas tous le privilège de nous battre sur le
front, mais nous pouvons au moins nous garder en
forme. Pensez à nos garçons qui sont sur le front
de Malabar ! Pensez aux marins des Forteresses Flottantes ! Imaginez ce qu'ils ont, eux, à endurer.
Maintenant, essayez encore. C'est mieux, camarade,
beaucoup mieux, ajouta-t-elle sur un ton encoura-

geant, comme Winston, pour la première fois depuis
des années, réussissait, d'un brusque mouvement, à
toucher ses orteils sans plier les genoux.

IV

Avec le soupir inconscient et profond que la proximité même du télécran ne pouvait l'empêcher de
pousser lorsqu'il commençait son travail journalier,
Winston rapprocha de lui le phonoscript, souffla la
poussière du microphone et mit ses lunettes.

Il déroula ensuite et agrafa ensemble quatre petits
cylindres de papier qui étaient déjà tombés du tube
pneumatique qui se trouvait à la droite du bureau.

Il y avait trois orifices aux murs de la cabine. A
droite du phonoscript se trouvait un petit tube pneumatique pour les messages écrits. A gauche, il y avait
un tube plus large pour les journaux. Dans le mur
de côté, à portée de la main de Winston, il y avait
une large fente ovale protégée par un grillage métallique. On se servait de cette fente pour jeter les vieux
papiers. Il y avait des milliers et des milliers de
fentes semblables dans l'édifice. Il s'en trouvait, non
seulement dans chaque pièce mais, à de courts intervalles, dans chaque couloir. On les surnommait trous
de mémoire. Lorsqu'un document devait être détruit,
ou qu'on apercevait le moindre bout de papier qui
traînait, on soulevait le clapet du plus proche trou
de mémoire, l'action était automatique, et on laissait
tomber le papier, lequel était rapidement emporté
par un courant d'air chaud jusqu'aux énormes four-
naises cachées quelque part dans les profondeurs de
l'édifice.

Winston examina les quatre bouts de papier qu'il

avait déroulés. Ils contenaient chacun un message
d'une ou deux lignes seulement, dans le jargon abrégé
employé au Ministère pour le service intérieur. Ce
n'était pas exactement du Novlangue, mais il comprenait un grand nombre de mots novlangue. Ces
messages étaient ainsi rédigés :

> *times* 17-3-84 *discours malreporté afrique rectifier*
> *times* 19-12-83 *prévisions 3 ap* 4ème *trimestre 83*
> *erreurs typo vérifier numéro de ce jour.*
> *times* 14-2-84 *miniplein chocolat malcoté rectifier*
> *times* 3-12-83 *report ordrejour bb trèsmauvais ref*
> *unpersonnes réécrire entier soumettrehaut antéclasse-*
> *ment.*

Avec un léger soupir de satisfaction, Winston mit
de côté le quatrième message. C'était un travail com-
pliqué qui comportait des responsabilités et qu'il
valait mieux entreprendre en dernier lieu. Les trois
autres ne demandaient que de la routine, quoique le
second impliquât probablement une fastidieuse étude
de listes de chiffres.

Winston composa sur le télécran les mots : « numéros anciens » et demanda les numéros du journal
le *Times* qui lui étaient nécessaires. Quelques minutes seulement plus tard, ils glissaient du tube pneumatique. Les messages qu'il avait reçus se rappor-
taient à des articles, ou à des passages d'articles que,
pour une raison ou pour une autre, on pensait nécessaire de modifier ou, plutôt, suivant le terme officiel,
de rectifier.

Par exemple, dans le *Times* du 17 mars, il apparaissait que Big Brother dans son discours de la
veille, avait prédit que le front de l'Inde du Sud
resterait calme. L'offensive eurasienne serait bientôt
lancée contre l'Afrique du Nord. Or, le haut commandement eurasien avait lancé son offensive contre
l'Inde du Sud et ne s'était pas occupé de l'Afrique

du Nord. Il était donc nécessaire de réécrire le paragraphe erroné du discours de Big Brother afin qu'il prédise ce qui était réellement arrivé.

De même, le *Times* du 19 décembre avait publié les prévisions officielles pour la Production de différentes sortes de marchandises de consommation au cours du quatrième trimestre 1983 qui était en même temps le sixième trimestre du neuvième plan triennal. Le journal du jour publiait un état de la production réelle. Il en ressortait que les prévisions avaient été, dans tous les cas, grossièrement erronées. Le travail de Winston était de rectifier les chiffres primitifs pour les faire concorder avec les derniers parus.

Quant au troisième message, il se rapportait à une simple erreur qui pouvait être corrigée en deux minutes. Il n'y avait pas très longtemps, c'était au mois de février, le Ministère de l'Abondance avait publié la promesse (en termes officiels, l'*engagement catégorique*) de ne pas réduire la ration de chocolat durant l'année 1984. Or, la ration, comme le savait Winston, devait être réduite de trente à vingt grammes à partir de la fin de la semaine. Tout ce qu'il y avait à faire, c'était de substituer à la promesse primitive l'avis qu'il serait probablement nécessaire de réduire la ration de chocolat dans le courant du mois d'avril.

Dès qu'il avait fini de s'occuper de l'un des messages, Winston agrafait ses corrections phonoscriptées au numéro correspondant du *Times* et les introduisait dans le tube pneumatique. Ensuite, d'un geste autant que possible inconscient, il chiffonnait le message et les notes qu'il avait lui-même faites et les jetait dans le trou de mémoire afin que le tout fût dévoré par les flammes.

Que se passait-il dans le labyrinthe où conduisaient les pneumatiques ? Winston ne le savait pas en détail, mais il en connaissait les grandes lignes. Lorsque toutes les corrections qu'il était nécessaire

d'apporter à un numéro spécial du *Times* avaient été
rassemblées et collationnées, le numéro était réim-
primé. La copie originale était détruite et remplacée
dans la collection par la copie corrigée.

Ce processus de continuelles retouches était appliqué, non seulement aux journaux, mais aux livres,
périodiques, pamphlets, affiches, prospectus, films,
enregistrements sonores, caricatures, photographies.
Il était appliqué à tous les genres imaginables de littérature ou de documentation qui pouvaient compor-
ter quelque signification politique ou idéologique.
Jour par jour, et presque minute par minute, le passé
était mis à jour. On pouvait ainsi prouver, avec documents à l'appui, que les prédictions faites par le
Parti s'étaient trouvées vérifiées. Aucune opinion,
aucune information ne restait consignée, qui aurait
pu se trouver en conflit avec les besoins du moment.
L'Histoire tout entière était un palimpseste gratté et
réécrit aussi souvent que c'était nécessaire. Le changement effectué, il n'aurait été possible en aucun cas
de prouver qu'il y avait eu falsification.

La plus grande section du Commissariat aux Archives, bien plus grande que celle où travaillait Winston, était simplement composée de gens dont la tâche
était de rechercher et rassembler toutes les copies de
livres, de journaux et autres documents qui avaient
été remplacées et qui devaient être détruites. Un
numéro du *Times* pouvait avoir été réécrit une
douzaine de fois, soit par suite de changement dans
la ligne politique, soit par suite d'erreurs dans les
prophéties de Big Brother. Mais il se trouvait encore
dans la collection avec sa date primitive. Aucun autre
exemplaire n'existait qui pût le contredire. Les livres
aussi étaient retirés de la circulation et plusieurs fois
réécrits. On les rééditait ensuite sans aucune mention
de modification. Même les instructions écrites que
recevait Winston et dont il se débarrassait invariablement dès qu'il n'en avait plus besoin, ne décla-

raient ou n'impliquaient jamais qu'il s'agissait de
faire un faux. Il était toujours fait mention de fautes,
d'omissions, d'erreurs typographiques, d'erreurs de
citation, qu'il était nécessaire de corriger dans l'intérêt de l'exactitude.

A proprement parler, il ne s'agit même pas de
falsification, pensa Winston tandis qu'il réajustait les
chiffres du Ministère de l'Abondance. Il ne s'agit
que de la substitution d'un non-sens à un autre. La
plus grande partie du matériel dans lequel on trafi-
quait n'avait aucun lien avec les données du monde
réel, pas même cette sorte de lien que contient le
mensonge direct. Les statistiques étaient aussi fantaisistes dans leur version originale que dans leur version rectifiée. On comptait au premier chef sur les
statisticiens eux-mêmes pour qu'ils ne s'en souvins-
sent plus.

Ainsi, le Ministère de l'Abondance avait, dans ses
prévisions, estimé le nombre des bottes fabriquées
dans le trimestre à cent quarante-cinq millions de
paires. Le chiffre indiqué par la production réelle
était soixante-deux millions. Winston, cependant, en
réécrivant les prévisions donna le chiffre de cinquante-
sept millions, afin de permettre la déclaration habituelle que les prévisions avaient été dépassées. Dans
tous les cas, soixante-deux millions n'était pas plus
près de la vérité que cinquante-sept millions ou que
cent quarante-cinq millions. Très probablement, personne ne savait combien, dans l'ensemble, on en avait
fabriqué. Il se pouvait également que pas une seule
n'ait été fabriquée. Et personne, en réalité, ne s'en
souciait. Tout ce qu'on savait, c'est qu'à chaque
trimestre un nombre astronomique de bottes étaient
produites, sur le papier, alors que la moitié peut-être
de la population de l'Océania marchait pieds nus.

Il en était de même pour le report des faits de tous
ordres, qu'ils fussent importants ou insignifiants.
Tout s'évanouissait dans une ombre dans laquelle,

finalement, la date même de l'année devenait incertaine.

Winston jeta un coup d'œil à travers la galerie. De l'autre côté, dans la cabine correspondant à la sienne, un petit homme d'aspect méticuleux, au menton bleui, nommé Tillotson, travaillait avec ardeur. Il avait un journal plié sur les genoux et sa bouche était placée tout contre l'embouchure du phonoscript, comme s'il essayait de garder secret entre le télécran et lui ce qu'il disait. Il leva les yeux et ses verres lancèrent un éclair hostile dans la direction de Winston.

Winston connaissait à peine Tillotson et n'avait aucune idée de la nature du travail auquel il était employé. Les gens du Commissariat aux Archives ne parlaient pas volontiers de leur travail. Dans la longue galerie sans fenêtres où l'on voyait une double rangée de cabines où l'on entendait un éternel bruit de papier froissé et le bourdonnement continu des voix qui murmuraient dans les phonoscripts, il y avait bien une douzaine de personnes. Winston ne savait même pas leurs noms, bien qu'il les vît chaque jour se dépêcher dans un sens ou dans l'autre dans les couloirs ou gesticuler pendant les Deux Minutes de la Haine.

Il savait que, dans la cabine voisine de la sienne, la petite femme rousse peinait, un jour dans l'autre, à rechercher dans la presse et à éliminer les noms des gens qui avaient été vaporisés et qui étaient, par conséquent, considérés comme n'ayant jamais existé. Il y avait là un certain à-propos puisque son propre mari, deux ans plus tôt, avait été vaporisé.

Quelques cabines plus loin, se trouvait une créature douce, effacée, rêveuse, nommée Ampleforth, qui avait du poil plein les oreilles et possédait un talent surprenant pour jongler avec les rimes et les mètres. Cet Ampleforth était employé à produire des versions inexactes — on les appelait « textes défini-

tifs » — de poèmes qui étaient devenus idéologiquement offensants mais que pour une raison ou pour
une autre, on devrait conserver dans les anthologies.

Et cette galerie, avec ses cinquante employés environ, n'était qu'une sous-section, un seul élément, en
somme, de l'infinie complexité du Commissariat aux
Archives. Plus loin, au-dessus, au-dessous, il y avait
d'autres essaims de travailleurs engagés dans une
multitude inimaginable d'activités.

Il y avait les immenses ateliers d'impression, avec
leurs sous-éditeurs, leurs experts typographes, leurs
studios soigneusement équipés pour le truquage des
photographies. Il y avait la section des programmes
de télévision, avec ses ingénieurs, ses producteurs,
ses équipes d'acteurs spécialement choisis pour leur
habileté à imiter les voix. Il y avait les armées d'ar-
chivistes dont le travail consistait simplement à dresser les listes des livres et des périodiques qu'il fallait
retirer de la circulation. Il y avait les vastes archives
où étaient classés les documents corrigés et les four-
naises cachées où les copies originales étaient détruites. Et quelque part, absolument anonymes, il y avait
les cerveaux directeurs qui coordonnaient tous les
efforts et établissaient la ligne politique qui exigeait
que tel fragment du passé fût préservé, tel autre falsifié, tel autre encore anéanti.

Et le Commissariat aux Archives n'était lui-même,
en somme, qu'une branche du Ministère de la Vérité,
dont l'activité essentielle n'était pas de reconstruire
le passé, mais de fournir aux citoyens de l'Océania
des journaux, des films, des manuels, des programmes
de télécran, des pièces, des romans, le tout accompa-
gné de toutes sortes d'informations, d'instructions et
de distractions imaginables, d'une statue à un slogan,
d'un poème lyrique à un traité de biologie et d'un
alphabet d'enfant à un nouveau dictionnaire Novlangue. De plus, le Ministère n'avait pas à satisfaire
seulement les besoins du Parti, il avait encore à répé-

ter toute l'opération à une échelle inférieure pour le
bénéfice du prolétariat.

Il existait toute une suite de départements spéciaux
qui s'occupaient, pour les prolétaires, de littérature,
de musique, de théâtre et, en général, de délasse-
ment. Là on produisait des journaux stupides qui
ne traitaient presque entièrement que de sport, de
crime et d'astrologie, de petits romans à cinq francs,
des films juteux de sexualité, des chansons sentimen-
tales composées par des moyens entièrement méca-
niques sur un genre de kaléidoscope spécial appelé
versificateur.

Il y avait même une sous-section entière — appelée,
en Novlangue, Pornosex — occupée à produire le
genre le plus bas de pornographie. Cela s'expédiait
en paquets scellés qu'aucun membre du Parti, à part
ceux qui y travaillaient, n'avait le droit de regarder.

Trois autres messages étaient tombés du tube pneumatique pendant que Winston travaillait. Mais ils
traitaient de questions simples et Winston les avait
liquidés avant d'être interrompu par les Deux Minutes de la Haine.

Lorsque la Haine eut pris fin, il retourna à sa
cellule. Il prit sur une étagère le dictionnaire Novlangue, écarta le phonoscript, essuya ses verres et
s'attaqua au travail principal de la matinée.

C'est dans son travail que Winston trouvait le plus
grand plaisir de sa vie. Ce travail n'était, le plus
souvent, qu'une fastidieuse routine. Mais il comprenait aussi des parties si difficiles et si embrouillées,
que l'on pouvait s'y perdre autant que dans la complexité d'un problème de mathématique.

Il y avait de délicats morceaux de falsification où
l'on n'avait pour se guider que la connaissance des
principes Angsoc et sa propre estimation de ce que
le Parti attendait de vous. Winston était bon dans
cette partie. On lui avait même parfois confié la rectification d'articles de fond du journal le *Times*, qui

étaient écrits entièrement en Novlangue. Il déroula
le message qu'il avait mis de côté plus tôt. Ce message était ainsi libellé :

times 3-12-83 *report ordrejour bb plusnonsatisf. ref
nonêtres réécrire entier soumhaut avantclassement*

En ancien langage (en anglais ordinaire) cela pouvait se traduire ainsi :

Le compte rendu de l'ordre du jour de Big Brother, dans le numéro du journal le *Times* du 3 décembre 1983, est extrêmement insatisfaisant et fait
allusion à des personnes non-existantes. Réécrire en
entier et soumettre votre projet aux autorités com-
pétentes avant d'envoyer au classement.

Winston parcourut l'article incriminé. L'ordre du
jour de Big Brother avait, semblait-il, principalement consisté en éloges adressés à une organisation
connue sous les initiales C.C.F.F. qui fournissait des
cigarettes et autres douceurs aux marins des Forteresses Flottantes. Un certain camarade Withers,
membre éminent du Parti Intérieur, avait été distin-
gué, spécialement cité et décoré de la seconde classe
de l'ordre du Mérite Insigne.

Trois mois plus tard, le C.C.F.F. avait brusquement été dissous. Aucune raison n'avait été donnée
de cette dissolution. On pouvait présumer que
Withers et ses associés étaient alors en disgrâce, mais
il n'y avait eu aucun commentaire de l'événement
dans la presse ou au télécran. Ce n'était pas étonnant,
car il était rare que les criminels politiques fussent
jugés ou même publiquement dénoncés. Les grandes
épurations embrassant des milliers d'individus,
accompagnées du procès public de traîtres et de criminels de la pensée qui faisaient d'abjectes confessions de leurs crimes et étaient ensuite exécutés,
étaient des spectacles spéciaux, montés environ une
fois tous les deux ans. Plus communément, les gens
qui avaient encouru le déplaisir du Parti disparais-

saient simplement et on n'entendait plus jamais parler d'eux. On n'avait jamais le moindre indice sur ce
qui leur était advenu. Dans quelques cas, ils pouvaient même ne pas être morts. Il y avait trente individus, personnellement connus de Winston qui, sans
compter ses parents, avaient disparu à une époque
ou à une autre.

Winston se gratta doucement le nez avec un trom-
bone. Dans la cabine d'en face, le camarade Tillotson, ramassé sur son phonoscript, y déversait encore
des secrets. Il leva un moment la tête. Même éclair
hostile des lunettes. Winston se demanda si le camarade Tillotson faisait en ce moment le même travail
que lui. C'était parfaitement plausible. Un travail
si délicat n'aurait pu être confié à une seule personne. D'autre part, le confier à un comité eût été
admettre ouvertement qu'il s'agissait d'une falsification. Il y avait très probablement, en cet instant,
une douzaine d'individus qui rivalisaient dans la
fabrication de versions sur ce qu'avait réellement dit
Big Brother. Quelque cerveau directeur du Parti
Intérieur sélectionnerait ensuite une version ou une
autre, la ferait rééditer et mettrait en mouvement le
complexe processus de contre-corrections et d'anté-
références qu'entraînerait ce choix. Le mensonge
choisi passerait ensuite aux archives et deviendrait
vérité permanente.

Winston ne savait pas pourquoi Withers avait été
disgracié. Peut-être était-ce pour corruption ou in-
compétence. Peut-être Big Brother s'était-il simplement débarrassé d'un subordonné trop populaire.
Peut-être Withers ou un de ses proches avait-il été
suspect de tendances hérétiques. Ou, ce qui était
plus probable, c'était arrivé simplement parce que
les épurations et les vaporisations font nécessairement partie du mécanisme de l'Etat.

Le seul indice réel reposait sur les mots : *ref
nonêtres,* qui indiquaient que Withers était actuel-

lement mort. On ne pouvait toujours présumer que
tel était le cas chaque fois que des gens étaient arrêtés. Quelquefois, ils étaient relâchés et on leur permettait de rester en liberté pendant un an ou même
deux avant de les exécuter. Parfois, très rarement,
un individu qu'on avait cru mort depuis longtemps
réapparaissait comme un fantôme dans quelque procès public, impliquait par son témoignage une centaine d'autres personnes puis disparaissait, cette fois
pour toujours.

Withers, cependant, était déjà un *nonêtre*. Il
n'existait pas, il n'avait jamais existé. Winston décida
qu'il ne serait pas suffisant de se borner à inverser
le sens de l'allocution de Big Brother. Il valait mieux
la faire rouler sur un sujet sans aucun rapport avec
le sujet primitif.

Il aurait pu faire de ce discours l'habituelle dénon-
ciation des traîtres et des criminels par la pensée,
mais ce serait trop flagrant. Inventer une victoire
sur le front ou quelque triomphe de la surproduction
dans le Neuvième Plan Triennal compliquerait trop
le travail des Archives. Ce qu'il fallait, c'était un
morceau de pure fantaisie. L'image, toute prête, d'un
certain camarade Ogilvy, qui serait récemment mort
à la guerre en d'heroïques circonstances, lui vint
soudain à l'esprit.

En effet, Big Brother, en certaines circonstances,
consacrait son ordre du jour à la glorification de quelque humble et simple soldat, membre du Parti, dont
la vie aussi bien que la mort offrait un exemple digne
d'être suivi Cette fois, Big Brother glorifierait le camarade Ogilvy. A la verité, il n'y avait pas de camarade Ogilvy, mais quelques lignes imprimees et deux
photographies maquillées l'amèneraient à exister.

Winston réfléchit un moment, puis rapprocha de
lui le phonoscript et se mit a dicter dans le style
familier à Big Brother. Un style à la fois militaire et
pédant, facile à imiter à cause de l'habitude de Big

Brother de poser des questions et d'y répondre tout
de suite. (« Quelle leçon pouvons-nous tirer de ce
fait, camarades ? La leçon... qui est aussi un des
principes fondamentaux de l'Angsoc... que... » et
ainsi de suite.)

A trois ans, le camarade Ogilvy refusait tous les
jouets. Il n'acceptait qu'un tambour, une mitrail-
lette et un hélicoptère en miniature. A six ans, une
année à l'avance, par une dispense toute spéciale, il
rejoignait les Espions. A neuf, il était chef de groupe.
A onze, il dénonçait son oncle à la Police de la Pensée. Il avait entendu une conversation dont les tendances lui avaient paru criminelles. A dix-sept ans,
il était moniteur d'une section de la Ligue Anti-Sexe
des Juniors. A dix-neuf ans, il inventait une grenade à main qui était adoptée par le Ministère de la
Paix. Au premier essai, cette grenade tuait d'un coup
trente prisonniers eurasiens. A vingt-trois ans, il
était tué en service commandé. Poursuivi par des
chasseurs ennemis, alors qu'il survolait l'Océan Indien avec d'importantes dépêches, il s'était lesté de
sa mitrailleuse, et il avait sauté, avec les dépêches et
tout, de l'hélicoptère dans l'eau profonde.

C'était une fin, disait Big Brother, qu'il était
impossible de contempler sans un sentiment d'envie.
Big Brother ajoutait quelques remarques sur la
pureté et la rectitude de la vie du camarade Ogilvy.
Il avait renoncé à tout alcool, même au vin et à la
bière. Il ne fumait pas. Il ne prenait aucune heure
de récréation, sauf celle qu'il passait chaque jour
au gymnase. Il avait fait vœu de célibat. Le mariage
et le soin d'une famille étaient, pensait-il, incompa-
tibles avec un dévouement de vingt-quatre heures par
jour au devoir. Il n'avait comme sujet de conversation que les principes de l'Angsoc. Rien, dans la vie,
ne l'intéressait, que la défaite de l'armée eurasienne
et la chasse aux espions, aux saboteurs, aux criminels par la pensée, aux traîtres en général.

Winston débattit s'il accorderait au camarade
Ogilvy l'Ordre du Mérite Insigne. Il décida que non;
à cause du supplémentaire renvoi aux références que
cette récompense aurait entraîné.

Il regarda une fois encore son rival de la cabine
d'en face. Quelque chose lui disait que certainement
Tillotson était occupé à la même besogne que lui. Il
n'y avait aucun moyen de savoir quelle rédaction
serait finalement adoptée, mais il avait la conviction
profonde que ce serait la sienne. Le camarade Ogilvy,
inexistant une heure plus tôt, était maintenant une
réalité. Une étrange idée frappa Winston. On pouvait créer des morts, mais il était impossible de créer
des vivants. Le camarade Ogilvy, qui n'avait jamais
existé dans le présent, existait maintenant dans le
passé, et quand la falsification serait oubliée, son
existence aurait autant d'authenticité, autant d'évidence que celle de Charlemagne ou de Jules César.

V

Dans la cantine au plafond bas, située dans un
sous-sol profond, la queue pour le lunch avançait
lentement par saccades. La pièce était déjà comble
et le bruit assourdissant. A travers le grillage du
comptoir, la fumée du ragoût se répandait avec une
aigre odeur métallique qui ne couvrait pas entièrement le fumet du gin de la Victoire. A l'extrémité
de la pièce, il y avait un petit bar. C'était un simple
trou dans le mur où l'on pouvait acheter du gin à
dix cents le grand verre à liqueur.

— Voilà tout juste l'homme que je cherchais, dit
une voix derrière Winston.

Celui-ci se retourna. C'était son ami Syme, qui

travaillait au Service des Recherches. Peut-être
« ami » n'était-il pas tout à fait le mot juste. On
n'avait pas d'amis, à l'heure actuelle, on avait des
camarades. Mais il y avait des camarades dont la
société était plus agréable que celle des autres. Syme
était un philologue, un spécialiste en Novlangue. A
la vérité, il était un des membres de l'énorme équipe
d'experts occupés alors à compiler la onzième édition
du Dictionnaire Novlangue. C'était un garçon minuscule, plus petit que Winston, aux cheveux noirs, aux
yeux grands et globuleux, tristes et ironiques à la
fois. Il paraissait scruter de près, en parlant, le visage
de ceux à qui il s'adressait.

— Je voulais vous demander si vous avez des lames
de rasoir, dit-il.

— Pas une, répondit Winston avec une sorte de
hâte qui dissimulait un sentiment de culpabilité.
« J'ai cherché partout, il n'en existe plus. »

Tout le monde demandait des lames de rasoir. Il
en avait actuellement deux neuves qu'il gardait pré-
cieusement. Depuis des mois, une disette de lames
sévissait. Il y avait toujours quelque article de première nécessité que les magasins du Parti étaient
incapables de fournir. Parfois c'étaient les boutons,
parfois la laine à repriser. D'autres fois, c'étaient les
lacets de souliers. C'étaient maintenant les lames de
rasoir qui manquaient. On ne pouvait mettre la main
dessus, quand on y arrivait, qu'en trafiquant plus ou
moins en cachette au marché « libre ».

— Il y a six semaines que je me sers de la même
lame, ajouta Winston qui mentait.

La queue avançait d'une autre saccade. Lorsqu'elle s'arrêta, Winston se retourna encore vers
Syme. Chacun d'eux préleva, dans une pile qui se
trouvait au bord du comptoir, un plateau de métal
graisseux.

— Etes-vous allé voir hier la pendaison des prisonniers ? demanda Syme.

— Je travaillais, répondit Winston avec indifférence. Je verrai cela au télé, je pense.

— C'est un succédané tout à fait insuffisant, dit Syme.

Ses yeux moqueurs dévisageaient Winston. « Je vous connais », semblaient-ils dire. « Je vous perce à jour. Je sais parfaitement pourquoi vous n'êtes pas allé voir pendre ces prisonniers. »

Intellectuellement, Syme était d'une orthodoxie venimeuse. Il pouvait parler, avec une désagreable jubilation satisfaite, des raids d'hélicoptères sur les villages ennemis, des procès et des confessions des criminels de la pensée, des exécutions dans les caves du Ministère de l'Amour. Pour avoir avec lui une conversation agréable, il fallait avant tout l'éloigner de tels sujets et le pousser, si possible, à parler de la technicité du Novlangue, matière dans laquelle il faisait autorité et se montrait intéressant. Winston tourna légèrement la tête pour éviter le regard scrutateur des grands yeux sombres.

— C'était une belle pendaison, dit Syme, qui revoyait le spectacle. Mais je trouve qu'on l'a gâchée en attachant les pieds. J'aime les voir frapper du pied. J'aime surtout, à la fin, voir la langue se projeter toute droite et bleue, d'un bleu éclatant. Ce sont ces détails-là qui m'attirent.

— Aux suivants, s'il vous plaît ! glapit la « prolétaire » en tablier bleu qui tenait une louche.

Winston et Syme passèrent leurs plateaux sous le grillage. Sur chacun furent rapidement amoncelés les éléments du déjeuner réglementaire : un petit bol en métal plein d'un ragoût d'un gris rosâtre, un quignon de pain, un carré de fromage, une timbale de café de la Victoire, sans lait, et une tablette de saccharine.

— Il y a une table là-bas, sous le télécran, dit Syme. Nous prendrons un gin en passant.

Le gin leur fut servi dans des tasses chinoises sans

anse. Ils se faufilèrent à travers la salle encombrée et
déchargèrent leurs plateaux sur la surface métallique
d'une table. Sur un coin de cette table, quelqu'un
avait laissé une flaque de ragoût, immonde brouet
liquide qui ressemblait à une vomissure. Winston
saisit sa tasse de gin, s'arrêta un instant pour prendre son élan et avala le liquide médicamenteux à
goût d'huile. Des larmes lui firent clignoter les yeux.
Il s'aperçut soudain, quand il les eut essuyées, qu'il
avait faim. Il se mit à avaler des cuillerées de ce
ragoût qui montrait, au milieu d'une abondante
lavasse, des cubes d'une spongieuse substance rosâtre
qui était probablement une préparation de viande.
Aucun d'eux ne parla avant qu'ils n'eussent vidé
leurs récipients. A la table qui se trouvait à gauche,
un peu en arrière de Winston, quelqu'un parlait avec
volubilité, sans arrêt. C'était un baragouinage dis-
cordant presque analogue au caquetage d'un canard,
qui perçait à travers le vacarme ambiant.

— Comment va le dictionnaire ? demanda Winston
en élevant la voix pour dominer le bruit.

— Lentement, répondit Syme. J'en suis aux adjectifs. C'est fascinant.

Le visage de Syme s'était immédiatement éclairé
au seul mot de dictionnaire. Il poussa de côté le réci-
pient qui avait contenu le ragoût, prit d'une main
délicate son quignon de pain, de l'autre son fromage
et se pencha au-dessus de la table pour se faire entendre sans crier.

— La onzième édition est l'édition définitive,
dit-il. Nous donnons au Novlangue sa forme finale,
celle qu'il aura quand personne ne parlera plus une
autre langue. Quand nous aurons terminé, les gens
comme vous devront le réapprendre entièrement.
Vous croyez, n'est-ce pas, que notre travail principal est d'inventer des mots nouveaux ? Pas du
tout ! Nous détruisons chaque jour des mots, des
vingtaines de mots, des centaines de mots. Nous tail-

lons le langage jusqu'à l'os. La onzième édition ne
renfermera pas un seul mot qui puisse vieillir avant
l'année 2050.

Il mordit dans son pain avec appétit, avala deux
bouchées, puis continua à parler avec une sorte de
pédantisme passionné. Son mince visage brun s'était
animé, ses yeux avaient perdu leur expression mo-
queuse et étaient devenus rêveurs.

— C'est une belle chose, la destruction des mots.
Naturellement, c'est dans les verbes et les adjectifs
qu'il y a le plus de déchets, mais il y a des centaines
de noms dont on peut aussi se débarrasser. Pas seulement les synonymes, il y a aussi les antonymes.
Après tout, quelle raison d'exister y a-t-il pour un
mot qui n'est que le contraire d'un autre ? Les mots
portent en eux-mêmes leur contraire. Prenez « bon »,
par exemple. Si vous avez un mot comme « bon »
quelle nécessité y a-t-il à avoir un mot comme « mauvais » ? « Inbon » fera tout aussi bien, mieux même,
parce qu'il est l'opposé exact de bon, ce que n'est
pas l'autre mot. Et si l'on désire un mot plus fort
que « bon », quel sens y a-t-il à avoir toute une
chaîne de mots vagues et inutiles comme « excel-
lent », « splendide » et tout le reste ? « Plusbon »
englobe le sens de tous ces mots, et, si l'on veut un
mot encore plus fort, il y a « doubleplusbon ». Naturellement, nous employons déjà ces formes, mais
dans la version définitive du Novlangue, il n'y aura
plus rien d'autre. En résumé, la notion complète du
bon et du mauvais sera couverte par six mots seulement, en réalité un seul mot. Voyez-vous, Winston,
l'originalité de ceci ? Naturellement, ajouta-t-il
après coup, l'idée vient de Big Brother.

Au nom de Big Brother, une sorte d'ardeur froide
flotta sur le visage de Winston. Syme, néanmoins,
perçut immédiatement un certain manque d'enthousiasme.

— Vous n'appréciez pas réellement le Novlangue,

Winston, dit-il presque tristement. Même quand vous
écrivez, vous pensez en Ancilangue. J'ai. lu quelques-
uns des articles que vous écrivez parfois dans le
Times. Ils sont assez bons, mais ce sont des traductions. Au fond, vous auriez préféré rester fidèle à
l'ancien langage, à son imprécision et ses nuances
inutiles. Vous ne saisissez pas la beauté qu'il y a
dans la destruction des mots. Savez-vous que le Novlangue est la seule langue dont le vocabulaire dimi-
nue chaque année ?

Winston l'ignorait, naturellement. Il sourit avec
sympathie, du moins il l'espérait, car il n'osait se
risquer à parler.

Syme prit une autre bouchée de pain noir, la mâcha
rapidement et continua :

« Ne voyez-vous pas que le véritable but du Novlangue est de restreindre les limites de la pensée ?
A la fin, nous rendrons littéralement impossible le
crime par la pensée car il n'y aura plus de mots pour
l'exprimer. Tous les concepts nécessaires seront expri-
més chacun exactement par un seul mot dont le sens
sera rigoureusement délimité. Toutes les significations
subsidiaires seront supprimées et oubliées. Déjà,
dans la onzième édition, nous ne sommes pas loin de
ce résultat. Mais le processus continuera encore longtemps après que vous et moi serons morts. Chaque
année, de moins en moins de mots, et le champ de
la conscience de plus en plus restreint. Il n'y a plus,
dès maintenant, c'est certain, d'excuse ou de raison
au crime par la pensée. C'est simplement une question de discipline personnelle, de maîtrise de soi-
même. Mais même cette discipline sera inutile en fin
de compte. La Révolution sera complète quand le
langage sera parfait. Le Novlangue est l'Angsoc et
l'Angsoc est le Novlangue, ajouta-t-il avec une sorte
de satisfaction mystique. Vous est-il jamais arrivé
de penser, Winston, qu'en l'année 2050, au plus tard,
il n'y aura pas un seul être humain vivant capable

de comprendre une conversation comme celle que
nous tenons maintenant ? »

— Sauf... commença Winston avec un accent dubi-
tatif, mais il s'interrompit. Il avait sur le bout de la
langue les mots : « Sauf les prolétaires », mais il se
maîtrisa. Il n'était pas absolument certain que cette
remarque fût tout à fait orthodoxe. Syme, cependant,
avait deviné ce qu'il allait dire.

— Les prolétaires ne sont pas des êtres humains,
dit-il négligemment. Vers 2050, plus tôt probablement, toute connaissance de l'ancienne langue aura
disparu. Toute la littérature du passé aura été détruite. Chaucer, Shakespeare, Milton, Byron, n'exis-
teront plus qu'en versions Novlangue. Ils ne seront
pas changés simplement en quelque chose de différent, ils seront changés en quelque chose qui sera le
contraire de ce qu'ils étaient jusque-là. Même la
littérature du Parti changera. Même les slogans
changeront. Comment pourrait-il y avoir une devise
comme « La Liberté c'est l'esclavage » alors que
le concept même de liberté aura été aboli ? Le
climat total de la pensée sera autre. En fait, il n'y
aura pas de pensée telle que nous la comprenons
maintenant. Orthodoxie signifie non-pensant, qui
n'a pas besoin de pensée. L'orthodoxie, c'est l'inconscience.

Un de ces jours, pensa soudain Winston avec une
conviction certaine, Syme sera vaporisé. Il est trop
intelligent. Il voit trop clairement et parle trop franchement. Le Parti n'aime pas ces individus-là. Un
jour, il disparaîtra. C'est écrit sur son visage.

Winston avait fini son pain et son fromage. Il se
tourna un peu de côté sur sa chaise pour boire son
café. A la table qui se trouvait à sa gauche, l'homme
à la voix stridente continuait impitoyablement à parler. Une jeune femme, qui était peut-être sa secrétaire et qui tournait le dos à Winston, l'écoutait et
semblait approuver avec ardeur tout ce qu'il disait.

De temps en temps, Winston saisissait quelque remarque comme « Je pense que vous avez raison à un
tel point ! », « Si vous saviez comme je vous
approuve », émise d'une voix féminine jeune et plutôt sotte. Mais l'autre voix ne s'arrêtait jamais, même
quand la fille parlait. Winston connaissait l'homme
de vue. Tout ce qu'il savait, c'est qu'il occupait un
poste important au Commissariat aux Romans. C'était
un homme d'environ trente ans, au cou musclé, à la
bouche large et frémissante. Sa tête était légèrement
rejetée en arrière et, à cause de l'angle sous lequel
il était assis, ses lunettes réfractaient la lumière et
présentaient, à la place des yeux, deux disques vides.
Ce qui était légèrement horrible, c'est qu'il était
presque impossible de distinguer un seul mot du flot
de paroles qui se déversait de sa bouche. Une fois
seulement, Winston perçut une phrase : (« complète
et finale élimination de Goldstein ») lancée brusquement, avec volubilité et d'un bloc, semblait-il, comme
une ligne de caractères typographiques composée
pleine. Le reste n'était qu'un bruit, qu'un caquetage. Pourtant, bien qu'on ne pût entendre, on ne
pouvait avoir aucun doute sur la nature générale de
ce que disait l'homme. Peut-être dénonçait-il Goldstein et demandait-il des mesures plus sévères contre
les criminels par la pensée et les saboteurs ; peut-
être fulminait-il contre les atrocités de l'armée eurasienne ; peut-être encore glorifiait-il Big Brother et
les héros du front de Malabar. Peu importait. Quel
que fût le sujet de sa conversation, on pouvait être
sûr que tous les mots en étaient d'une pure orthodoxie, d'un pur Angsoc.

Tandis qu'il regardait le visage sans yeux dont la
mâchoire manœuvrait rapidement dans le sens verti-
cal, Winston avait l'étrange impression que cet
homme n'était pas un être humain réel, mais quelque
chose comme un mannequin articulé : ce n'était
pas le cerveau de l'homme qui s'exprimait, c'était

son larynx. La substance qui sortait de lui était faite de mots, mais ce n'était pas du langage dans le vrai sens du terme. C'était un bruit émis en état d'inconscience, comme le caquetage d'un canard.

Syme, depuis un moment, était silencieux et traçait des dessins avec le manche de sa cuiller dans la flaque de ragoût. La voix, à l'autre table, continuait son caquetage volubile, aisément audible en dépit du vacarme environnant.

« Il y a un mot en Novlangue, dit Syme, je ne sais si vous le connaissez : *canelangue*, « caquetage du canard ». C'est un de ces mots intéressants qui ont deux sens opposés. Appliqué à un adversaire, c'est une insulte. Adressé à quelqu'un avec qui l'on est d'accord, c'est un éloge. »

Indubitablement, Syme sera vaporisé, pensa de nouveau Winston. Il le pensa avec une sorte de tristesse, bien qu'il sût que Syme le méprisait et éprouvait pour lui une légère antipathie. Syme était parfaitement capable de le dénoncer comme criminel par la pensée s'il voyait une raison quelconque de le faire. Il y avait quelque chose qui clochait subtilement chez Syme. Quelque chose lui manquait. Il manquait de discrétion, de réserve, d'une sorte de stupidité restrictive. On ne pouvait dire qu'il ne fût pas orthodoxe. Il croyait aux principes de l'Angsoc, il vénérait Big Brother, il se réjouissait des victoires, il détestait les hérétiques, et pas simplement avec sincérité, mais avec une sorte de zèle incessant, un savoir chaque jour revisé dont n'approchaient pas les membres ordinaires du Parti. Cependant, une équivoque et bizarre atmosphère s'attachait à lui. Il disait des choses qu'il aurait mieux valu taire, il avait lu trop de livres, il fréquentait le café du Châtaignier, rendez-vous de peintres et de musiciens. Il n'y avait pas de loi, même pas de loi verbale, qui défendît de fréquenter le café du Châtaignier, cependant, y aller constituait en quelque sorte un mauvais

présage. Les vieux meneurs discrédités du Parti
avaient l'habitude de se réunir là avant qu'ils fussent
finalement emportés par l'épuration. Goldstein lui-
même, disait-on, avait parfois été vu là, il y avait des
dizaines d'années. Le sort de Syme n'était pas difficile à prévoir.

C'était un fait, pourtant, que s'il soupçonnait, ne
fût-ce que trois secondes, la nature des opinions de
Winston, il le dénoncerait instantanément à la Police
de la Pensée. Ainsi, d'ailleurs, ferait n'importe qui,
mais Syme, plus sûrement que tout autre. Ce zèle,
cependant, était insuffisant. La suprême orthodoxie
était l'inconscience.

Syme leva les yeux. « Voilà Parsons », dit-il.

Quelque chose dans le son de sa voix sembla ajouter : « Ce bougre d'imbécile ».

Parsons, colocataire de Winston au bloc de la
Victoire, se faufilait en effet à travers la salle. C'était
un gros homme de taille moyenne, aux cheveux
blonds et au visage de grenouille. A trente-cinq ans,
il prenait déjà de la graisse et montrait des rouleaux
au cou et à la taille, mais ses gestes étaient vifs et
puérils. Toute son apparence rappelait celle d'un
petit garçon trop poussé, si bien qu'en dépit de la
combinaison réglementaire qu'il portait, il était
presque impossible de l'imaginer autrement que vêtu
du short bleu, de la chemise grise et du foulard rouge
des Espions. Lorsqu'on l'évoquait, on se représentait
toujours des genoux à fossettes et des manches rou-
lées sur des avant-bras dodus. Parsons, en fait, revenait invariablement au short chaque fois qu'une sortie collective ou une autre activité physique lui en
fournissait le prétexte.

Il les salua tous deux d'un joyeux « hola ! » et
s'assit à leur table. Il dégageait une forte odeur de
sueur. Des gouttes recouvraient tout son visage rosé.
Son pouvoir de transpiration était extraordinaire. Au
Centre Communautaire, on pouvait toujours, par l'hu-

midité du manche de la raquette, savoir s'il avait joué
au ping-pong.

Syme avait sorti une bande de papier sur laquelle
il y avait une longue colonne de mots et il étudiait,
un crayon à encre à la main.

— Regarde-le travailler à l'heure du déjeuner »,
dit Parsons en poussant Winston du coude. « C'est
du zèle, hein ? Qu'est-ce que vous avez là, vieux
frère ? Quelque chose d'un peu trop savant pour
moi, je suppose. Smith, mon vieux, je vais vous dire
pourquoi je vous poursuis. C'est à cause de cette
cotisation que vous avez oublié de me payer.

— Quelle cotisation ? demanda Winston en se
tâtant les poches automatiquement pour trouver de
la monnaie. Un quart environ du salaire de chaque
individu était réservé aux souscriptions volontaires,
lesquelles étaient si nombreuses qu'il était difficile
d'en tenir une comptabilité.

— Pour la Semaine de la Haine. On collecte maison par maison, vous savez ce que c'est. Je suis le
trésorier de notre immeuble. Nous faisons un effort
prodigieux. Nous allons pouvoir en mettre plein la
vue. Ce ne sera pas ma faute, je vous le dis, si ce
vieux bloc de la Victoire n'a pas le plus bel assortiment de drapeaux de toute la rue. C'est deux dollars
que vous m'avez promis.

Winston trouva deux dollars graisseux et sales qu'il
tendit à Parsons. Celui-ci, de l'écriture nette des
illettrés, nota le montant de la somme sur un petit
carnet.

— A propos, vieux, dit-il, on m'a raconté que mon
petit coquin de garçon a lâché sur vous hier un coup
de son lance-pierres. Je lui ai pas mal lavé la tête.
En fait, je lui ai dit que je lui enlèverais son engin
s'il recommençait.

— Je crois qu'il était un peu bouleversé de ne pas
aller à l'exécution, dit Winston.

— Ah ! Oui ! Je veux dire, il montre un bon

esprit, n'est-ce pas ? Des petits galopins, bien tur-
bulents, tous les deux, mais vous parlez d'une ardeur!
Ils ne pensent qu'aux Espions. A la guerre aussi,
naturellement. Savez-vous ce qu'a fait mon numéro
de petite fille samedi dernier, quand elle était avec
sa troupe sur la route de Bukhamsted ? Elle et deux
autres petites filles se sont échappées pendant la marche. Elles ont passé tout l'après-midi, figurez-vous,
à suivre un type. Pendant deux heures, elles n'ont
pas quitté ses talons, droit dans le bois et, quand
elles sont arrivées à Amersham, elles l'ont fait prendre par une patrouille.

— Pourquoi ont-elles fait cela ? demanda Winston
un peu abasourdi.

Parsons continua sur un ton triomphant : « La
gosse était convaincue qu'il était une sorte d'agent de
l'ennemi. Il avait pu être parachuté, par exemple.
Mais là est le point, mon vieux. Qu'est-ce que vous
croyez qui a en premier lieu éveillé ses soupçons ?
Elle avait remarqué qu'il portait de drôles de chaussures. Elle dit qu'elle n'avait jamais vu personne
porter des chaussures pareilles. Il y avait donc des
chances pour qu'il soit un étranger. Assez fort, pas ?
pour une gamine de sept ans. »

— Qu'est-ce qui est arrivé à l'homme ? demanda
Winston.

— Ça, je ne pourrais pas vous le dire, naturellement, mais je ne serais pas du tout surpris si... » Ici
Parsons fit le geste d'épauler un fusil et fit claquer
sa langue pour imiter la détonation.

— Bien, dit Syme distraitement, sans lever les yeux
de sa bande de papier.

— Naturellement, nous devons nous méfier de tout,
convint Winston.

— Ce que je veux dire, c'est que nous sommes en
guerre, dit Parsons.

Comme pour confirmer ces mots, un appel de clairon fut lancé du télécran juste au-dessus de leurs

têtes. Cette fois, pourtant, ce n'était pas la proclamation d'une victoire militaire, mais simplement une
annonce du Ministère de l'Abondance.

— Camarades ! cria une jeune voix ardente.
Attention, camarades ! Nous avons une grande nouvelle pour vous. Nous avons gagné la bataille de la
production ! Les statistiques, maintenant complètes,
du rendement dans tous les genres de produits de
consommation, montrent que le standard de vie s'est
élevé de rien moins que vingt pour cent au-dessus du
niveau de celui de l'année dernière. Il y a eu ce
matin, dans tout l'Océania d'irrésistibles manifestations spontanées de travailleurs qui sont sortis des
usines et des bureaux et ont défilé avec des bannières
dans les rues. Ils criaient leur gratitude à Big Brother
pour la vie nouvelle et heureuse que sa sage direction
nous a procurée. Voici quelques-uns des chiffres
obtenus : Denrées alimentaires... »

La phrase, « notre vie nouvelle et heureuse »,
revint plusieurs fois. C'était, depuis peu, une phrase
favorite du Ministère de l'Abondance. Parsons, son
attention éveillée par l'appel du clairon, écoutait
bouche bée, avec une sorte de solennité, de pieux
ennui. Il ne pouvait suivre les chiffres, mais il n'ignorait pas qu'ils étaient une cause de satisfaction. Il
avait sorti une pipe énorme et sale, déjà bourrée à
moitié de tabac noirci. Avec la ration de cent grammes par semaine de tabac, il était rarement possible
de remplir une pipe jusqu'au bord. Winston fumait
une cigarette de la Victoire qu'il tenait soigneusement
horizontale. La nouvelle ration ne serait pas distribuée avant le lendemain et il ne lui restait que quatre cigarettes. Il avait pour l'instant fermé ses oreilles
au bruit de la salle et écoutait les balivernes qui
ruisselaient du télécran. Il apparaissait qu'il y avait
même eu des manifestations pour remercier Big
Brother d'avoir augmenté jusqu'à vingt grammes par
semaine la ration de chocolat.

Et ce n'est qu'hier, réfléchit-il, qu'on a annoncé
que la ration allait être *réduite* à vingt grammes par
semaine. Est-il possible que les gens avalent cela
après vingt-quatre heures seulement ? Oui, ils l'avalaient. Parsons l'avalait facilement, avec une stupidité animale. La créature sans yeux de l'autre table
l'avalait passionnément, fanatiquement, avec un
furieux désir de traquer, de dénoncer et de vaporiser quiconque s'aviserait de suggérer que la ration
était de trente grammes, il n'y avait de cela qu'une
semaine. Syme lui aussi avalait cela, par des chemi-
nements, toutefois, plus complexes qui impliquaient
la doublepensée. Winston était-il donc le seul à posséder une mémoire ?

Les fabuleuses statistiques continuaient à couler du
télécran. Comparativement à l'année précédente, il
y avait plus de nourriture, plus de maisons, plus de
meubles, plus de casseroles, plus de combustible, plus
de navires, plus d'hélicoptères, plus de livres, plus
de bébés, plus de tout en dehors de la maladie, du
crime et de la démence. D'année en année, de minute
en minute, tout, les choses, les gens, tout s'élevait,
dans un bourdonnement.

Winston, comme Syme l'avait fait plus tôt, avait
pris sa cuiller et barbotait dans la sauce pâle qui
coulait sur la table. Il étirait en un dessin une longue bande de cette sauce et songeait avec irritation
aux conditions matérielles de la vie. Est-ce qu'elle
avait toujours été ainsi ? Est-ce que la nourriture
avait toujours eu ce goût-là ? Il jeta un regard circulaire dans la cantine. Une salle comble, au plafond
bas, aux murs salis par le contact de corps innombrables. Des tables et des chaises de métal cabossé,
placées si près les unes des autres que les coudes
des gens se touchaient. Des cuillers tordues. Des plateaux bosselés. De grossières tasses blanches. Toutes
les surfaces graisseuses et de la crasse dans toutes les
fentes. Une odeur composite et aigre de mauvais gin,

de mauvais café, de ragoût métallique et de vêtements
sales. On avait toujours dans l'estomac et dans la
peau une sorte de protestation, la sensation qu'on
avait été dupé, dépossédé de quelque chose à quoi
on avait droit.

Il était vrai que Winston ne se souvenait de rien
qui fût très différent. A aucune époque dont il pût
se souvenir avec précision, il n'y avait eu tout à fait
assez à manger. On n'avait jamais eu de chaussettes
ou de sous-vêtements qui ne fussent pleins de trous.
Le mobilier avait toujours été bosselé et branlant, les
pièces insuffisamment chauffées, les rames de métro
bondées, les maisons délabrées, le pain noir. Le thé
était une rareté, le café avait un goût d'eau sale, les
cigarettes étaient en nombre insuffisant. Rien n'était
bon marché et abondant, à part le gin synthétique.
Cet état de choses devenait plus pénible à mesure
que le corps vieillissait mais, de toute façon, que
quelqu'un fût écœuré par l'inconfort, la malpropreté
et la pénurie, par les interminables hivers, par les
chaussettes gluantes, les ascenseurs qui ne marchaient
jamais, l'eau froide, le savon gréseux, les cigarettes
qui tombaient en morceaux, les aliments infects au
goût étrange, n'était-ce pas un signe que l'ordre naturel des choses était violé. Pourquoi avait-il du mal à
supporter la vie actuelle, si ce n'est qu'il y avait une
sorte de souvenir ancestral d'une époque où tout était
différent ?

Une fois encore, Winston fit du regard le tour de la
cantine. Presque tous étaient laids et ils auraient
encore été laids, même s'ils avaient été vêtus autrement que de la combinaison bleue d'uniforme. A
l'extrémité de la pièce, assis seul à une table, un
petit homme, qui ressemblait curieusement à un
scarabée, buvait une tasse de café. Ses petits yeux
lançaient des regards soupçonneux de chaque côté.
Comme il est facile à condition d'éviter de regarder
autour de soi, pensa Winston, de croire que le type

physique idéal fixé par le Parti existait, et même pré-
dominait : garçons grands et musclés, filles à la poitrine abondante, blonds, pleins de vitalité, bronzés
par le soleil, insouciants. Actuellement, autant qu'il
pouvait en juger, la plupart des gens de la première
Région Aérienne étaient petits, bruns et disgracieux.
Il était curieux de constater combien le type scarabée
proliférait dans les Ministères. On y voyait de petits
hommes courtauds qui, très tôt, devenaient corpu-
lents. Ils avaient de petites jambes, des mouvements
rapides et précipités, des visages gras sans expression, de très petits yeux. C'était le type qui semblait
prospérer le mieux sous la domination du Parti.

L'annonce du Ministère de l'Abondance s'acheva
sur un autre appel de clairon et fit place à une musique criarde. Parsons, que le bombardement des chiffres avait animé d'un vague enthousiasme, enleva sa
pipe de sa bouche.

— Le Ministère de l'Abondance a certainement
fait du bon travail cette année, dit-il en secouant la
tête d'un air entendu. « A propos, vieux Smith, je
suppose que vous n'avez aucune lame de rasoir à me
céder ?

— Pas une, répondit Winston. Il y a six semaines
que je me sers de la même lame moi-même.

— Ah ! bon. Je voulais seulement tenter ma
chance, vieux.

— Je regrette, dit Winston.

La voix cancanante, à l'autre table, momentanément réduite au silence pendant l'annonce du Ministère, avait recommencé à se faire entendre plus forte
que jamais.

Winston se surprit soudain à penser à madame Parsons. Il revoyait ses cheveux en mèches, la poussière
des plis de son visage. D'ici deux ans, ses enfants la
dénonceraient à la Police de la Pensée. Madame Parsons serait vaporisée. Syme serait vaporisé. Winston
serait vaporisé. O'Brien serait vaporisé. D'autre part,

Parsons, lui, ne serait jamais vaporisé. La créature sans yeux à la voix de canard ne serait jamais vaporisée. Les petits hommes scarabées qui se hâtaient avec tant d'agilité dans le labyrinthe des couloirs du Ministère ne seraient jamais, eux non plus, vaporisés. Et la fille aux cheveux noirs, la fille du Commissariat aux Romans, elle non plus, ne serait jamais vaporisée. Il semblait à Winston qu'il savait, instinctivement, qui survivrait et qui périrait, bien qu'il ne fût pas facile de dire quel élément entraînait la survivance.

Il sortit à ce moment de sa rêverie avec un violent sursaut. La fille assise à la table voisine s'était à demi retournée et le regardait. C'était la fille aux cheveux noirs. Elle le regardait du coin de l'œil, mais avec une curieuse intensité. Dès que leurs regards se rencontrèrent, elle détourna les yeux.

Winston eut le dos mouillé de sueur. Un horrible frisson de terreur l'étreignit. La souffrance disparut presque aussitôt, mais non sans laisser une sorte de malaise irritant. Pourquoi le surveillait-elle ? Pourquoi s'obstinait-elle à le poursuivre ? Il ne pouvait malheureusement pas se rappeler si elle était déjà à cette table quand il était arrivé ou si elle y était venue après. Mais la veille, de toute façon, elle s'était assise immédiatement derrière lui quand il n'y avait pour cela aucune raison. Très probablement, son but réel avait été de l'écouter pour savoir s'il criait assez fort.

Sa première idée lui revint. Elle n'était probablement pas réellement un membre de la Police de la Pensée, mais c'était précisément l'espion amateur qui était le plus à craindre de tous. Il ne savait pas depuis combien de temps elle le regardait. Peut-être était-ce depuis cinq bonnes minutes et il était possible que Winston n'ait pas maîtrisé complètement l'expression de son visage. Il était terriblement dangereux de laisser les pensées s'égarer quand on était

dans un lieu public ou dans le champ d'un télecran.
La moindre des choses pouvait vous trahir. Un tic
nerveux, un inconscient regard d'anxiété, l'habitude
de marmonner pour soi-même, tout ce qui pouvait
suggérer que l'on était anormal, que l'on avait quelque chose à cacher. En tout cas, porter sur son visage
une expression non appropriée (paraître incrédule
quand une victoire était annoncée, par exemple) était
en soi une offense punissable. Il y avait même en
Novlangue un mot pour désigner cette offense. On
l'appelait *facecrime*.

La fille lui avait de nouveau tourné le dos. Peut-
être après tout ne le suivait-elle pas réellement. Peut-
être n'était-ce qu'une coïncidence si elle s'était assise
si près de lui deux jours de suite.

Sa cigarette s'était éteinte. Il la déposa avec précaution au bord de la table. Il finirait de la fumer
après son travail s'il pouvait garder le tabac qui
restait. Il était tout à fait possible que la personne
assise à la table voisine fût une espionne. Il était
tout à fait possible qu'avant trois jours il se trouvât
dans les caves du Ministère de l'Amour, mais un
bout de cigarette ne devait pas être gâché.

Syme avait plié sa bande de papier et l'avait rangée dans sa poche. Parsons recommença à parler.

— Est-ce que je vous ai déjà raconté, vieux, commença-t-il en tapotant autour de lui le tuyau de sa
pipe, que mes deux gamins ont mis le feu à la jupe
d'une vieille du marché ? Ils l'avaient vue envelopper
du saucisson dans une affiche de B.B. Ils se sont
glissés derrière elle et ils ont mis le feu à sa jupe
avec une boîte d'allumettes. Ils lui ont fait une très
mauvaise brûlure, je crois. Quels petits coquins, pas ?
mais malins comme des renards ! C'est une éducation
de premier ordre qu'on leur donne maintenant, aux
Espions, meilleure même que de mon temps. Dites,
que croyez-vous qu'on leur ait donné dernièrement ?
Des cornets acoustiques pour écouter par les trous

des serrures ! Ma petite fille en a apporté un à la
maison l'autre soir. Elle l'a essayé sur la porte de
notre salon et elle estime qu'elle peut entendre deux
fois mieux qu'avec son oreille sur le trou. Naturellement, vous savez, ce n'est qu'un jouet, mais cela
leur donne de bonnes idées, pas ?

Le télécran, à ce moment, émit un coup de sifflet
perçant. C'était le signal de la reprise du travail. Les
trois hommes bondirent sur leurs pieds et se joigni-
rent à la bousculade autour des ascenseurs. Le reste
du tabac tomba de la cigarette de Winston.

VI

Winston écrivait dans son journal :

*Il y a de cela trois ans. C'était par un sombre après-
midi, dans une étroite rue de traverse, près de l'une
des grandes gares de chemin de fer. Elle était debout
près d'un porche, sous un réverbère qui éclairait à
peine. Elle avait un visage jeune, recouvert d'une
épaisse couche de fard. C'est en réalité le fard qui
m'attire, sa blancheur analogue à celle d'un masque,
et le rouge éclatant des lèvres. Les femmes du Parti
ne fardent jamais leur visage. Il n'y avait personne
d'autre dans la rue, pas de télécran. Elle dit deux
dollars. Je...*

Il était pour l'instant trop difficile de continuer.
Winston ferma les yeux et les pressa de ses doigts,
pour essayer d'en expurger le tableau qui s'obstinait
à revenir. Il sentait le désir, presque irrésistible, de
proférer à tue-tête un chapelet d'injures, ou de se

cogner la tête contre le mur, ou de donner des coups
de pieds à la table et de lancer l'encrier par la fenêtre,
de faire n'importe quoi de violent, de bruyant ou de
douloureux qui pourrait brouiller et effacer le souvenir qui le tourmentait.

Le pire ennemi, réfléchit-il, est le système nerveux.
A n'importe quel moment, la tension intérieure peut
se manifester par quelque symptôme visible. Il pensa
à un homme qu'il avait croisé dans la rue il y avait
quelques semaines, un homme d'aspect tout à fait
quelconque, un membre du Parti, de trente-cinq ou
quarante ans, assez grand, mince, qui portait une
serviette. Ils étaient à quelques mètres l'un de l'autre.
Le côté gauche du visage de l'homme fut soudain
tordu par une sorte de spasme. Cela se produisit
encore juste quand ils se croisaient. Ce n'était qu'une
crispation, un frémissement, aussi rapide que le déclic
d'un obturateur de camera, mais visiblement habituel. Winston se souvint d'avoir pensé à ce moment :
ce pauvre diable est perdu. L'effrayant était que ce
tic était peut-être inconscient. Le danger le plus grand
était celui de parler en dormant. Mais, autant que
pouvait le savoir Winston, il n'y avait aucun moyen
de se garantir contre ce danger-là.

Il reprit son souffle et continua à écrire :

*Je la suivis à travers le porche et une cour inté-
rieure jusqu'à une cuisine en sous-sol. Il y avait un
lit contre le mur et, sur la table, une lampe dont la
flamme était très basse. Elle...*

Les dents de Winston étaient glacées. Il aurait aimé
cracher. En même temps qu'à la femme du sous-sol,
il pensait à Catherine, sa femme. Il était marié, ou,
tout au moins, s'était marié. Il était probablement
encore marié car, pour autant qu'il le sût, sa femme
n'était pas morte. Il lui sembla respirer encore la
chaude odeur lourde de la cuisine du sous-sol, une

odeur composée de punaises, de vêtements sales, de
mauvais parfums à bon marché, mais pourtant atti-
rante, parce que les femmes du Parti ne se servaient
jamais de parfum et on ne pouvait les imaginer par-
fumées. Seuls, les prolétaires se servaient de parfums. Dans son esprit, l'odeur était inextricablement
mêlée à l'idée de fornication.

Son aventure avec cette femme avait été son premier écart après deux ans environ. Fréquenter les
prostituées était naturellement défendu, mais c'était
une de ces règles qu'on pouvait parfois prendre sur
soi de transgresser. C'était dangereux, mais ce n'était
pas une question de vie ou de mort. Etre pris avec
une prostituée pouvait signifier cinq ans de travaux
forcés, pas plus, si l'on n'avait commis aucune autre
offense. Et c'était assez facile, pourvu qu'on pût éviter d'être pris sur le fait. Les quartiers pauvres fourmillaient de femmes prêtes à se vendre. Quelques-
unes pouvaient même être achetées avec une bouteille
de gin, liquide que les prolétaires étaient censés ne
pas boire.

Tacitement, le Parti était même enclin à encourager la prostitution pour laisser une soupape aux
instincts qui ne pouvaient être entièrement refoulés.
La simple débauche n'avait pas beaucoup d'importance aussi longtemps qu'elle était furtive et sans joie
et n'engageait que les femmes d'une classe méprisée
et déshéritée. Le crime impardonnable était le contact sexuel entre membres du Parti. Mais, bien que
ce fût l'un des crimes que les accusés confessaient
invariablement lors des grandes épurations, il était
difficile d'imaginer qu'un tel contact pourrait survenir actuellement.

Le but du Parti n'était pas simplement d'empêcher
les hommes et les femmes de se vouer une fidélité
qu'il pourrait être difficile de contrôler. Son but
inavoué, mais réel, était d'enlever tout plaisir à
l'acte sexuel. Ce n'était pas tellement l'amour, mais

l'érotisme qui était l'ennemi, que ce fût dans le mariage ou hors du mariage.

Tous les mariages entre membres du Parti devaient être approuvés par un comité appointé et, bien que le principe n'en eût jamais été clairement établi, la permission était toujours refusée quand les membres du couple en question donnaient l'impression d'être physiquement attirés l'un vers l'autre.

La seule fin du mariage qui fût admise était de faire naître des enfants pour le service du Parti. Le commerce sexuel devait être considéré comme une opération sans importance, légèrement dégoûtante, comme de prendre un lavement. Ceci non plus n'avait jamais été exprimé franchement mais, d'une manière indirecte, on le rabâchait dès l'enfance à tous les membres du Parti. Il y avait même des organisations, comme celle de la ligue Anti-Sexe des Juniors, qui plaidaient en faveur du célibat pour les deux sexes. Tous les enfants devraient être procréés par insémination artificielle (artsem, en Novlangue) et élevés dans des institutions publiques. Winston savait que ce n'était pas avancé tout à fait sérieusement, mais ce genre de concept s'accordait avec l'idéologie générale du Parti.

Le Parti essayait de tuer l'instinct sexuel ou, s'il ne pouvait le tuer, de le dénaturer et de le salir. Winston ne savait pas pourquoi il en était ainsi, mais il semblait naturel qu'il en fût ainsi et, en ce qui concernait les femmes, les efforts du Parti étaient largement couronnés de succès.

Il pensa de nouveau à Catherine. Il devait y avoir neuf, dix, peut-être onze ans qu'ils s'étaient séparés. Qu'il pensât si peu à elle, c'était tout de même curieux. Il était capable d'oublier pendant des jours qu'il avait jamais été marié. Ils étaient restés ensemble environ quinze mois seulement. Le Parti ne permettait pas le divorce, mais il encourageait plutôt les séparations lorsqu'il n'y avait pas d'enfants.

Catherine était une fille grande, blonde, très droite, aux gestes magnifiques. Elle avait un visage hardi, aquilin, un visage que l'on aurait pu qualifier de noble si l'on ne découvrait que, derrière ce visage, il n'y avait à peu près rien. Tout au début de leur vie conjugale, il avait décidé (mais peut-être était-ce seulement parce qu'il la connaissait plus intimement) qu'elle avait, sans contredit, l'esprit le plus stupide, le plus vulgaire, le plus vide qu'il eût jamais rencontré. Elle n'avait pas une idée dans la tête qui ne fût un slogan et il n'y avait aucune imbécillité, absolument aucune, qu'elle ne fût capable d'avaler si le Parti la lui suggérait. Il la surnomma mentalement : « l'enregistrement sonore ». Cependant, il aurait supporté de vivre avec elle s'il n'y avait eu, précisément, le sexe. Dès qu'il la touchait, elle semblait reculer et se roidir. L'embrasser était comme embrasser une image de bois articulée. Ce qui était étrange, c'est que même quand elle semblait le serrer contre elle, il avait l'impression qu'elle le repoussait en même temps de toutes ses forces. C'était la rigidité de ses muscles qui produisait cette impression. Elle restait étendue, les yeux fermés, sans résister ni coopérer, mais en se *soumettant*. C'était extrêmement embarrassant et, après quelque temps, horrible. Même alors, il aurait supporté pourtant de vivre avec elle s'il avait été entendu qu'il y avait entre eux une séparation de corps. Mais, assez curieusement, c'est Catherine qui avait refusé. Ils devaient, disait-elle, donner naissance à un enfant, s'ils le pouvaient. La performance continua donc une fois par semaine, régulièrement. Elle avait même l'habitude, chaque fois que ce n'était pas impossible, de la lui rappeler le matin, comme une chose qui devait être faite le soir et qu'on ne devait pas oublier. Elle avait deux phrases pour désigner cela. L'une était : « fabriquer un bébé » et l'autre : « notre devoir envers le Parti ». (Oui, elle avait réellement employé cette phrase). Il se mit très vite à éprouver un véritable sentiment de frayeur chaque fois que le jour fixé revenait. Heureusement, aucun enfant n'apparut et, à la fin, elle accepta de renoncer à essayer. Bientôt après, ils se séparaient.

Winston soupira sans bruit. Il reprit sa plume et écrivit :

Elle se jeta sur le lit et, tout de suite, sans aucune sorte de préliminaire, de la façon la plus grossière et la plus horrible que l'on puisse imaginer, elle releva sa jupe.

Il se vit là, debout dans la lumière obscure avec, dans les narines, l'odeur des punaises et du parfum à bon marché et, dans le cœur, un sentiment de défaite et de rancune qui, même alors, était mêlé au souvenir du corps blanc de Catherine, figé à jamais par le pouvoir hypnotique du Parti. Pourquoi devait-il toujours en être ainsi ? Pourquoi ne pouvait-il avoir une femme à lui et non, à des années d'intervalle, ces immondes mégères ? Mais une réelle aventure d'amour était un événement presque inimaginable. Les femmes du Parti étaient toutes semblables. La chasteté était aussi profondément enracinée chez elles que la fidélité au Parti. Le sentiment naturel leur avait été arraché par des conditions de vie spéciales, appliquées très tôt, par des jeux et par l'eau froide, par les absurdités qu'on leur cornait aux oreilles à l'école, chez les Espions, à la Ligue de la Jeunesse, par des lectures, des parades, des chansons, des slogans, de la musique martiale. Sa raison lui disait qu'il devait y avoir des exceptions, mais son cœur n'en croyait rien. Elles étaient toutes imprenables, telles que le Parti entendait qu'elles fussent et ce qu'il désirait plus encore que d'être aimé, c'était, une seule fois dans sa vie, abattre ce mur de vertu. L'acte sexuel accompli avec succès était un acte de

rébellion. Le désir était un crime de la pensée. Eveil-
ler les sens de Catherine, bien qu'elle fût sa femme,
eût été, s'il avait pu y parvenir, comme une vio-
lation.

Mais le reste de son histoire valait d'être écrit. Il
continua.

Je tournai le bouton de la lampe. Quand je la vis
en pleine lumière...

Après l'obscurité, la faible lumière de la lampe à
pétrole avait paru très brillante. Pour la première
fois, il avait pu voir la femme distinctement. Il s'était
avancé d'un pas vers elle puis s'était arrêté, plein de
convoitise et de terreur. Il était douloureusement
conscient du risque qu'il courait en venant là. Il
était parfaitement possible que les policiers le cueil-
lent à la sortie. A bien y penser, ils étaient peut-être
en ce moment en train de l'attendre de l'autre côté
de la porte. S'il s'en allait sans même faire ce qu'il
était venu faire !...

Il devait l'écrire, il devait le confesser. Ce qu'il
avait soudain vu à la lumière de la lampe, c'est que
la femme était *vieille*. Son visage était plâtré d'une
telle épaisseur de fard qu'il semblait pouvoir craquer
comme un masque de carton. Il y avait des raies
blanches dans sa chevelure, mais le détail vraiment
horrible est que sa bouche, qui s'était un peu ouverte,
ne révélait qu'une noirceur caverneuse. Elle n'avait
pas de dents du tout.

Winston écrivit rapidement, d'une écriture grif-
fonnée :

A la lumière, je vis qu'elle était tout à fait une
vieille femme, de cinquante ans au moins. Mais
j'allai de l'avant et le fis tout de même.

Il pressa de nouveau ses paupières de ses doigts. Il

l'avait enfin écrit, mais cela ne changeait rien. La thérapeutique n'avait pas agi. Le besoin de crier des mots sales à tue-tête était aussi violent que jamais.

VII

S'il y a un espoir, écrivait Winston, *il réside chez les prolétaires.*

S'il y avait un espoir, il devait en effet se trouver chez les prolétaires car là seulement, dans ces fourmillantes masses dédaignées, quatre-vingt-cinq pour cent de la population de l'Océania, pourrait naître la force qui détruirait le Parti. Le Parti ne pouvait être renversé de l'intérieur. Ses ennemis, s'il en avait, ne possédaient aucun moyen de se grouper ou même de se reconnaître les uns les autres. Si même la légendaire Fraternité existait, ce qui était possible, il était inconcevable que ses membres puissent se rassembler en nombre supérieur à deux ou trois. La rébellion, chez eux, c'était un regard des yeux, une inflexion de voix, au plus, un mot chuchoté à l'occasion. Mais les prolétaires n'auraient pas besoin de conspirer, si seulement ils pouvaient, d'une façon ou d'une autre, prendre conscience de leur propre force. Ils n'avaient qu'à se dresser et se secouer comme un cheval qui s'ébroue pour chasser les mouches. S'ils le voulaient, ils pouvaient dès le lendemain souffler sur le Parti et le mettre en pièces. Sûrement, tôt ou tard, il leur viendrait à l'idée de le faire ? Et pourtant !

Il se souvint qu'une fois, alors qu'il descendait une rue bondée de gens, une effrayante clameur d'une centaine de voix, des voix de femmes, avait éclaté un peu plus loin, dans une rue transversale. C'était un formidable cri de colère et de désespoir, un

« Oh-o-o-oh ! » profond et retentissant dont l'écho se prolongeait comme le son d'une cloche. Son cœur avait bondi. « On a commencé » avait-il pensé. « Une émeute ! A la fin, les prolétaires brisent leurs chaînes. »

Quand il arriva à l'endroit du vacarme, ce fut pour voir une cohue de deux ou trois cents femmes pressées autour des étals d'un marché en plein air. Elles avaient des visages aussi tragiques que si elles avaient été les passagers condamnés d'un bateau en train de sombrer. Mais à ce moment, le désespoir général se brisa en une multitude de querelles individuelles. Il apparut qu'à un des étals on vendait des casseroles de fer-blanc. C'était une camelote misérable, mais les ustensiles de cuisine étaient toujours difficiles à obtenir. Le stock s'était brusquement épuisé. Les femmes qui avaient réussi à en avoir, poussées et bousculées par les autres, essayaient de se retirer avec leurs casseroles, tandis que des douzaines d'autres criaient autour de l'étal, accusaient le vendeur de favoritisme et prétendaient qu'il avait des casseroles en réserve quelque part.

Il y eut une nouvelle explosion de glapissements. Deux femmes énormes, dont l'une avait les cheveux défaits, s'étaient emparées de la même casserole et essayaient de se l'arracher l'une l'autre des mains. Elles tirèrent violemment toutes deux un moment, puis le manche se détacha : Winston les regarda avec dégoût.

Pourtant, quelle puissance presque effrayante avait un moment sonné dans ce cri jailli de quelques centaines de gosiers seulement. Comment se faisait-il qu'ils ne pouvaient jamais crier ainsi pour des raisons importantes ? Winston écrivit :

Ils ne se révolteront que lorsqu'ils seront devenus conscients et ils ne pourront devenir conscients qu'après s'être révoltés.

Ceci, pensa-t-il, pourrait presque être une trans-cription de l'un des manuels du Parti. Le Parti pré-tendait, naturellement, avoir délivré les prolétaires de l'esclavage. Avant la Révolution, ils étaient hideu-sement opprimés par les capitalistes. Ils étaient affa-més et fouettés. Les femmes étaient obligées de tra-vailler dans des mines de charbon (des femmes, d'ailleurs, travaillaient encore dans des mines de charbon). Les enfants étaient vendus aux usines à l'âge de six ans.

Mais en même temps que ces déclarations, en vertu des principes de la doublepensée, le Parti enseignait que les prolétaires étaient des inférieurs naturels, qui devaient être tenus en état de dépendance, comme les animaux, par l'application de quelques règles simples. En réalité, on savait peu de chose des pro-létaires. Il n'était pas nécessaire d'en savoir beau-coup. Aussi longtemps qu'ils continueraient à tra-vailler et à engendrer, leurs autres activités seraient sans importance. Laissés à eux-mêmes, comme le bétail lâché dans les plaines de l'Argentine, ils étaient revenus à un style de vie qui leur paraissait naturel, selon une sorte de canon ancestral. Ils nais-saient, ils poussaient dans la rue, ils allaient au tra-vail à partir de douze ans. Ils traversaient une brève période de beauté florissante et de désir, ils se mariaient à vingt ans, étaient en pleine maturité à trente et mouraient, pour la plupart, à soixante ans. Le travail physique épuisant, le souci de la maison et des enfants, les querelles mesquines entre voisins, les films, le football, la bière et, surtout, le jeu, for-maient tout leur horizon et comblaient leurs esprits. Les garder sous contrôle n'était pas difficile. Quel-ques agents de la Police de la Pensée circulaient constamment parmi eux, répandaient de fausses rumeurs, notaient et éliminaient les quelques indi-vidus qui étaient susceptibles de devenir dangereux. On n'essayait pourtant pas de les endoctriner avec

l'idéologie du Parti. Il n'était pas désirable que les
prolétaires puissent avoir des sentiments politiques
profonds. Tout ce qu'on leur demandait, c'était un
patriotisme primitif auquel on pouvait faire appel
chaque fois qu'il était nécessaire de leur faire accepter plus d'heures de travail ou des rations plus
réduites. Ainsi, même quand ils se fâchaient, comme
ils le faisaient parfois, leur mécontentement ne
menait nulle part car il n'était pas soutenu par des
idées générales. Ils ne pouvaient le concentrer que
sur des griefs personnels et sans importance. Les
maux plus grands échappaient invariablement à leur
attention. La plupart des prolétaires n'avaient même
pas de télécrans chez eux. La police civile elle-même
se mêlait très peu de leurs affaires. La criminalité, à
Londres, était considérable. Il y avait tout un Etat
dans l'Etat, fait de voleurs, de bandits, de prostituées, de marchands de drogue, de hors la loi de
toutes sortes. Mais comme cela se passait entre prolétaires, cela n'avait aucune importance. Pour toutes
les questions de morale, on leur permettait de suivre
leur code ancestral. Le puritanisme sexuel du Parti
ne leur était pas imposé. L'inversion sexuelle n'était
pas punie, le divorce était autorisé. Entre parenthèses, la dévotion religieuse elle-même aurait été
autorisée si les prolétaires avaient manifesté par le
moindre signe qu'ils la désiraient ou en avaient
besoin. Ils étaient au-dessous de toute suspicion.
Comme l'exprimait le slogan du Parti : « Les prolétaires et les animaux sont libres. »

Winston se baissa et gratta avec précaution son
ulcère variqueux qui commençait à le démanger. Ce
à quoi on revenait invariablement, était l'impossibilité de savoir ce qu'avait réellement été la vie avant
la Révolution. Il prit dans son tiroir un exemplaire
d'un manuel d'histoire à l'usage des enfants, qu'il
avait emprunté à madame Parsons, et se mit à en
copier un passage dans son journal. Le voici :

Anciennement, avant la glorieuse Révolution, Londres n'était pas la superbe cité que nous connaissons aujourd'hui. C'était une ville sombre, sale, misérable, où presque personne n'avait suffisamment de nourriture, où des centaines et des milliers de pauvres gens n'avaient pas de chaussures aux pieds, ni même de toit sous lequel ils pussent dormir. Des enfants, pas plus âgés que vous, devaient travailler douze heures par jour pour des maîtres cruels qui les fouettaient s'ils travaillaient trop lentement et ne les nourrissaient que de croûtes de pain rassis et d'eau. Au milieu de cette horrible pauvreté, il y avait quelques belles maisons, hautes et larges, où vivaient des hommes riches qui avaient pour les servir jusqu'à trente domestiques. C'étaient des hommes gras et laids, aux visages cruels, comme celui que vous voyez sur l'image de la page ci-contre. Vous pouvez voir qu'il est vêtu d'une longue veste noire appelée redingote et qu'il est coiffé d'un étrange chapeau luisant, en forme de tuyau de poêle, qu'on appelait haut-de-forme. C'était l'uniforme des capitalistes, et personne d'autre n'avait la permission de le porter.

Les capitalistes possédaient tout et tous les autres hommes étaient leurs esclaves. Ils possédaient toute la terre, toutes les maisons, toutes les usines, tout l'argent. Ils pouvaient, si quelqu'un leur désobéissait, le jeter en prison, ou lui enlever son gagne-pain et le faire mourir de faim. Quand une personne ordinaire parlait à un capitaliste, elle devait prendre une attitude servile, saluer, enlever sa casquette et donner du « Monseigneur ». Le chef de tous les capitalistes s'appelait le Roi et...

Mais Winston savait le reste de l'énumération. On mentionnerait les évêques et leurs manches de fine batiste, les juges dans leurs robes d'hermine, les piloris de toutes sortes, les moulins de discipline, le chat à neuf queues, le banquet du Lord Maire, la

coutume d'embrasser l'orteil du Pape. Il y avait
aussi, ce qu'on appelait le *droit de cuissage* qui
n'était probablement pas mentionné dans un livre
pour enfants. C'était la loi qui donnait aux capitalistes le droit de coucher avec n'importe laquelle des
femmes qui travaillaient dans leurs usines.

Comment, dans ce récit, faire la part du mensonge?
Ce pouvait être vrai, que le niveau humain fût plus
élevé après qu'avant la Révolution. La seule preuve
du contraire était la protestation silencieuse que l'on
sentait dans la moelle de ses os, c'était le sentiment
instinctif que les conditions dans lesquelles on vivait
étaient intolérables et, qu'à une époque quelconque,
elles devaient avoir été différentes.

L'idée lui vint que la vraie caractéristique de la
vie moderne était, non pas sa cruauté, son insécurité,
mais simplement son aspect nu, terne, soumis.

La vie, quand on regardait autour de soi, n'offrait
aucune ressemblance, non seulement avec les mensonges qui s'écoulaient des télécrans, mais même avec
l'idéal que le Parti essayait de réaliser. D'importantes tranches de vie, même pour un membre du
Parti, étaient neutres et en dehors de la politique :
peiner à des travaux ennuyeux, se battre pour une
place dans le métro, repriser des chaussettes usées,
mendier une tablette de saccharine, mettre de côté
un bout de cigarette. L'idéal fixé par le Parti était
quelque chose d'énorme, de terrible et de rayonnant,
un monde d'acier et de béton, de machines monstrueuses et d'armes terrifiantes, une nation de guer-
riers et de fanatiques qui marchaient avec un ensemble parfait, pensaient les mêmes pensées, clamaient
les mêmes slogans, qui perpétuellement travaillaient,
luttaient, triomphaient et persécutaient, c'étaient
trois cent millions d'êtres aux visages semblables.

La réalité montrait des cités délabrées et sales où
des gens sous-alimentés traînaient çà et là des chaussures crevées, dans des maisons du dix-neuvième

siècle rafistolees qui sentaient toujours le chou et les cabinets sans confort.

Winston avait, de Londres, la vision d'une cité vaste et en ruines, peuplée d'un million de poubelles et, mêlé à cette vision, il voyait un portrait de madame Parsons, d'une femme au visage ridé et aux cheveux en mèches, farfouillant sans succès, dans un tuyau de vidage bouché.

Il se baissa et gratta encore son cou-de-pied. Tout au long du jour et de la nuit, les télécrans vous cassaient les oreilles avec des statistiques qui prouvaient que les gens, aujourd'hui, avaient plus de nourriture. plus de vêtements, qu'ils avaient des maisons plus confortables, des distractions plus agréables, qu'ils vivaient plus longtemps, travaillaient moins d'heures, étaient plus gros, en meilleure santé, plus forts, plus heureux, plus intelligents, mieux élevés que les gens d'il y avait cinquante ans. Pas un mot de ces statistiques ne pouvait jamais être prouvé ou réfuté. Le Parti prétendait, par exemple, qu'aujourd'hui quarante pour cent des prolétaires adultes savaient lire et écrire. Avant la Révolution, disait-on, leur nombre était seulement de quinze pour cent. Le Parti clamait que le taux de mortalité infantile était maintenant de cent soixante pour mille seulement, tandis qu'avant la Révolution il était de trois cents pour mille. Et ainsi de tout. C'était comme si on avait une seule équation à deux inconnues.

Il se pouvait fort bien que littéralement tous les mots des livres d'histoire, même ce que l'on acceptait sans discussion, soient purement fantaisistes. Pour ce qu'on en savait, il se pouvait qu'il n'y eût jamais eu de loi telle que le *droit de cuissage*, ou de créature telle que le capitaliste, ou de chapeau tel que le haut-de-forme.

Tout se perdait dans le brouillard. Le passé était raturé, la rature oubliée et le mensonge devenait vérité. Une seule fois, au cours de sa vie, — après l'événement, c'est ce qui comptait — il avait possédé la preuve palpable, irréfutable, d'un acte de falsification. Il l'avait tenue entre ses doigts au moins trente secondes. Ce devait être en 1973. En tout cas, c'était à peu près à l'époque où Catherine et lui s'étaient séparés. Mais la date à considérer était antérieure de sept ou huit années.

L'histoire commença en vérité vers 1965, à l'époque des grandes épurations par lesquelles les premiers meneurs de la Révolution furent balayés pour toujours. Vers 1970, il n'en restait aucun, sauf Big Brother lui-même. Tous les autres, à ce moment, avaient été démasqués comme traîtres et contrerévolutionnaires. Goldstein s'était enfui, et se cachait nul ne savait où. Pour ce qui était des autres, quelques-uns avaient simplement disparu. Mais la plupart avaient été exécutés après de spectaculaires procès publics au cours desquels ils confessaient leurs crimes.

Parmi les derniers survivants, il y avait trois hommes nommés Jones, Aaronson et Rutherford. Ce devait être en 1965 que ces trois-là avaient été arrêtés. Comme il arrivait souvent, ils avaient disparu pendant plus d'un an, de sorte qu'on ne savait pas s'ils étaient vivants ou morts puis, soudain, on les avait ramenés à la lumière afin qu'ils s'accusent, comme à l'ordinaire.

Ils s'étaient accusés d'intelligence avec l'ennemi (à cette date aussi, l'ennemi c'était l'Eurasia), de détournement des fonds publics, du meurtre de divers membres fidèles au Parti, d'intrigues contre la direction de Big Brother, qui avaient commencé longtemps avant la Révolution, d'actes de sabotage qui avaient causé la mort de centaines de milliers de personnes. Après ces confessions, ils avaient été pardonnés, réintégrés dans le Parti et nommés à des postes honorifiques qui étaient en fait des sinécures. Tous trois avaient écrit de longs et abjects articles dans le *Times* pour analyser les raisons de leur défection et promettre de s'amender.

Quelque temps après leur libération, Winston les avait vus tous trois au Café du Châtaignier. Il se rappelait cette sorte de fascination terrifiée qui l'avait incité à les regarder du coin de l'œil.

C'étaient des hommes beaucoup plus âgés que lui, des reliques de l'ancien monde, les dernières grandes figures peut-être, des premiers jours héroïques du Parti. Le prestige de la lutte clandestine et de la guerre civile s'attachait encore à eux dans une faible mesure. Winston avait l'impression, bien que déjà à cette époque, les faits et les dates fussent confus, qu'il avait su leurs noms bien des années avant celui de Big Brother. Mais ils étaient aussi des hors la loi, des ennemis, des intouchables, dont le destin, inéluctable, était la mort dans une année ou deux. Aucun de ceux qui étaient tombés une fois entre les mains de la Police de la Pensée, n'avait jamais, en fin de compte, échappé. C'étaient des corps qui attendaient d'être renvoyés à leurs tombes.

Aux tables qui les entouraient, il n'y avait personne. Il n'était pas prudent d'être même seulement vu dans le voisinage de telles personnes. Ils étaient assis silencieux, devant des verres de gin parfumé au clou de girofle qui était la spécialité du café. Des trois, c'était Rutherford qui avait le plus impressionné Winston.

Rutherford avait, à un moment, été un caricaturiste fameux dont les dessins cruels avaient aidé à enflammer l'opinion avant et après la Révolution. Maintenant encore, à de longs intervalles, ses caricatures paraissaient dans le *Times*. Ce n'étaient que des imitations de sa première manière. Elles étaient curieusement sans vie et peu convaincantes. Elles n'offraient qu'un rabâchage des thèmes anciens : logements des quartiers sordides, enfants affamés, batailles de rues, capitalistes en haut-de-forme (même

sur les barricades, les capitalistes semblaient encore
s'attacher à leurs haut-de-forme). C'était un effort
infini et sans espoir pour revenir au passé. Rutherford était un homme monstrueux, aux cheveux gris
graisseux en crinière, au visage couturé, à la peau
flasque, aux épaisses lèvres négroïdes. Il devait avoir
été extrêmement fort. Mais son grand corps s'affaissait, s'inclinait, devenait bossu, s'éparpillait dans
tous les sens. Il semblait s'effondrer sous les yeux des
gens comme une montagne qui s'émiette.

Il était trois heures de l'après-midi, heure où il
n'y a personne. Winston ne pouvait maintenant se
souvenir comment il avait pu se trouver au café à
cette heure-là. L'endroit était presque vide. Une
musique douce coulait lentement des télécrans. Les
trois hommes étaient assis dans leur coin, presque
sans bouger, et sans parler. Le garçon, sans attendre
la commande, apporta des verres de gin frais. Il y
avait à côté d'eux, sur la table, un jeu d'échecs dont
les pièces étaient en place, mais aucun jeu n'avait
commencé. Il arriva alors un accident au télécran,
pendant peut-être une demi-minute. L'air qui se
jouait changea et le ton de la musique aussi. Il y eut
alors... mais c'était un son difficile à décrire, c'était
une note spéciale, syncopée, dans laquelle entrait
du braiement et du rire. Winston l'appela en lui-
même une note jaune. Une voix, ensuite, chanta dans
le télécran :

Sous le châtaignier qui s'étale,
Je vous ai vendu, vous m'avez vendu.
Ils reposent là-bas. Nous sommes étendus,
Sous le châtaignier qui s'étale.

Les trois hommes n'avaient pas bougé, mais quand
Winston regarda le visage ravagé de Rutherford, il
vit que ses yeux étaient pleins de larmes. Et il remarqua pour la première fois, avec comme un

frisson intérieur, mais sans savoir pourtant pourquoi il frissonnait, qu'Aaronson et Rutherford avaient tous deux le nez cassé.

Un peu plus tard, tous trois furent arrêtés. Il apparut qu'ils s'étaient engagés dans de nouvelles conspirations dès l'instant de leur libération. A leur second procès, ils confessèrent encore leurs anciens crimes ainsi que toute une suite de nouveaux. Ils furent exécutés et leur vie fut consignée dans les annales du Parti, pour servir d'avertissement à la postérité.

Environ cinq ans après, en 1973, Winston déroulait une liasse de documents qui venait de tomber du tube pneumatique sur son bureau quand il tomba sur un fragment de papier qui avait probablement été glissé parmi les autres puis oublié. Il ne l'avait pas étalé que, déjà, il avait vu ce qu'il signifiait. C'était une demi-page déchirée d'un numéro du *Times* d'il y avait dix ans — comme c'était la moitié supérieure de la page, elle portait la date. Cette page présentait une photo des délégués à une réunion du Parti qui se tenait à New-York. Au milieu du groupe, on pouvait remarquer Jones, Aaronson et Rutherford. On ne pouvait se tromper. D'ailleurs leurs noms figuraient dans la légende, au-dessous de la photo.

Le fait était qu'aux deux procès les trois hommes avaient confessé qu'à cette date ils se trouvaient sur le sol eurasien. Ils avaient pris l'avion à un aérodrome secret du Canada pour aller à un rendez-vous quelque part en Sibérie. Là, ils avaient conféré avec des membres de l'état-major eurasien à qui ils avaient confié d'importants secrets militaires. La date s'était fixée dans la mémoire de Winston parce qu'il se trouvait que, par hasard, c'était le jour de la Saint-Jean. Mais l'histoire complète devait se retrouver sur d'innombrables autres documents. Il n'y avait qu'une seule conclusion possible, les confessions étaient des mensonges.

Naturellement, cette conclusion n'était pas en elle-même une découverte. Même à cette époque, Winston n'imaginait pas que les gens qui étaient anéantis au cours des épurations avaient réellement commis les crimes dont on les accusait. Mais ceci était une preuve concrète. C'était un fragment du passé aboli. C'était le fossile qui, découvert dans une couche de terrain où on ne croyait pas le trouver, détruit une théorie géologique. Ce document, s'il avait pu être publié et expliqué, aurait suffi pour faire sauter le Parti et le réduire en poussière.

Winston avait continué à travailler. Sitôt qu'il avait vu ce qu'était la photographie et ce qu'elle signifiait, il l'avait recouverte d'une autre feuille de papier. Heureusement, quand il l'avait déroulée, elle s'était trouvée à l'envers par rapport au télécran.

Il posa son sous-main sur ses genoux et recula sa chaise pour se placer aussi loin que possible du télécran. Garder un visage impassible n'était pas difficile et, avec un effort, on peut contrôler jusqu'au rythme de sa respiration. Mais on ne peut maîtriser les battements de son cœur et le télécran était assez sensible pour les relever.

Il laissa passer, autant qu'il put en juger, dix minutes, pendant lesquelles il fut tourmenté par la crainte que ne le trahisse quelque accident — un courant d'air inattendu, par exemple, qui soufflerait sur son bureau. Ensuite, sans la découvrir, il jeta la photographie avec d'autres vieux papiers dans le trou de mémoire. En moins d'une minute peut-être, elle avait dû être réduite en cendres.

L'incident avait eu lieu dix, onze ans plus tôt. Aujourd'hui, probablement, Winston aurait gardé la photographie. Il était curieux que le fait de l'avoir tenue entre ses doigts semblait constituer pour lui une différence, même à cette heure où la photographie elle-même, aussi bien que l'événement qu'elle rappelait, n'était qu'un souvenir. L'emprise du Parti

sur le passé était-elle moins forte, se demanda-t-il,
du fait qu'une pièce qui n'existait plus avait à un
moment existé ?

Mais à l'heure actuelle, en supposant qu'elle eût
pu être, d'une manière quelconque ressuscitée de ses
cendres, la photographie n'aurait même pas constitué
une preuve.

Au moment où Winston l'avait découverte, déjà
l'Océania n'était plus en guerre contre l'Eurasia, et
il aurait fallu que ce fût en faveur des agents de
l'Estasia que les trois hommes trahissent leur pays.
Depuis, il y avait eu d'autres changements. Deux ?
Trois ? Winston ne pouvait se rappeler combien.
Très probablement, les confessions avaient été réécrites et réécrites encore, si bien que les faits et
dates primitifs n'avaient plus la moindre signification. Le passé, non seulement changeait, mais changeait continuellement.

Ce qui affligeait le plus Winston et lui donnait une
sensation de cauchemar, c'est qu'il n'avait jamais
clairement compris pourquoi cette colossale imposture était entreprise. Les avantages immédiats tirés
de la falsification du passé étaient évidents, mais le
mobile final restait mystérieux. Il reprit sa plume et
écrivit :

Je comprends *comment*. Je ne comprends pas
pourquoi.

Il se demanda, comme il l'avait fait plusieurs fois
déjà, s'il n'était pas lui-même fou. Peut-être un fou
n'était-il qu'une minorité réduite à l'unité. A une
certaine époque, c'était un signe de folie que de
croire aux révolutions de la terre autour du soleil.
Aujourd'hui, la folie était de croire que le passé
était immuable. Peut-être était-il le seul à avoir cette
croyance. S'il était le seul, il était donc fou. Mais la
pensée d'être fou ne le troublait pas beaucoup.
L'horreur était qu'il se pouvait qu'il se trompât.

Il prit le livre d'Histoire élémentaire et regarda le

portrait de Big Brother qui en formait le frontispice. Les yeux hypnotiseurs le regardaient dans les yeux. C'était comme si une force énorme exerçait sa pression sur vous. Cela pénétrait votre crâne, frappait contre votre cerveau, vous effrayait jusqu'à vous faire renier vos croyances, vous persuadant presque de nier le témoignage de vos sens.

Le Parti finirait par annoncer que deux et deux font cinq et il faudrait le croire. Il était inéluctable que, tôt ou tard, il fasse cette déclaration. La logique de sa position l'exigeait. Ce n'était pas seulement la validité de l'expérience, mais l'existence même d'une réalité extérieure qui était tacitement niée par sa philosophie. L'hérésie des hérésies était le sens commun. Et le terrible n'était pas que le Parti tuait ceux qui pensaient autrement, mais qu'il se pourrait qu'il eût raison.

Après tout, comment pouvons-nous savoir que deux et deux font quatre ? Ou que la gravitation exerce une force ? Ou que le passé est immuable ? Si le passé et le monde extérieur n'existent que dans l'esprit et si l'esprit est susceptible de recevoir des directives ? Alors quoi ?

Mais non. De lui-même, le courage de Winston se durcit. Le visage d'O'Brien, qu'aucune association d'idée évidente n'avait évoqué, se présenta à son esprit. Il sut, avec plus de certitude qu'auparavant, qu'O'Brien était du même bord que lui. Il écrivait son journal pour O'Brien, *à* O'Brien. C'était comme une interminable lettre que personne ne lirait jamais mais qui, adressée à une personne particulière, prendrait de ce fait sa couleur.

Le Parti disait de rejeter le témoignage des yeux et des oreilles. C'était le commandement final et le plus essentiel. Son cœur faiblit quand il pensa à l'énorme puissance déployée contre lui, à la facilité avec laquelle n'importe quel intellectuel du Parti le vaincrait dans une discussion, aux subtils argu-

ments qu'il serait incapable de comprendre, et auxquels il serait encore moins capable de répondre. Et
cependant, il était dans le vrai. Le Parti se trompait
et lui était dans le vrai. L'évidence, le sens commun,
la vérité, devaient être défendus. Les truismes sont
vrais. Il fallait s'appuyer dessus. Le monde matériel
existe, ses lois ne changent pas. Les pierres sont
dures, l'eau humide, et les objets qu'on laisse tomber se dirigent vers le centre de la terre.

Avec la sensation qu'il s'adressait à O'Brien, et
aussi qu'il posait un important axiome, il écrivit :

*La liberté, c'est la liberté de dire que deux et deux
font quatre. Lorsque cela est accordé, le reste suit.*

VIII

Un parfum de café grillé — de vrai café, pas de
café de la Victoire — venait de quelque part au bas
d'un passage et flottait dans la rue. Winston s'arrêta
involontairement. Il retrouva, peut-être deux secondes, le monde à moitié oublié de son enfance.
Puis une porte claqua, qui sembla couper l'odeur
aussi brusquement que s'il s'agissait d'un son.

Il avait, pendant plusieurs kilomètres, marché sur
des pavés, et son ulcère variqueux lui donnait des
élancements. C'était la seconde fois, en trois semaines, qu'il manquait une soirée au centre communautaire. C'était une grave imprudence, car on pouvait
être certain que les présences au centre étaient soigneusement contrôlées.

En principe, un membre du Parti n'avait pas de
loisirs et n'était jamais seul, sauf quand il était au
lit. On tenait pour acquis que lorsqu'il ne travaillait, ne mangeait ou ne dormait pas, il prenait part

à quelque distraction collective. Faire n'importe
quoi qui pourrait indiquer un goût pour la solitude,
ne fût-ce qu'une promenade, était toujours légèrement dangereux. Il y avait, en Novlangue, un mot
pour désigner ce goût. C'était *egovie*, qui signifiait
individualisme et excentricité. Mais ce soir-là, quand
il était sorti du Ministère, le parfum de l'air d'avril
l'avait tenté. Le ciel était d'un bleu plus chaud qu'il
ne l'avait encore été de l'année et, soudain, la longue soirée bruyante au Centre, les jeux assommants
et fatigants, les conférences, la camaraderie criarde,
facilitée par le gin, lui avaient paru intolérables.
D'un mouvement impulsif, il s'était détourné de
l'arrêt de l'autobus et avait erré dans le labyrinthe
londonien, d'abord au Sud, puis à l'Est, puis au
Nord. Il s'était égaré dans des rues inconnues, se
préoccupant à peine de la direction qu'il prenait.

S'il y a un espoir, avait-il écrit dans son journal,
il est chez les prolétaires.

Ces mots, affirmation d'une vérité mystique, mais
d'une palpable absurdité, le hantèrent pendant sa
promenade. Il se trouvait quelque part dans les
quartiers sordides et vagues, peints de brun, vers le
Nord-Est de ce qui, à une époque, avait été la gare
de Saint-Pancrace. Il remontait une rue grossièrement pavée, bordée de petites maisons à deux étages
dont les portes délabrées ouvraient directement sur
le trottoir et donnaient curieusement l'impression de
trous de rats. Il y avait çà et là, au milieu des pavés,
des flaques d'eau sale. A l'intérieur et à l'extérieur
des porches sombres et le long d'étroites ruelles laté-
rales qui s'ouvraient de chaque côté de l'artère principale un nombre étonnant de gens fourmillaient :
filles en pleine floraison, aux lèvres violemment rou-
gies, garçons qui poursuivaient les filles, femmes en-
flées à la démarche lourde, images de ce que seraient

les filles dans dix ans, créatures vieilles et courbées
traînant des pieds plats, enfants pieds nus et hail-
lonneux qui jouaient dans les flaques d'eau et s'égail-
laient aux cris furieux de leur mère. Un quart peut-
être des fenêtres de la rue était réparé au moyen de
planches. La plupart des gens ne faisaient pas attention à Winston. Quelques-uns le regardaient avec une
sorte de curiosité circonspecte. Deux femmes monstrueuses, aux avant-bras d'un rouge brique croisés sur
leur tablier, bavardaient devant une porte. Winston
saisit en passant des bribes de conversation.

— Oui, que je lui ai dit, tout ça c'est très bien,
oui, mais à ma place, vous auriez fait comme moi.
C'est facile de critiquer, je lui ai dit, mais vous n'avez
pas les mêmes ennuis que moi.

— Ah ! répondait l'autre, c'est tout juste comme
vous dites, c'est là que ça cloche.

Les voix stridentes s'arrêtèrent brusquement. Les
femmes l'examinèrent au passage dans un silence
hostile. Ce n'était pas exactement de l'hostilité.
C'était plutôt une sorte de circonspection, de raidissement momentané, comme au passage d'un animal
non familier. On ne devait pas voir souvent, dans
une telle rue, la combinaison bleue du parti.

Il était en vérité imprudent de se montrer dans de
tels lieux à moins que l'on y fût appelé par une
affaire précise. On pouvait être arrêté par des
patrouilles. « Puis-je voir vos papiers, camarade ?
Que faites-vous là ? A quelle heure avez-vous laissé
votre travail ? Est-ce votre chemin habituel, pour
rentrer chez vous ? » Et ainsi de suite. Non qu'il y
eût aucune regle interdisant de rentrer chez soi par
un chemin inhabituel, mais cela suffisait pour attirer
sur vous l'attention, si la Police de la Pensée était
prevenue.

Brusquement, toute la rue fut en ébullition. Le
cri de sauve-qui-peut fusa de tous côtés. Les gens
filaient chez eux comme des lapins. Une jeune femme

jaillit d'une porte, s'empara d'un petit enfant qui
jouait dans une flaque, l'enveloppa vivement de son
tablier et rentra chez elle d'un bond.

Au même instant, un homme vêtu d'un habit noir
en accordéon, qui avait surgi d'une rue transversale,
courut à Winston et, d'un air bouleversé lui montra
du doigt le ciel.

— Marmites ! hurla-t-il. Attention, patron ! patron ! Pan ! sur la tête. A plat-ventre ! Vite !

« Marmites » était le nom donné, on ne savait
pourquoi, par les prolétaires, aux bombes fusées.
Winston se jeta promptement sur le sol. Les proté-
taires ne se trompaient presque jamais quand ils vous
donnaient de tels avis. Ils semblaient posséder une
sorte d'instinct qui les prévenait plusieurs secondes
à l'avance de l'approche d'une fusée, bien que celle-
ci soit censée voyager plus vite que le son. Winston
se couvrit la tête de ses bras repliés. On entendit
un grondement sourd qui sembla soulever le pavé.
Une pluie d'objets légers lui tombèrent en grêle
sur le dos. Quand il se releva, il vit qu'il avait été
couvert de fragments de vitre tombés d'une fenêtre
voisine.

Il reprit sa marche. La bombe avait démoli un
groupe de maisons à deux cents mètres dans le haut
de la rue. Une colonne de fumée noire pendait du
ciel et, au-dessous, il y avait un nuage de poussière
de plâtre dans lequel, autour des décombres, une
foule se groupait déjà. Il vit devant lui, sur le pavé,
un petit morceau de plâtre rayé d'un brillant trait
rouge. Quand il l'atteignit, il identifia une main, sec-
tionnée au poignet. La coupure était rouge, mais la
main était si blême qu'elle ressemblait à un moulage
de plâtre.

Il poussa la chose du pied dans le caniveau puis,
pour éviter la foule, tourna à droite dans une rue
transversale. En trois ou quatre minutes, il était hors
de la zone sinistrée et les rues sordides avaient repris

leur animation grouillante, comme s'il ne s'était rien passé.

Il était près de huit heures et les cafés que fréquentaient les prolétaires (on les appelait des « bistrots ») étaient combles. Par leurs crasseuses portes tournantes, qui s'ouvraient et se refermaient sans cesse, venait une odeur d'urine, de sciure de bois et de bière aigre. Dans un angle formé par une façade en saillie, trois hommes étaient groupés. Celui du milieu tenait un journal plié que les deux autres étudiaient par-dessus son épaule. Avant même qu'il fût assez près pour déchiffrer l'expression de leurs visages, Winston put constater leur état de tension par toutes les lignes de leurs corps. C'étaient évidemment des nouvelles sérieuses qu'ils lisaient. Il les avait dépassés de quelques pas quand, soudain, le groupe se disloqua et deux hommes entrèrent dans une violente altercation. Ils semblèrent, un moment, presque sur le point d'en venir aux mains.

— Est-ce que vous ne pouvez pas, bon sang, écouter ce que je vous dis ? Je vous dis qu'aucun nombre terminé par sept n'a gagné depuis au moins quatorze mois.

— Oui, il a gagné !

— Non, il n'a pas gagné ! A la maison, j'ai tous les numéros gagnants depuis au moins deux ans, inscrits sur un papier. Je les note aussi régulièrement qu'une horloge. Et je vous le dis, aucun nombre terminé par sept...

— Oui, un sept a gagné. Je pourrais presque vous dire ce sacré nombre. Il finissait par quatre, zéro, sept. C'était en février, la deuxième semaine de février.

— Des prunes, votre février. J'ai tout noté, noir sur blanc. Et je vous dis, aucun nombre...

— Oh ! la ferme ! dit le troisième homme.

Ils parlaient de la loterie. Winston, trente mètres plus loin, se retourna. Ils discutaient encore avec des visages pleins d'ardeur et de passion. La loterie et les

énormes prix qu'elle payait chaque semaine, était le
seul événement public auquel les prolétaires portaient
une sérieuse attention. Il y avait probablement quelques millions de prolétaires pour lesquels c'était la
principale, sinon la seule raison de vivre. C'était leur
plaisir, leur folie, leur calmant, leur stimulant intellectuel. Quand il s'agissait de loterie, même les gens
qui savaient à peine lire et écrire, semblaient capables de calculs compliqués et de prodiges de mémoire
déconcertants. Il y avait toute une classe de gens qui
gagnaient leur vie simplement en vendant des systèmes, des prévisions, des amulettes porte-bonheur.
Winston n'avait rien à voir avec le mécanisme de la
loterie qui était dirigé par le Ministère de l'Abondance. Mais il savait, en vérité tout le monde dans
le Parti le savait, que les prix étaient pour la plupart
fictifs. Il n'y avait que les petites sommes qui fussent
réellement payées. Les gagnants des gros prix étaient
des gens qui n'existaient pas. Ce n'était pas difficile
à arranger, vu l'absence de toute réelle communication entre une partie et l'autre de l'Océania.

Mais s'il y avait un espoir, il se trouvait chez les
prolétaires. Il fallait s'accrocher à cela. La formule,
exprimée en mots, paraissait raisonnable. C'est
quand on regardait les êtres humains qui vous croisaient sur le pavé qu'elle devenait un acte de foi. La
rue dans laquelle Winston avait tourné descendait
une colline. Il avait l'impression de s'être déjà trouvé
dans ces parages et qu'il y avait, pas très loin, une
artère importante. Un vacarme de voix criardes
venait de quelque part en avant. La rue fit un coude
brusque puis se termina par un escalier qui menait
à une allée encaissée où quelques marchands ven-
daient en plein air des légumes fanés.

Winston, alors, reconnut l'endroit. L'allée s'ouvrait sur la rue principale et au premier tournant, à
moins de cinq minutes, se trouvait le magasin d'antiquités où il avait acheté le livre neuf qui était main-

tenant son journal. Pas très loin, dans une petite
papeterie, il avait acheté son porte-plume et sa bouteille d'encre.

Il s'arrêta un instant en haut de l'escalier. De l'autre côté de l'allée, il y avait un petit bistrot sale dont
les fenêtres paraissaient couvertes de givre, mais qui
étaient simplement, en réalité, enduites de poussière. Un très vieil homme, courbé, mais actif, dont
les moustaches blanches se hérissaient comme celles
d'une crevette, poussa la porte tournante et entra.
Tandis que Winston le regardait, il lui vint à l'idée
que le vieillard, qui devait avoir au moins quatre-
vingts ans, était déjà un homme mûr au moment de
la Révolution. Lui, et quelques autres comme lui,
étaient les derniers liens existant actuellement avec le
monde capitaliste disparu. Dans le Parti lui-même,
il ne restait pas beaucoup de gens dont les idées
avaient été formées avant la Révolution. La vieille
génération avait en grande partie été balayée au
cours des grandes épurations qui avaient eu lieu
entre mil neuf cent cinquante et mil neuf cent
soixante-dix. Le petit nombre de ceux qui avaient
survécu avait depuis longtemps été amené, terrifié, à
une complète abdication intellectuelle. S'il y avait
quelqu'un au monde capable de faire un exposé exact
des conditions de vie dans la première partie du
siècle, ce ne pouvait être qu'un prolétaire.

Winston se remémora soudain le passage du livre
d'Histoire qu'il avait copié dans son journal et une
folle impulsion s'empara de lui. Il irait dans le bistrot,
il réussirait à entrer en relation avec le vieillard,
puis il le questionnerait. Il lui dirait : « Parlez-moi
de votre vie quand vous étiez un petit garçon. A quoi
ressemblait-elle à cette époque ? Les choses étaient-
elles meilleures, ou pires qu'à présent ? »

Il pressa le pas pour ne pas se donner le temps
d'avoir peur, puis descendit les marches et traversa
la rue étroite. C'était une folie, naturellement.

Comme d'habitude, il n'y avait pas de règle précise
interdisant de parler aux prolétaires et de fréquenter
leurs cafés, mais c'était un acte beaucoup trop inhabituel pour qu'il ne fût pas remarqué. Si la patrouille
apparaissait, il alléguerait une faiblesse subite, mais
il était peu probable qu'on dût y ajouter foi.

Il poussa la porte et une horrible odeur caséeuse
de bière aigre le frappa au visage. Comme il entrait,
le bruit des voix diminua de la moitié environ de son
volume. Il sentit derrière lui tous les regards fixés
sur sa combinaison bleue. Une partie de flèches qui
était en train à l'autre extrémité de la pièce fut inter-
rompue pendant trente secondes au moins. Le vieillard qu'il avait suivi était au bar où il discutait avec
le barman, un jeune homme grand, corpulent, au
nez en bec d'aigle, aux avant-bras énormes. Un
groupe de consommateurs, des verres aux mains, les
entouraient et suivaient la scène.

— Je vous parle assez poliment, pas ? disait le
vieillard en redressant les épaules d'un air batailleur.
Vous dites que vous n'avez pas un verre d'une pinte
dans tout votre bon sang de bistrot ?

— Eh, nom de nom ! qu'est-ce que c'est qu'une
pinte ? demanda le barman en se penchant en avant,
l'extrémité de ses doigts appuyée au comptoir.

— Entendez-moi ça ! Ça s'appelle barman et ça
n' sait pas c' que c'est qu'une pinte. Quoi ! Une
pinte, c'est un d'mi quart et il y a quatre quarts dans
un gallon. La prochaine fois, faudra vous apprendre
l'A B C.

— Jamais entendu parler de ça, répondit brièvement le barman. Litres et demi-litres, c'est tout ce
que nous servons. Voilà les verres sur l'étagère
devant vous.

— J' veux une pinte, persista le vieillard. Vous
pouvez bien me soutirer une pinte. Nous n'avions
pas ces bon sang de litres quand j'étais un jeune
homme.

— Quand vous étiez jeune, nous vivions tous au sommet des arbres, dit le barman avec un coup d'œil aux autres consommateurs.

Il y eut un bruyant éclat de rire et le malaise causé par l'entrée de Winston sembla disparaître. Le visage au poil blanc du vieillard s'était enflammé. Il se détourna en marmonnant et se heurta à Winston qui le prit gentiment par le bras.

— Un verre ? demanda-t-il.

— Vous êtes un homme, dit l'autre en redressant les épaules. Il ne paraissait pas avoir remarqué la combinaison bleue de Winston. Une pinte ! ajouta-t-il agressivement à l'adresse du barman Une pinte de wallop.

Le barman ouvrit et versa deux demi-litres de bière d'un brun sombre dans des verres épais qu'il avait rincés dans un baquet sous le comptoir. La bière était la seule boisson qu'on pût obtenir dans les cafés de prolétaires. Les prolétaires n'étaient pas censés boire du gin, mais en pratique, ils pouvaient en obtenir assez facilement.

Le jeu de va-et-vient des flèches battait son plein et le groupe qui était au bar s'était mis à parler de billets de loterie. La présence de Winston, pour un moment était oubliée. Il y avait sous une fenêtre une table de bois blanc où le vieil homme et lui pouvaient parler sans crainte d'être entendus. C'était extrêmement dangereux mais, en tout cas, il n'y avait pas de télécran dans la pièce. Winston s'en était assuré aussitôt entré.

— I aurait pu m' tirer une pinte, grommelait le vieillard en s'installant devant son verre. Un d'mi litre, c'est pas assez. On n'a pas son content. Et tout un litre, c'est trop. Ça fait travailler ma vessie. Sans compter l' prix.

— Vous avez dû voir de grands changements, depuis que vous étiez jeune, dit timidement Winston.

Les yeux bleu pâle du vieillard erraient de la cible

des flèches au bar et du bar à la porte, comme s'il pensait que c'était dans le bar que les changements avaient eu lieu.

— La bière était meilleure, dit-il finalement. Et moins chère ! Quand j'tais jeune, la bière blonde, nous l'appelions wallop, elle coûtait quatre sous la pinte. C'tait avant la guerre, bien sûr.

— Quelle guerre était-ce ? demanda Winston.

— C'est tout des guerres, répondit vaguement le vieillard.

Il prit son verre, redressa de nouveau les épaules.

— A la vôtre !

Dans son cou étroit, la pomme d'Adam saillante fit un rapide et surprenant mouvement de va-et-vient, et la bière disparut. Winston alla au bar et revint avec deux autres demi-litres. Le vieillard parut avoir oublié sa prévention contre l'absorption d'un litre entier.

— Vous êtes beaucoup plus vieux que moi, dit Winston. Vous deviez être déjà un homme fait quand je suis né. Vous pouvez vous rappeler comment était la vie avant la Révolution. Les gens de mon âge ne connaissent réellement rien de ce temps-là. Nous pouvons seulement nous renseigner en lisant des livres, mais ce que disent les livres peut ne pas être vrai. Je voudrais avoir votre opinion là-dessus. Les livres d'Histoire content que la vie avant la Révolution était absolument différente de ce qu'elle est maintenant. Il y avait une oppression, une injustice, une pauvreté terribles, pires que tout ce que nous pouvons imaginer. Ici, à Londres, la grande masse du peuple n'avait jamais rien à manger, de la naissance à la mort. On travaillait douze heures par jour, on laissait l'école à neuf ans, on couchait dix dans une pièce. A la même époque, il y avait un tout petit nombre de gens, seulement quelques milliers, les capitalistes, disait-on, qui étaient riches et puissants. Ils possédaient tout ce qu'il y avait à posséder.

Ils vivaient dans de grandes maisons somptueuses avec trente serviteurs, ils se promenaient en automobile ou en voiture à quatre chevaux, buvaient du champagne, portaient des hauts-de-forme.

Le visage du vieillard s'éclaira soudain. « Haut-de-forme » répéta-t-il. « C'est drôle qu' vous en parlez. La même chose m'est v'nue dans l'esprit, seul'ment hier, j' sais pas pourquoi. J' m' disais justement, y a du temps qu' j'ai pas vu un haut-de-forme. Tous partis, oui. La dernière fois qu' j'en portais un, c'était à l'enterrement d' ma sœur. Et c'tait... non, j' pourrais pas vous dire la date, mais ça d'vait être y a cinquante ans. Bien sûr, on l'avait seulement loué pour la circonstance, vous comprenez.

— Ce n'est pas très important, les hauts-de-forme, dit Winston patiemment. Le point est que ces capitalistes, et quelques hommes de loi et quelques prêtres qui vivaient d'eux, étaient les seigneurs de la terre. Tout était pour eux. Vous, les gens ordinaires, les travailleurs, vous étiez leurs esclaves. Ils pouvaient faire de vous ce qu'ils voulaient. Ils pouvaient vous embarquer pour le Canada comme des bestiaux. Ils pouvaient coucher avec vos filles s'ils le désiraient. Ils pouvaient vous faire fouetter avec quelque chose qu'on appelait le chat à neuf queues. Quand vous passiez devant eux, vous deviez enlever vos casquettes. Tous les capitalistes ne se déplaçaient qu'entourés d'une bande de laquais qui...

Le visage du vieillard s'éclaira encore.

— Laquais, dit-il. Ça c'est un mot qu' j'ai pas entendu 'y a bien longtemps. Laquais! Ça me ramène en arrière, vrai ! Ça m' revient, oh, 'y a combien d'années, j' sais pas. Quéquefois, j'allais à Hyde Parc l' dimanche après-midi entendre les types parler. L'armée du Salut, les catholiques romains, les Juifs, les Indiens. 'Y en avait de toutes sortes. Et 'y avait un type, non j' peux pas vous dire son nom, mais un vrai bon orateur, c'était, et éloquent ! l'

mâchait pas les mots. 'Laquais ! i' disait. 'Laquais d'
la bourgeoisie ! Valets d' la classe dirigeante ! 'Parasites' aussi, était un d' ses mots. Et aussi 'hyènes !
i' les appelait, juste des hyènes. Bien sûr, 'i parlait
du parti travailliste, vous comprenez !

Winston avait l'impression qu'il jouait aux propos
interrompus.

— Ce que je voudrais réellement savoir est ceci...
dit-il. Pensez-vous que vous avez maintenant plus de
liberté qu'à cette époque ? Est-ce que vous êtes
davantage traité comme un être humain ? Dans l'ancien temps, les gens riches, les gens qui dirigeaient...

Le vieillard eut une réminiscence.

— La chambre des Lords, jeta-t-il.

— La chambre des Lords, si vous voulez. Ce que
je vous demande est si ces gens pouvaient vous traiter en inférieurs, simplement parce qu'ils étaient
riches et vous pauvres. Est-ce vrai, par exemple, que
vous deviez les appeler « Monseigneur » et enlever
votre casquette quand vous les croisiez ?

Le vieillard parut réfléchir profondément. Il but
environ le quart de sa bière avant de répondre.

— Oui, dit-il. Ils aimaient qu'on les salue. Cela
montrait l' respect. J'aimais pas ça moi-même, mais
j' l' faisais assez souvent. Il fallait, comm' on pourrait dire.

— Et est-ce que c'était l'habitude, je répète seulement ce que j'ai lu dans les livres d'Histoire, est-ce
que c'était l'habitude que ces gens et leurs domestiques vous fassent descendre du trottoir dans le caniveau ?

— Un d'eux m'a poussé un' fois, dit le vieillard.
J' m' souviens comme si c'était d'hier. C'était l' soir
des régates. I' étaient toujours bien tapageurs, les
soirs d' régates, et j' rentre dans un jeun' type dans
l'av'nue d' Shaftesbury. Tout à fait chic, qu'i' était.
Chemise, tuyau d' poêle, pard'ssus noir. Et comme
i zigzaguait su' l' trottoir j' lui ai rentré d'dans

sans faire attention. l' dit : « Vous pouvez pas r'garder où vous allez, non ? » J' dis : « Vous l'avez
acheté, l' bon sang d' trottoir ? » I' dit : « J' vais
vous tordre l' cou si vous prenez c' ton. » J' dis :
« V' zêtes ivre, j' vais vous aplatir dans une demi-
minute! » Et vous n' croirez pas, i' a mis sa main su'
ma poitrine et m'a donné un' poussée qui m'a envoyé
presqu' sous les roues d'un bus. Mais j'étais jeune
en c' temps-là et j' lui en aurais lancé une, mais...
Un sentiment d'impuissance s'empara de Winston.
La mémoire du vieil homme n'était qu'un monceau
de détails, décombres de sa vie. On pourrait l'interroger toute une journée sans obtenir aucune information réelle. Les histoires du Parti pouvaient encore
être vraies à leur façon. Elles pouvaient même être
complètement vraies. Il fit une dernière tentative :
— Peut-être ne me suis-je pas exprimé clairement, dit-il. Ce que je veux dire est ceci : Vous avez
vécu longtemps. Vous avez vécu la moitié de votre
vie avant la Révolution. En 1925, par exemple, vous
étiez déjà un homme. Diriez-vous, d'après vos souvenirs, que la vie en 1925 était meilleure qu'elle ne
l'est maintenant ? Ou était-elle pire ? Si vous pouviez choisir, préféreriez-vous vivre alors, ou maintenant ?
— J' sais c' que vous attendez d' moi, répondit-il.
Vous attendez qu' je dise que j' voudrais être encore
jeune. Beaucoup d' gens diraient qu'ils préféreraient
être jeunes, si on leur d'mandait. Quand on arrive à
mon âge, on n'est jamais bien. J'ai un' vilain' chose
aux pieds qui m' font souffrir et ma vessie est terrible. Ell' m' fait sortir du lit six, même sept fois dans
la nuit. D'aut' part, y a d' grands avantages à être
un vieillard. On n'a plus les mêmes embêtements.
Pas d' trucs de femmes et c' t'un grand avantage. J'
n'ai pas vu un' femme d'puis au moins trente ans,
vous pouvez m' croire. Je n' l'ai pas désiré, c' qui
est plus.

Winston s'adossa à l'appui de la fenêtre. Il était inutile de continuer. Il allait acheter encore de la bière quand le vieillard se leva et se traîna en toute hâte vers l'urinoir puant qui était à côté de la salle. Le demi-litre supplémentaire le travaillait déjà. Winston resta assis une minute ou deux, les yeux fixés sur son verre vide et remarqua à peine ensuite à quel moment ses pieds le ramenèrent dans la rue.

En moins de vingt ans au plus, réfléchit-il, on aura cessé de pouvoir répondre à cette simple et importante question : « La vie était-elle meilleure avant la Révolution qu'à présent ? » En fait, on ne pouvait déjà pas y répondre, puisque les quelques survivants épars de l'ancien monde étaient incapables de comparer une époque à l'autre. Ils se rappelaient un millier de choses sans importance : une querelle avec un collègue, la recherche d'une pompe à bicyclette perdue, l'expression de visage d'une sœur morte depuis longtemps, les tourbillons de poussière par un matin de vent d'il y avait soixante-dix ans, mais tous les faits importants étaient en dehors du champ de leur vision. Ils étaient comme des fourmis. Elles peuvent voir les petits objets, mais non les gros.

La mémoire étant défaillante et les documents falsifiés, la prétention du Parti à avoir amélioré les conditions de la vie humaine devait alors être acceptée, car il n'existait pas et ne pourrait jamais exister de modèle à quoi comparer les conditions actuelles.

Le cours des réflexions de Winston fut brusquement interrompu. Il s'arrêta et leva les yeux. Il se trouvait dans une rue étroite bordée de quelques petites boutiques sombres disséminées parmi des maisons d'habitation. Trois globes de métal décoloré, qui paraissaient avoir dans le temps été dorés, étaient suspendus immédiatement au-dessus de sa tête. Il lui semblait reconnaître l'endroit. Naturellement ! Il se

trouvait devant le magasin d'antiquités où il avait
acheté l'album. Un frisson de peur le traversa. Acheter l'album avait d'abord été un acte suffisamment
imprudent, et il s'était juré de ne jamais revenir
dans les environs du magasin. Mais sitôt qu'il avait
laissé vagabonder sa pensée, ses pieds l'avaient d'eux-
mêmes ramené là. C'était précisément contre ces
sortes d'impulsions qui étaient de véritables suicides,
qu'il avait espéré se garder en écrivant son journal.
Il remarqua au même instant que le magasin était
encore ouvert, bien qu'il fût près de neuf heures.
Avec l'impression qu'il serait moins remarqué à l'intérieur que s'il traînait sur le trottoir, il passa la
porte. Si on le questionnait, il pourrait dire avec
vraisemblance qu'il essayait d'acheter des lames de
rasoir.

Le propriétaire venait d'allumer une suspension à
pétrole qui répandait une odeur trouble, mais amicale. C'était un homme de soixante ans peut-être,
frêle et courbé, au nez long et bienveillant, dont les
yeux au regard doux étaient déformés par des
lunettes épaisses. Ses cheveux étaient presque blancs,
mais ses sourcils broussailleux étaient encore noirs
Ses lunettes, ses gestes affairés et courtois et le fait
qu'il portait une jaquette de velours noir usé, lui
prêtaient un vague air d'intellectualité, comme s'il
avait été quelque homme de lettres, ou peut-être un
musicien. Sa voix était douce, comme désuète, et son
accent moins vulgaire que celui de la plupart des
prolétaires.

— Je vous ai reconnu sur le trottoir, dit-il immédiatement. Vous êtes le monsieur qui avez acheté
l'album de souvenirs de jeune femme. C'était un
superbe morceau, certes. Vergé blanc, on appelait ce
papier. On n'en a pas fabriqué comme cela depuis...
Oh! je puis dire cinquante ans! » Il regarda Winston
par-dessus ses lunettes. « Désirez-vous quelque chose?
Ou voulez-vous seulement jeter un coup d'œil ? »

— Je suis entré en passant, répondit vaguement
Winston. Je ne désire rien de spécial.

— Tant mieux, dit l'autre, car je ne pense pas que
je pourrais vous satisfaire. Il fit un geste d'excuse
de sa main à la paume grassouillette. Vous voyez
comment c'est. On pourrait dire un magasin vide.
De vous à moi, le commerce d'antiquités est mort.
Plus aucune demande, plus de marchandises. Meubles, porcelaine, verres, tout s'est cassé au fur et à
mesure. Et, naturellement, la marchandise en métal,
en grande partie, a été fondue. Il y a des années que
je n'ai vu un bougeoir en cuivre, des années !

L'intérieur étroit du magasin était, en fait, bourré
jusqu'à être inconfortable, mais il n'y avait presque
rien qui eût la moindre valeur. L'espace de parquet
libre était très réduit car, tout autour, sur les murs,
d'innombrables cadres poussiéreux étaient empilés.

Il y avait en devanture des plateaux d'écrous et de
boulons, des ciseaux usés, des canifs aux lames cassées, des montres ternies qui n'avaient même pas la
prétention de pouvoir marcher, et d'autres bricoles
de tous genres. Seul, un fouillis d'objets dépareillés
et de morceaux qui se trouvait dans un coin, sur
une petite table — tabatières laquées, broches en
agate et autres — pouvait contenir quelque chose
d'intéressant.

Winston se dirigeait vers la table quand son regard
fut attiré par un objet rond et lisse qui brillait doucement à la lumière de la lampe. Il s'en saisit.

C'était un lourd bloc de verre, courbe d'un côté,
aplati de l'autre, qui formait presque un hémisphère.
Il y avait une douceur particulière, rappelant celle
de l'eau de pluie, à la fois dans la couleur et la
texture du verre. Au milieu du bloc, magnifié par la
surface courbe, se trouvait un étrange objet, rose et
convoluté, qui rappelait une rose ou une anémone
de mer.

— Qu'est-ce que c'est ? demanda Winston fasciné.

— C'est du corail, répondit le vieillard. Il doit provenir de l'océan Indien. On l'encastrait d'ordinaire dans du verre. Il y a au moins cent ans.que cet objet a été fabriqué. Plus, même, d'après son aspect.

— C'est une superbe chose, dit Winston.

— C'est une belle chose, approuva l'autre. Mais il n'y a pas beaucoup de gens qui le diraient, aujourd'hui. Il toussa. Eh bien, si vous désiriez par hasard l'acheter, il vous coûterait quatre dollars. Je me souviens d'un temps où un objet comme celui-là aurait atteint huit livres, et huit livres, c'était... je ne peux le calculer, mais c'était pas mal d'argent. Mais qui, aujourd'hui, s'intéresse aux antiquités authentiques, même au peu qui en existe encore ?

Winston paya immédiatement les quatre dollars et glissa dans sa poche l'objet convoité. Ce qui lui plaisait dans cet objet, ce n'était pas tellement sa beauté, que son air d'appartenir à un âge tout à fait différent de l'âge actuel. Le verre doux et couleur d'eau de pluie ne ressemblait à aucun verre qu'il eût jamais vu. L'apparente inutilité de l'objet le rendait doublement attrayant. Winston, pourtant, devinait qu'il devait avoir été fabriqué pour servir de presse-papier. Il était très lourd dans sa poche mais, heureusement, la bosse qu'il formait n'était pas très apparente. C'était un objet étrange, même compromettant, pour un membre du Parti. Tout ce qui était ancien et, en somme, tout ce qui était beau, était toujours vaguement suspect. Le vieillard, après avoir reçu les quatre dollars, était devenu beaucoup plus enjoué. Winston comprit qu'il en aurait accepté trois, ou même deux.

— Il y a une autre pièce là-haut qui pourrait vous intéresser, dit-il. Elle ne contient pas grand'chose, quelques objets seulement. Nous prendrons une lampe pour monter.

Il alluma une lampe et précéda Winston dans un escalier aux marches raides et usées puis le long

d'un passàge étroit. La pièce dans laquelle ils
entrèrent ne donnait pas sur la rue. Elle avait vue
sur une cour pavée de galets et une forêt de cheminées. Winston remarqua que les meubles étaient
encore disposés comme si la pièce devait être habitée.
Il y avait une carpette sur le parquet, un tableau
ou deux aux murs, et, tiré près de la cheminée, un
fauteuil profond et usé. Une horloge ancienne en
verre, qui n'avait que douze chiffres sur son cadran,
faisait entendre son tic tac sur la cheminée. Sous la
fenêtre, un grand lit sur lequel se trouvait encore un
matelas, occupait près du quart de la pièce.

— Nous avons vécu ici jusqu'à la mort de ma
femme, dit le vieillard en s'excusant à demi. Je vends
le mobilier petit à petit. Voilà un beau lit de mahogany, ou du moins, ce serait un beau lit si on pouvait en enlever les punaises. Mais j'ose dire que vous
le trouveriez un peu encombrant.

Il soulevait la lampe pour éclairer toute la pièce
et, dans la chaude lumière douteuse, l'endroit paraissait curieusement hospitalier. L'idée traversa l'esprit
de Winston qu'il serait probablement très facile de
louer la pièce pour quelques dollars par semaine, s'il
osait s'y risquer. C'était une idée folle et impossible
qui devait être abandonnée aussitôt que pensée, mais
la pièce avait éveillé en lui une sorte de nostalgie,
une sorte de mémoire ancestrale. Il lui semblait
savoir exactement ce que l'on ressentait en s'asseyant
dans une pièce comme celle-ci, dans ce fauteuil
auprès du feu, avec les pieds sur le garde-feu et une
bouilloire à côté du foyer. Etre absolument seul, dans
une paix complète, sans personne qui vous surveille,
sans voix qui vous poursuive, n'entendre que le chant
de la bouilloire et le tic tac amical de l'horloge.

— Il n'y a pas de télécran, ne put-il s'empêcher
de murmurer.

— Oh ! fit le vieil homme, je n'en ai jamais eu.
C'est trop cher. Et je n'en ai d'ailleurs jamais senti

le besoin. Voilà une jolie table pliante, dans ce coin.
Mais naturellement, si vous vouliez vous servir des
battants, il vous faudrait mettre de nouveaux gonds.

Il y avait une toute petite bibliothèque dans l'autre coin et, déjà Winston se dirigeait de ce côté. Elle
ne contenait que des livres sans intérêt. La chasse aux
livres et leur destruction avaient été faites avec autant
de soin dans les quartiers prolétaires que partout ailleurs. Il était tout à fait improbable qu'il existât,
quelque part dans l'Océania, un exemplaire de livre
imprimé avant 1960.

Le vieil homme, qui portait toujours la lampe,
était debout devant un tableau encadré de bois de
rose qui était suspendu en face du lit, de l'autre côté
de la cheminée.

— Si par hasard vous vous intéressiez aux vieux
tableaux, commença-t-il délicatement.

Winston traversa la pièce pour examiner le tableau.
C'était une gravure sur acier représentant un édifice
de forme ovale aux fenêtres rectangulaires, avec une
petite tour en avant. Une grille entourait l'édifice et,
en arrière, on voyait quelque chose qui semblait être
une statue. Winston regarda un moment la gravure.
Le tableau lui semblait vaguement familier, bien
qu'il ne se souvînt pas de la statue.

— Le cadre est fixé au mur, dit le vieillard, mais
je pourrais vous le dévisser, si vous le désiriez.

— Je connais cet édifice, dit finalement Winston.
C'est maintenant une ruine. Il est au milieu de la
rue qui se trouve de l'autre côté du Palais de Justice.

— C'est exact. Il a été bombardé en... oh ! il y a
pas mal d'années. A un moment, c'était une église.
On l'appelait l'église de Saint-Clément. Il eut un
sourire d'excuse, comme conscient de dire quelque
chose de légèrement ridicule, et ajouta : « Oranges
et citrons, disent les cloches de Saint-Clément. »

— Qu'est-ce que cela ? demanda Winston.

— Oh ! « Oranges et citrons, disent les cloches de

Saint-Clément. » C'est une chanson que l'on chantait quand j'étais un petit garçon. Je ne me souviens pas de la suite, mais je sais qu'elle se terminait ainsi : Voici une bougie pour aller au lit, voici un couperet pour vous couper la tête. Les enfants levaient les bras pour que vous passiez en-dessous et quand on en arrivait à : Voici un couperet pour vous couper la tête, ils baissaient les bras et vous attrapaient. Toutes les églises de Londres y passaient. Les principales, du moins.

Winston se demanda vaguement de quel siècle était l'église. Il était toujours difficile de déterminer l'âge d'un édifice de Londres. Tous ceux qui étaient vastes et imposants étaient automatiquement classés parmi les constructions d'après la Révolution s'ils étaient d'aspect raisonnablement nouveau. Mais tous ceux qui, visiblement, étaient plus anciens, étaient imputés à une période mal définie appelée moyen âge. On considérait que les siècles du capitalisme n'avaient rien produit qui eût quelque valeur. On ne pouvait pas plus étudier l'histoire par l'architecture que par les livres. Les statues, les inscriptions, les pierres commémoratives, les noms de rues, tout ce qui aurait pu jeter une lumière sur le passé, avait été systématiquement changé.

— Je ne savais pas qu'elle avait été une église, dit Winston.

— Il y en a en réalité encore pas mal, dit le vieillard, mais on leur a donné une autre affectation. Quelle était donc la suite de cette chanson ? Ah ! Je sais. Oranges et citrons, disent les cloches de Saint-Clément. Tu me dois trois farthings, disent les cloches de Saint-Martin. Là, maintenant, je ne peux aller plus loin. Un farthing était une petite pièce de cuivre qui ressemblait un peu à un cent.

— Où était Saint-Martin ? demanda Winston.

— L'église de Saint-Martin ? Elle est encore debout. C'est au square de la Victoire, contigu à la

galerie de peinture ; un édifice qui a une sorte de
porche triangulaire, des piliers en avant et un escalier monumental.

Winston connaissait bien l'endroit. C'était un
musée affecté à des expositions de propagande de
diverses sortes : modèles réduits de bombes volantes
et de Forteresses Flottantes, tableaux en cire illustrant
les atrocités de l'ennemi, et ainsi de suite.

— On l'appelait Saint-Martin-des-Champs, ajouta
le vieillard, bien que je ne me souvienne d'aucun
champ de ce côté.

Winston n'acheta pas le tableau. Le posséder eût
été encore plus incongru que posséder le presse-papier
de verre, et Winston n'aurait pu le transporter chez
lui, à moins de l'enlever de son cadre. Mais il
s'attarda quelques minutes de plus à parler au vieillard. Il découvrit que le nom de celui-ci n'était pas
Weeks, comme on aurait pu le croire d'après
l'inscription de la façade du magasin, mais Charrington.

M. Charrington était, semblait-il, un veuf de
soixante-trois ans et habitait ce magasin depuis
trente ans. Il avait toujours eu l'intention de changer
le nom qui était au-dessus de la fenêtre, mais ne s'y
était jamais décidé. Pendant qu'ils causaient, la moitié de chanson rappelée continua à trotter dans le
cerveau de Winston. « Oranges et citrons, disent les
cloches de Saint-Clément. Tu me dois trois farthings,
disent les cloches de Saint-Martin. » C'était curieux,
mais quand on se le disait, on avait l'illusion d'entendre réellement des cloches, les cloches d'un Londres perdu qui existerait encore quelque part, dé-
guisé et oublié. D'un clocher fantôme à un autre, il
lui semblait les entendre sonner à toute volée. Pourtant, autant qu'il pouvait s'en souvenir, il n'avait
jamais entendu, dans la vie réelle, sonner des cloches
d'église.

Il laissa M. Charrington et descendit seul l'escalier,

pour que le vieillard ne le vît pas étudier la rue avant de franchir la porte. Il avait déjà décidé qu'après un laps de temps raisonnable, disons un mois, il se risquerait à faire une nouvelle visite au magasin. Ce n'était peut-être pas plus dangereux que d'esquiver une soirée au Centre. L'acte de folie le plus grave avait été d'abord de revenir là après avoir acheté l'album et sans savoir s'il pouvait se fier au propriétaire du magasin. Cependant !...

— Oui, pensa-t-il encore, je reviendrai. J'achèterai d'autres échantillons de beaux laissés pour compte, j'achèterai la gravure de Saint-Clément, je l'enlèverai du cadre et la rapporterai chez moi cachée sous le haut de ma combinaison. J'extrairai le reste de la chanson de la mémoire de M. Charrington.

Même le projet fou de louer la chambre du premier traversa encore son esprit. Pendant cinq secondes, peut-être, l'exaltation le rendit inattentif et il sortit sur le trottoir sans même un coup d'œil préliminaire par la fenêtre. Il avait même commencé à fredonner sur un air improvisé :

Oranges et citrons, disent les cloches de Saint-Clément,
Tu me dois trois farthings, disent les...

Son cœur se glaça soudain, et il sentit ses entrailles se fondre. Une silhouette revêtue de la combinaison bleue descendait le trottoir à moins de dix mètres. C'était la fille du Commissariat aux Romans, la fille aux cheveux noirs. La lumière baissait, mais il n'était pas difficile de la reconnaître. Elle le regarda en face, puis continua rapidement, comme si elle ne l'avait pas vu.

Pendant quelques secondes, Winston se trouva trop paralysé pour se mouvoir. Puis il tourna à droite et s'en alla lourdement, sans remarquer à ce moment qu'il s'engageait dans une mauvaise direction. De toute façon, une question était réglée. Il ne pouvait

plus douter que la fille l'espionnait. Elle devait
l'avoir suivi. Il n'était pas vraisemblable, en effet,
qu'un pur hasard ait conduit sa promenade, le même
après-midi, dans la même rue obscure et écartée que
Winston, à des kilomètres de distance des quartiers
où vivaient les membres du Parti. C'était une coïncidence trop grande. Qu'elle fût réellement un agent
de la Police de la Pensée, ou simplement un espion
amateur poussé par un zèle indiscret, importait peu.
Le principal était qu'elle le surveillait. Elle l'avait
probablement aussi vu entrer dans le café.

Il lui fallait faire un effort pour marcher. Dans
sa poche, le morceau de verre lui frappait la cuisse
à chaque pas et il eut presque envie de le jeter. Le
pire était le mal au ventre. Pendant deux secondes,
il sentit qu'il mourrait s'il n'arrivait tout de suite à
un water. Mais il ne devait pas y avoir de water
public dans un tel quartier. Puis le spasme disparut,
laissant une douleur sourde.

La rue était une impasse. Winston s'arrêta, resta
quelques secondes immobile à se demander vaguement ce qu'il allait faire, puis revint sur ses pas. Il
pensa alors que la fille l'avait croisé il n'y avait que
trois minutes, et qu'en courant il pourrait la rattraper. Il la suivrait jusqu'à ce qu'ils fussent en quelque endroit désert et il lui briserait le crâne avec un
pavé. Le morceau de verre qu'il avait dans la poche
serait assez lourd. Mais il abandonna tout de suite
cette idée, car même la pensée d'un effort physique
quelconque était insupportable. Il ne pourrait courir, il ne pourrait asséner un coup. En outre, elle
était jeune et robuste et se défendrait.

Winston pensa aussi à se rendre rapidement au
centre communautaire et à y rester jusqu'à la fermeture pour établir un alibi partiel pour l'après-midi.
Mais cela aussi était impossible. Une lassitude mortelle l'avait saisi. Tout ce qu'il voulait, c'était rentrer vite chez lui, puis s'asseoir et être tranquille.

Il était plus de dix heures quand il arriva à son appartement. La lumière devait être éteinte au plus tard à onze heures et demie. Il alla à la cuisine et avala une tasse presque remplie de gin de la Victoire. Puis il s'assit à la table de l'alcôve et sortit le livre du tiroir. Mais il ne l'ouvrit pas tout de suite.

Au télécran, une voix de femme claironnante braillait un chant patriotique. Il était assis, les yeux fixés sur la couverture marbrée du livre, et il essayait sans succès de ne pas écouter la voix.

C'était toujours la nuit qu'ils venaient vous prendre. Toujours la nuit ! La seule chose à faire était de se tuer avant. Sans doute, quelques personnes le faisaient. Beaucoup de disparitions étaient réellement des suicides. Mais il fallait un courage désespéré pour se tuer dans un monde où on ne pouvait se procurer ni arme à feu, ni poison rapide et sûr. Il pensa avec une sorte d'étonnement à l'inutilité biologique de la souffrance et de la frayeur, à la perfidie du corps humain qui toujours se fige et devient inerte à l'instant précis où un effort spécial est nécessaire. Il aurait pu réduire au silence la fille aux cheveux noirs si seulement il avait agi assez vite. Mais c'était précisément l'imminence du danger qui lui avait fait perdre le pouvoir d'agir. Il pensa qu'aux moments de crise, ce n'est pas contre un ennemi extérieur qu'on lutte, mais toujours contre son propre corps. En cet instant même, en dépit du gin, la douleur sourde qu'il sentait au ventre rendait impossibles des réflexions suivies.

Il en est de même, comprit-il, dans toutes les situations qui semblent héroïques ou tragiques. Sur le champ de bataille, dans la chambre de torture, dans un bateau qui sombre, les raisons pour lesquelles on se bat sont toujours oubliées, car le corps s'enfle jusqu'à emplir l'univers, et même quand on n'est pas paralysé par la frayeur, ou qu'on ne hurle pas de douleur, la vie est une lutte de tous les instants contre la faim, le froid ou l'insomnie, contre des aigreurs d'estomac ou contre un mal aux dents.

Il ouvrit son journal. Il fallait y écrire quelque chose. La femme du télécran avait commencé une autre chanson. Sa voix semblait s'enfoncer dans le cerveau comme des éclats pointus de verre brisé. Il essaya de penser à O'Brien pour qui ou à qui il écrivait, mais sa pensée se porta sur ce qui lui arriverait après son arrestation par la Police de la Pensée. Si on était tué tout de suite, cela n'aurait pas d'importance. Etre tué était ce à quoi on s'attendait. Mais avant la mort, (personne n'en parlait, mais tout le monde le savait), il fallait passer par l'habituelle routine de la confession : ramper sur le sol en criant grâce, sentir le craquement des os que l'on brise, des dents que l'on émiette et des touffes de cheveux sanguinolents que l'on vous arrache. Pourquoi devait-on supporter cela, puisque la fin était toujours la même ? Pourquoi n'était-il pas possible de supprimer de sa vie quelques jours, ou quelques semaines ? Personne n'échappait à la surveillance et personne ne manquait de se confesser. Lorsqu'on avait une fois succombé au crime par la pensée, on pouvait être certain qu'à une date donnée on serait mort. Pourquoi cette horreur, qui ne changeait rien, devait-elle être comprise dans l'avenir ?

Il essaya, cette fois avec un peu plus de succès, d'évoquer l'image de O'Brien.

— Nous nous rencontrerons là où il n'y a pas de ténèbres, lui avait dit O'Brien.

Il savait ce que cela signifiait, ou pensait le savoir. Le lieu où il n'y avait pas de ténèbres était un avenir imaginé qu'on ne verrait jamais mais que la pensée permettait d'imaginer.

La voix du télécran qui criaillait dans son oreille l'empêcha de suivre plus loin le fil de sa pensée. Il porta une cigarette à sa bouche. La moitié du tabac lui tomba tout de suite sur la langue. C'était une

poussière amère qu'il eut du mal à recracher. Le
visage de Big Brother se glissa dans son esprit, effa-
çant celui d'O'Brien. Comme il l'avait fait quelques
jours plus tôt, il tira une pièce de monnaie de sa
poche et la regarda. Dans le visage lourd, calme, protecteur, les yeux regardaient Winston. Mais quel
sorte de sourire se cachait sous la moustache noire ?
Comme le battement lourd d'un glas, les mots de la
devise lui revinrent :

LA GUERRE C'EST LA PAIX
LA LIBERTÉ C'EST L'ESCLAVAGE
L'IGNORANCE C'EST LA FORCE

DEUXIÈME PARTIE

I

C'était le milieu de la matinée et Winston avait laissé sa cabine pour aller aux lavabos.

Une silhouette solitaire venait vers lui de l'extrémité du long couloir brillamment éclairé. C'était la fille aux cheveux noirs. Quatre jours étaient passés depuis l'après-midi où il l'avait inopinément rencontrée devant le magasin d'antiquités. Lorsqu'elle fut plus près de lui, il vit qu'elle avait le bras droit en écharpe, mais l'écharpe ne se voyait pas de loin parce qu'elle était de la même couleur que sa combinaison. Sa main s'était probablement prise tandis qu'elle tournait autour de l'un des énormes kaléidoscopes sur lesquels s'obtenaient les brouillons des plans de romans. C'était un accident commun au Commissariat aux Romans.

Ils étaient peut-être à quatre mètres l'un de l'autre quand la fille trébucha et tomba presque à plat sur le sol. La douleur lui arracha un cri aigu. Elle avait dû tomber en plein sur le bras blessé. Winston s'arrêta net. La fille s'était relevée sur ses genoux. Son visage avait pris une teinte jaunâtre de lait, sur laquelle tranchait la couleur de sa bouche plus rouge que jamais. Ses yeux étaient fixés sur les siens avec une expression de prière qui paraissait traduire plus de frayeur que de souffrance.

Le cœur de Winston fut remué d'une étrange émotion. Devant lui se trouvait un ennemi qui essayait
de le tuer. Devant lui, aussi, était une créature
humaine en détresse qui avait peut-être un os brisé.
Déjà, il s'était instinctivement avancé pour l'aider.
Quand il l'avait vue tomber sur son bras bandé, il
avait cru sentir la douleur dans son propre corps.

— Vous êtes blessée ? demanda-t-il.

— Ce n'est rien. Mon bras. Cela ira bien dans une
seconde.

Elle parlait comme si elle avait eu des palpitations.
Elle était assurément devenue très pâle.

— Vous n'avez rien de cassé ?

— Non. Je vais très bien. J'ai eu mal sur le
moment, c'est tout.

Elle tendit vers lui sa main valide et il l'aida à se
relever. Elle avait repris des couleurs et paraissait
beaucoup mieux.

— Ce n'est rien, répéta-t-elle brièvement. Je me
suis simplement un peu foulé le poignet. Merci, camarade.

Sur ces mots, elle s'éloigna dans la direction qu'elle
avait jusque-là suivie, aussi alerte que si réellement
ce n'avait été rien. L'incident avait duré moins d'une
demi-minute.

Ne pas laisser les sentiments apparaître sur le
visage était une habitude qui était devenue un instinct
et, en tout cas, ils étaient debout juste devant un
télécran quand l'incident avait eu lieu. Néanmoins,
il avait été très difficile à Winston de ne pas trahir
une surprise momentanée car, pendant les deux ou
trois secondes qu'il avait employées à la relever, la
fille lui avait glissé quelque chose dans la main. Il
n'y avait pas à douter qu'elle ne l'ait fait intention-
nellement. C'était quelque chose de petit et de plat.
En passant la porte des lavabos, il le mit dans sa
poche et le tâta du bout des doigts. C'était un bout
de papier plié en quatre.

Pendant qu'il était debout devant l'urinoir, il s'arrangea pour le déplier avec ses doigts. Il y avait sans doute, écrit dessus, un message quelconque. Il fut un moment tenté de rentrer dans un water et de le lire tout de suite. Mais il savait bien que cela aurait été une épouvantable folie. C'était l'endroit où on était le plus certain d'être continuellement surveillé par les télécrans.

Il revint à sa cabine et, d'un geste désinvolte, jeta le fragment de papier parmi ceux qui se trouvaient sur le bureau. Puis il mit ses lunettes et, d'une secousse, rapprocha le télécran. « Cinq minutes », se dit-il, « cinq minutes au bas mot ! Son cœur battait dans sa poitrine avec un bruit effrayant. Heureusement, le travail qu'il avait en train était un travail de simple routine. C'était la rectification d'une longue liste de chiffres qui ne nécessitait pas une attention soutenue.

Quoi que pût être ce qui était écrit sur le papier, cela devait avoir un sens politique. Autant que pouvait en juger Winston, il y avait deux possibilités. L'une, la plus vraisemblable, était que la fille fût, comme il l'avait justement craint, un agent de la Police de la Pensée. Il ne comprenait pas pourquoi la Police de la Pensée choisissait une telle manière de délivrer ses messages, mais elle avait peut-être ses raisons. La chose écrite sur le papier pouvait être une menace, une convocation, un ordre de suicide, un traquenard quelconque.

Mais il y avait une autre possibilité plus folle qui lui faisait relever la tête, bien qu'il essayât, mais vainement, de n'y pas penser. C'était que le message ne vint pas de la Police de la Pensée, mais de quelque organisation clandestine. Peut-être la Fraternité existait-elle, après tout ! Peut-être la fille en faisait-elle partie.

L'idée était sans aucun doute absurde, mais elle lui avait jailli dans l'esprit à l'instant même où il

avait senti dans sa main le fragment de papier. Ce
n'est que deux minutes plus tard que l'autre explication, la plus vraisemblable, lui était venue à l'idée.
Et même en cet instant, alors que son intelligence
lui disait que le message représentait, signifiait la
mort, il n'y croyait pas et l'espoir déraisonnable persistait. Son cœur battait. Il arrivait difficilement à
empêcher sa voix de trembler tandis qu'il murmurait des chiffres au phonoscript.

Il fit un rouleau de toute la liasse de son travail et
le glissa dans le tube pneumatique. Huit minutes
s'étaient écoulées. Il ajusta ses lunettes sur son nez,
soupira et rapprocha de lui le paquet de travail suivant sur lequel se trouvait le fragment de papier. Il
le mit à plat. D'une haute écriture informe, ces mots
étaient tracés : « Je vous aime. »

Pendant quelques secondes, il fut trop abasourdi
même pour jeter le papier incriminé dans le trou de
mémoire. Quand il le fit, bien qu'il sût fort bien le
danger de montrer trop d'intérêt, il ne put résister
à la tentation de le lire encore, juste pour s'assurer
qu'il avait bien lu.

Durant le reste de la matinée, il lui fut très difficile de travailler. Cacher son agitation au télécran
était plus difficile encore que de concentrer son a en-
tion sur une série de travaux minutieux. Il sentait
comme du feu lui brûler les entrailles.

Le déjeuner dans la cantine chaude, bondée de
gens, pleine de bruits, fut un supplice. Il avait espéré
être seul un moment pendant l'heure du déjeuner,
mais la mauvaise chance voulut que cet imbécile de
Parsons s'assît lourdement à côté de lui. L'odeur de
sa sueur dominait presque l'odeur métallique du
ragoût et il déversa un flot de paroles au sujet des
préparatifs faits pour la Semaine de la Haine. Il était
particulièrement enthousiaste au sujet d'une repro-
duction en papier mâché de la tête de Big Brother,
de deux mètres de large. Elle était fabriquée pour

l'occasion par la troupe d'Espions à laquelle appartenait sa fille. L'irritant était que, dans le vacarme des voix, Winston pouvait à peine entendre ce que disait Parsons et devait constamment lui demander de répéter quelque sotte remarque. Il entrevit une fois seulement la fille qui se trouvait assise à une table, avec deux autres filles semblables, à l'autre bout de la salle. Elle ne parut pas l'avoir vu et il ne regarda pas dans sa direction.

L'après-midi fut plus supportable. Immédiatement après le déjeuner, il lui arriva un travail difficile et délicat qui l'occupa plusieurs heures, et pour lequel il dut mettre de côté tout le reste.

Il consistait à falsifier une série d'exposés sur la production d'il y avait deux ans, de façon à jeter le discrédit sur un membre proéminent du Parti Intérieur, qui était actuellement en disgrâce. C'était un genre de travail dans lequel il était bon et pendant plus de deux heures il réussit à chasser complètement la fille de sa pensée. Puis le souvenir de son visage lui revint et, avec lui, un désir lancinant, intolérable, d'être seul. La soirée était une de celles qu'il passait au Centre communautaire. Il engloutit un autre repas sans goût à la cantine, se dépêcha de se rendre au Centre, prit part à la solennelle niaiserie d'une « discussion de groupe », joua deux parties de ping-pong, avala plusieurs verres de gin et lut pendant une demi-heure un livre intitulé : *Rapports entre l'Angsoc et les échecs.*

L'ennui lui contractait l'âme mais, pour une fois, il n'avait pas éprouvé le désir d'esquiver sa soirée au Centre. A la vue des mots : « Je vous aime », le désir de rester en vie avait jailli en lui et prendre des risques secondaires lui avait soudain paru stupide. Il ne put réfléchir d'une manière suivie qu'après onze heures du soir, chez lui et au lit, dans la sécurité de l'ombre qui fait que l'on n'a même pas à craindre le télécran, pourvu que l'on demeure silencieux.

C'était un problème matériel qu'il avait à résoudre. Comment toucher la fille et arranger une rencontre ? Il ne pensait plus à la possibilité qu'il pût
y avoir là, pour lui, une sorte de piège. Il savait
qu'il n'en était rien, à cause de l'agitation réelle
qu'elle avait montrée en lui remettant le papier. Visiblement, elle avait été effrayée et hors d'elle autant
qu'elle pouvait l'être. L'idée de refuser ses avances
ne lui traversa même pas l'esprit non plus. Cinq
jours auparavant seulement, il avait envisagé de lui
écraser la tête sous un pavé. Mais cela n'avait aucune
importance. Il pensa à son corps jeune et nu, comme
il l'avait vu dans son rêve. Il avait cru qu'elle était
une sotte comme les autres, que sa tête était farcie de
mensonges et de haine, que ses entrailles étaient glacées. Une sorte de fièvre le saisit à l'idée qu'il pourrait la perdre, que son jeune corps blanc pourrait
s'éloigner de lui. Ce qu'il craignait le plus, c'est
qu'elle changeât simplement d'idée s'il ne la rencontrait rapidement. Mais la difficulté matérielle de
se rencontrer était énorme. C'était essayer de bouger
un pion aux échecs alors qu'on est déjà échec et
mat. Quelque chemin que l'on prît, on avait le télécran devant soi. En réalité, toutes les manières possibles de communiquer avec elle lui étaient passées
par l'esprit moins de cinq minutes après avoir lu la
note. Mais maintenant qu'il avait le temps de réfléchir, il les examina l'une après l'autre comme une
rangée d'instruments qu'il disposerait sur une table.

Le genre de rencontre qui avait eu lieu le matin
ne pouvait évidemment se répéter. Si elle travaillait
au Commissariat aux Archives, cela aurait pu être
relativement simple, mais il n'avait qu'une vague
idée de la situation, dans l'édifice, du Commissariat
aux Romans et il n'avait aucun prétexte pour s'y
rendre.

S'il savait où elle habitait et à quelle heure elle
laissait son travail, il aurait pu s'arranger pour la

rencontrer quelque part sur le chemin de retour.
Mais essayer de la suivre chez elle était imprudent
car il faudrait traîner aux alentours du Ministère, ce
qui pourrait être remarqué.

Lui envoyer une lettre par la poste était hors de
question. Suivant une routine qui n'était même pas
un secret, toutes les lettres étaient ouvertes en route.
Peu de gens, actuellement, écrivaient des lettres.
Pour les messages qu'on avait parfois besoin d'envoyer, il y avait des cartes postales sur lesquelles
étaient imprimées de longues listes de phrases, et l'on
biffait celles qui étaient inutiles. Dans tous les cas,
sans compter son adresse, il ne savait pas le nom de
la fille.

Il décida finalement que l'endroit le plus sûr était
la cantine. S'il pouvait la voir seule à une table quelque part au milieu de la pièce, pas trop près des
télécrans, avec un bourdonnement suffisant de conversations tout autour, et que ces conditions soient
réunies pendant, disons trente secondes, il pourrait,
peut-être, échanger avec elle quelques mots.

La vie, après cela, fut pendant une semaine comme
un rêve agité. Le jour suivant, elle n'apparut à la
cantine qu'au moment où il la laissait. Le coup de
sifflet avait déjà retenti. Ses heures de travail avaient
peut-être changé. Ils se croisèrent sans un regard. Le
deuxième jour, elle était à la cantine à l'heure habituelle, mais avec trois autres filles, et immédiatement
sous un télécran. Puis, pendant trois horribles jours,
elle n'apparut pas du tout.

Il sembla à Winston qu'il souffrait, d'esprit et de
corps, d'une insupportable sensibilité, d'une sorte de
transparence qui faisait de chaque mouvement, de
chaque son, de chaque contact, de chaque mot qu'il
devait prononcer ou écouter une agonie.

Même en dormant, il ne pouvait échapper complètement au visage de la fille. Ces jours-là, il ne toucha
pas à son journal. Il ne trouvait de soulagement,

quand il en avait un, que dans son travail. Parfois il
pouvait oublier pendant dix minutes d'affilée. Il
n'avait absolument aucune idée de ce qui avait pu
lui arriver. Il ne pouvait faire d'enquête. Elle avait
pu être vaporisée, elle avait pu se suicider, elle avait
pu être transférée à l'autre bout de l'Océania. Pire,
et plus probablement, elle avait simplement pu changer d'idée et décider de l'éviter.

Le jour suivant, elle reparut. Son bras n'était
plus en écharpe et elle avait une bande de diachylon
autour du poignet. Le soulagement qu'il éprouva à
la voir fut si grand qu'il ne put s'empêcher de la
regarder en face plusieurs secondes.

Le lendemain, il réussit presque à lui parler.
Quand il entra dans la cantine, elle était assise à une
table assez loin du mur et était absolument seule. Il
était tôt et la cantine n'était pas comble. La queue
avançait et Winston était presque au comptoir. Le
mouvement fut arrêté une minute par quelqu'un qui
se plaignait de n'avoir pas reçu sa tablette de saccharine. Mais la fille était encore seule quand Winston
reçut son plateau et avança vers sa table. Il se dirigeait comme par hasard dans sa direction, en cher-
chant des yeux une place à une table plus éloignée.
Elle était peut-être à trois mètres de lui. En deux
secondes il y serait.

Une voix, derrière lui, appela : « Smith ! » Il fit
semblant de ne pas entendre. « Smith ! » répéta la
voix plus haut. C'était inutile. Il se retourna. Un
jeune homme blond, au visage inintelligent, nommé
Wilsher, qu'il connaissait à peine, l'invitait avec un
sourire à occuper une place libre à sa table. Il était
imprudent de refuser. Il ne pouvait, ayant été reconnu, s'en aller s'asseoir à une table près d'une fille
seule. Cela se remarquerait trop.

Il s'assit avec un sourire amical. Le blond visage
inintelligent sourit largement en le regardant. Winston, dans une hallucination, se vit lui lançant une

pioche en plein visage. La table de la fille, quelques
minutes plus tard, était complètement occupée.

Mais elle devait l'avoir vu se diriger vers elle, et
peut-être agirait-elle en conséquence ? Le jour
d'après, il eut soin d'arriver tôt. Naturellement, elle
était à une table à peu près au même endroit, et de
nouveau seule. Winston était précédé dans la queue
par un petit homme scarabée aux mouvements rapides, au visage plat, aux yeux minuscules et soupçonneux. Tandis que Winston s'éloignait du comptoir
avec son plateau, il vit le petit homme se diriger tout
droit vers la table de la fille. Son espoir, de nouveau.
tomba. Il y avait une place libre à une table plus
éloignée, mais quelque chose dans l'apparence du
petit homme suggérait qu'il devait être assez attentif
à son confort pour choisir la table la moins encombrée. Winston le suivit, le cœur glacé. Il y eut à ce
moment un violent fracas. Le petit homme était étalé
les quatre fers en l'air. Son plateau lui avait échappé
et deux ruisseaux de soupe et de café coulaient sur
le parquet. Il se remit sur pieds avec un regard
méchant à l'adresse de Winston qu'il soupçonnait de
lui avoir fait un croc-en-jambe. Mais il n'en était
rien. Cinq secondes plus tard, le cœur battant, Wins-
tan était assis à la table de la fille.

Il ne la regarda pas. Il délesta son plateau et
commença à manger. Il fallait surtout parler tout de
suite, avant que personne ne vînt, mais une terrible
frayeur s'était emparée de lui. Une semaine s'était
écoulée depuis qu'elle l'avait approché. Elle pouvait
avoir changé, elle devait avoir changé ! Il était
impossible que cette affaire puisse se terminer avec
succès. De telles choses ne se passent pas dans la vie
réelle. Il aurait complètement flanché et n'aurait pas
parlé s'il n'avait à ce moment vu Ampleforth, le
poète aux oreilles poilues, qui errait mollement à
travers la salle avec un plateau, à la recherche d'une
place libre. Ampleforth, à sa manière vague, était

attaché à Winston et s'assiérait certainement à sa
table s'il l'apercevait. Il restait peut-être une minute
pour agir. Winston et la fille mangeaient tous deux
sans broncher. La substance qu'ils avalaient était un
ragoût clair, plutôt une soupe, de haricots. Winston
se mit à murmurer tout bas. Aucun d'eux ne leva les
yeux. Ils portaient régulièrement à leur bouche des
cuillerées de substance liquide et, entre les cuillerées, échangeaient les quelques mots nécessaires d'une
voix basse et inexpressive.

— A quelle heure laissez-vous le travail ?

— A six heures et demie.

— Où pouvons-nous nous rencontrer ?

— Au square de la Victoire, près du monument.

— Il y a plein de télécrans.

— Cela n'a pas d'importance s'il y a foule.

— Me ferez-vous signe ?

— Non. Ne vous approchez de moi que lorsque
vous me verrez parmi un tas de gens. Et ne me regardez pas. Tenez-vous seulement près de moi.

— A quelle heure ?

— A sept heures.

— Entendu.

Ampleforth ne vit pas Winston et s'assit à une
autre table. Ils ne parlèrent plus et, autant que cela
était possible à deux personnes assises en face l'une
de l'autre à la même table, ils ne se regardèrent pas.
La fille termina rapidement son repas et s'en alla,
tandis que Winston restait pour fumer une cigarette.

Winston se trouva au square de la Victoire avant
le moment fixé. Il se promena autour du socle de
l'énorme colonne cannelée au sommet de laquelle la
statue de Big Brother regardait, vers le Sud, les cieux
où il avait vaincu les aéroplanes eurasiens (qui
étaient, quelques années plus tôt, des aéroplanes
estasiens) dans la bataille de la première Région
Aérienne.

Dans la rue qui se trouvait vis-à-vis de la colonne,

se dressait la statue d'un homme à cheval qui était
censée représenter Olivier Cromwell.

Cinq minutes après l'heure fixée, la fille n'était
pas encore arrivée. L'angoisse terrible s'empara de
nouveau de Winston. Elle ne venait pas. Elle avait
changé d'idée. Il se dirigea lentement vers le côté
nord du square et éprouva un vague plaisir à iden-
tifier l'église Saint-Martin, dont les cloches, quand
elle en avait, avaient carillonné : « Tu me dois trois
farthings. »

Il vit alors la fille debout au pied du monument
de Big Brother. Elle lisait, ou faisait semblant de
lire une affiche qui s'élevait en spirale autour de la
colonne. Il n'était pas prudent de se rapprocher d'elle
tant qu'il n'y aurait pas plus de gens réunis. Tout
autour du fronton, il y avait des télécrans. Un
vacarme de voix se fit entendre et il y eut, quelque
part sur la gauche, un démarrage de lourds véhi-
cules. Tout le monde se mit soudain à courir à travers le square. La fille coupa lestement autour des
lions qui étaient à la base du monument et se joignit
à la foule qui se précipitait. Winston suivit. Pendant
qu'il courait, quelques remarques jetées à haute voix
lui firent comprendre qu'un convoi de prisonniers
eurasiens passait.

Déjà une masse compacte de gens bloquait le côté
sud du square. Winston qui, en temps normal, était
le genre d'individu qui gravite à la limite extérieure
de tous les genres de bousculade, joua des coudes, de
la tête, se glissa en avant, au cœur de la foule. Il fut
bientôt à une longueur de bras de la fille. Mais le
chemin était fermé par un prolétaire énorme et par
une femme presque aussi énorme que lui, probablement sa femme, qui paraissaient former un mur de
chair impénétrable. Winston, en se tortillant, se
tourna sur le côté et, d'un violent mouvement en
avant, s'arrangea pour passer son épaule entre eux.
Il crut un moment que ses entrailles étaient broyées

et transformées en bouillie par les deux hanches
musclées, puis il les sépara et passa en transpirant un
peu. Il était à côté de la fille. Ils se trouvaient épaule
contre épaule, tous deux regardaient fixement devant
eux.

Une longue rangée de camions, portant, dressés à
chaque coin, des gardes au visage de bois armés de
mitrailleuses, descendait lentement la rue. Dans les
camions, de petits hommes jaunes, vêtus d'uniformes verdâtres usés, étaient accroupis, serrés les uns
contre les autres. Leurs tristes visages mongols, absolument indifférents, regardaient par-dessus les bords
des camions. Parfois, au cahot d'un camion, il y
avait un cliquetis de métal. Tous les prisonniers
avaient des fers aux pieds. Des camions et des
camions défilèrent, chargés de visages mornes. Winston savait qu'ils étaient là, mais il ne les voyait que
par intermittence. L'épaule de la fille, et son bras
droit, nus jusqu'au coude, étaient pressés contre son
bras. Sa joue était presque assez proche de la sienne
pour qu'il en sentît la chaleur. Elle avait immédiatement pris en charge la situation, exactement comme
elle l'avait fait à la cantine. Elle se mit à parler de
la même voix sans expression, les lèvres bougeant à
peine, d'un simple murmure aisément noyé dans le
vacarme des voix et le fracas des camions qui roulaient.

— M'entendez-vous ?
— Oui.
— Pouvez-vous vous rendre libre dimanche après-
midi ?
— Oui.
— Alors, écoutez-moi bien. Vous aurez à vous rap-
peler ceci. Allez à la gare de Paddington...

Avec une précision militaire qui étonna Winston,
elle lui indiqua la route qu'il devait suivre. Un tra-
jet en chemin de fer d'une demi-heure. Au sortir de
la station, tourner à gauche. Marcher sur la route

pendant deux kilomètres. Une porte dont la barre
supérieure manque. Un chemin à travers champs,
un sentier couvert d'herbe, un passage dans des
buissons, un arbre mort couvert de mousse. C'était
comme si elle avait eu une carte dans la tête.

— Pourrez-vous vous souvenir de tout cela ? murmura-t-elle à la fin.

— Oui.

— Vous tournez à gauche, puis à droite, puis de
nouveau à gauche, et la porte n'a pas de barre supérieure.

— Oui. Quelle heure ?

— A trois heures environ. Peut-être aurez-vous à
attendre. J'irai par un autre chemin. Etes-vous sûr
de tout vous rappeler ?

— Oui.

— Alors éloignez-vous de moi aussi vite que vous
le pourrez.

Elle n'avait pas besoin de le lui dire. Mais pendant un instant ils ne purent se dégager de la foule.
Les camions défilaient encore, et les gens insatiables
regardaient bouche bée. Il y avait eu au début quelques huées et quelques coups de sifflet, mais ils
venaient de membres du Parti qui étaient dans la
foule et s'étaient bientôt arrêtés. Le sentiment qui
dominait était une simple curiosité. Les étrangers,
qu'ils fussent Eurasiens ou Estasiens, étaient comme
des animaux inconnus. On ne les voyait littéralement
jamais, si ce n'était sous l'aspect de prisonniers et,
même alors, on n'en avait jamais qu'une vision fugitive. Personne ne savait non plus ce qu'il advenait
d'eux. On ne connaissait que le sort de ceux qui
étaient pendus comme criminels de guerre. Les
autres disparaissaient simplement. Ils étaient probablement envoyés dans des camps de travail.

Aux ronds visages mongols avaient succédé des
visages d'un type plus européen, sales, couverts de
barbe et épuisés. Au-dessus de pommettes broussail-

leuses, les yeux plongeaient leur éclair dans ceux de
Winston, parfois avec une étrange intensité, puis se
détournaient. Le convoi tirait à sa fin. Dans le dernier
camion, Winston put voir un homme âgé, au visage
recouvert d'une masse de poils gris, qui se tenait
debout, les mains croisées en avant, comme s'il était
habitué à les avoir attachées. Il était presque temps
que Winston et la fille se séparent. Mais au dernier
moment, pendant qu'ils étaient encore cernés par
la foule, la main de la fille chercha celle de Winston
et la pressa rapidement.

Cela ne dura pas dix secondes, et cependant il
sembla à Winston que leurs mains étaient restées
longtemps jointes. Il eut le temps d'étudier tous les
détails de sa main. Il explora les doigts longs, les
ongles bombés, les paumes durcies par le travail avec
ses lignes calleuses, et la chair lisse sous le poignet.
Pour l'avoir simplement touchée, il pourrait la reconnaître en la voyant.

Il pensa au même instant qu'il ne connaissait pas
la couleur des yeux de la fille. Ils étaient probablement bruns. Mais les gens qui ont des cheveux
noirs ont parfois les yeux bleus. Tourner la tête
et la regarder eût été une inconcevable folie. Les
mains nouées l'une à l'autre, invisibles parmi les
corps serrés, ils regardaient droit devant eux, et ce
furent, au lieu des yeux de la fille, les yeux du prisonnier âgé qui, enfouis dans un nid de barbe, se
fixèrent lugubres sur Winston.

II

Winston retrouva son chemin le long du sentier, à
travers des taches d'ombre et de lumière. Là où les
buissons s'écartaient, il marchait d'un pas allongé

dans des flaques d'or. A sa gauche, sous les arbres, le sol était couvert d'un voile de jacinthes. On sentait sur la peau la caresse de l'air. C'était le deux mai. De quelque part, au fond du bois épais, venait le roucoulement des ramiers.

Il était un peu en avance. Il n'y avait pas eu de difficulté pour le voyage et la fille était si évidemment expérimentée qu'il était moins effrayé qu'il eût dû l'être normalement. On pouvait probablement se fier à elle pour trouver un endroit sûr. On ne pouvait en général présumer que l'on se trouvait plus en sécurité à la campagne qu'à Londres. Il n'y avait naturellement pas de télécrans. Mais il y avait toujours le danger de microphones cachés par lesquels la voix peut être enregistrée et reconnue. Il n'était pas facile, en outre, de voyager seul sans attirer l'attention. Pour des distances inférieures à une centaine de kilomètres, il n'était pas nécessaire de faire viser son passeport, mais il y avait parfois des patrouilles qui rôdaient du côté des gares, examinaient les papiers de tous les membres du Parti qu'elles rencontraient, et posaient des questions embarrassantes. Cependant, aucune patrouille n'était apparue et, sorti de la gare, il s'était assuré en chemin, par de prudents regards jetés en arrière, qu'il n'était pas suivi.

Le train était bondé de prolétaires mis en humeur de vacances par la douceur du temps. La voiture aux sièges de bois dans laquelle il voyagea était plus que remplie par une seule énorme famille qui allait d'une arrière grand'mère édentée à un bébé d'un mois. Elle allait passer l'après-midi à la campagne, chez des beaux-parents, et essayer d'obtenir, ainsi qu'on l'expliqua ouvertement à Winston, un peu de beurre au marché noir.

Le sentier s'élargit et, en une minute, il arriva au chemin qu'elle lui avait indiqué, simple route à bestiaux, qui plongeait entre les buissons. Il n'avait pas

de montre, mais il ne pouvait déjà être trois heures.
Les jacinthes étaient si nombreuses qu'il était impossible de ne pas les fouler au pied. Il s'agenouilla
et se mit à en cueillir quelques-unes, en partie pour
passer le temps, en partie avec l'idée qu'il aimerait
avoir une gerbe de fleurs à offrir à la fille quand ils
se rencontreraient.

Il avait cueilli un gros bouquet et respirait leur
étrange parfum légèrement fade quand un bruit derrière lui le glaça. C'était, à n'en pas douter, le craquement du bois sec sous un pied. Il continua à
cueillir des jacinthes. C'est ce qu'il avait de mieux
à faire. Ce pouvait être la fille. Il se pouvait aussi
qu'il eût été suivi. Regarder autour de lui, c'était
prendre une attitude coupable. Il cueillit une fleur,
puis une autre. Une main s'appuya légèrement sur
son épaule.

Il leva les yeux. C'était la fille. Elle secoua la tête,
lui enjoignant ainsi de rester silencieux, puis écarta
les branches et le précéda sur le chemin étroit de la
forêt. Visiblement, elle était déjà venue là, car elle
évitait les fondrières comme si elle en avait l'habitude.

Winston suivit, le bouquet de fleurs serré dans la
main. Sa première impression fut une impression de
soulagement, mais tandis qu'il regardait le corps
mince et vigoureux qui se déplaçait devant lui, la
ceinture écarlate juste assez serrée pour faire ressortir la courbe des hanches, le sens de sa propre infériorité lui pesa lourdement. Même à ce moment, il
lui semblait qu'elle pourrait après tout reculer lorsqu'elle se retournerait et le regarderait. La douceur
de l'air et le vert des feuilles le décourageaient. Déjà,
sur le chemin qui partait de la gare, il s'était senti
sale et rabougri, sous le soleil de mai. Il avait l'impression d'être une créature d'appartement avec,
dans les pores, la poussière fuligineuse et la suie de
Londres.

Il pensa que, jusqu'alors, elle ne l'avait probablement jamais vu au dehors, en plein jour. Ils arrivèrent à l'arbre tombé dont elle avait parlé. La fille l'enjamba et écarta les buissons entre lesquels il ne semblait pas y avoir de passage. Quand Winston la rejoignit, il vit qu'ils se trouvaient dans une clairière naturelle, un petit monticule herbeux entouré de jeunes arbres de haute taille qui l'isolaient complètement. La fille s'arrêta et se retourna.

— Nous y sommes, dit-elle.

Il était en face d'elle, à plusieurs pas de distance. Il n'avait pas encore osé se rapprocher d'elle.

— Je ne voulais rien dire dans le sentier, continuat-elle, pour le cas où il y aurait eu un « mikado » caché. Je ne pense pas qu'il y en ait, mais il aurait pu y en avoir. On peut toujours craindre que l'un de ces cochons reconnaisse votre voix. Mais ici, nous sommes en sécurité.

Il n'avait toujours pas le courage de l'approcher. Il répéta stupidement : « Nous sommes en sécurité ici ?

— Oui. Voyez les arbres.

C'étaient de petits sorbiers qui avaient été abattus, puis avaient repoussé et envoyé une forêt de tiges dont aucune n'était plus grosse qu'un poignet.

— Il n'y a rien d'assez épais pour cacher un « mikado ». En outre, je suis déjà venue ici.

Ils faisaient semblant de converser. Il s'était décidé à se rapprocher d'elle. Elle se tenait devant lui, très droite, avec sur les lèvres un sourire un peu ironique, comme si elle se demandait pourquoi il était si lent à agir. Les jacinthes étaient tombées sur le sol. Elles semblaient être tombées de leur propre volonté. Il lui prit la main.

— Le croiriez-vous ? dit-il, jusqu'à présent, je ne savais pas de quelle couleur étaient vos yeux.

Il remarqua qu'ils étaient bruns, d'un brun plutôt clair et que les cils étaient noirs.

— Maintenant que vous avez vu ce que je suis réellement, pouvez-vous encore supporter de me regarder ?

— Oui. Facilement.

— J'ai trente-neuf ans. J'ai une femme d'avec laquelle je ne puis divorcer. J'ai des varices. J'ai cinq fausses dents.

— Cela ne pourrait pas m'être plus égal, dit-elle.

La minute d'après, il serait difficile de dire lequel en avait pris l'initiative, elle était dans ses bras. Il n'éprouva tout d'abord qu'une impression de complète incrédulité. Le jeune corps était pressé contre le sien, la masse des cheveux noirs était contre son visage et, oui ! elle relevait la tête et il embrassait la large bouche rouge. Elle lui avait entouré le cou de ses bras et l'appelait chéri, amour, bien-aimé. Il l'étendit sur le sol. Elle ne résistait aucunement et il aurait pu faire d'elle ce qu'il voulait. Mais la vérité est qu'il n'éprouvait aucune sensation, sauf celle de simple contact. Tout ce qu'il ressentait, c'était de l'incrédulité et de la fierté. Il était heureux de ce qui se passait, mais n'avait aucun désir physique. C'était trop tôt. Sa jeunesse et sa beauté l'avaient effrayé, ou bien il était trop habitué à vivre sans femme. Il ne savait pas pourquoi il restait froid.

La fille se releva et détacha une jacinthe de ses cheveux. Elle s'assit contre lui, lui entoura la taille de son bras.

— Ne t'inquiète pas, chéri. Nous ne sommes pas pressés. Nous avons tout l'après-midi. Est-ce que ce n'est pas une splendide cachette ? Je l'ai trouvée un jour que je me suis égarée au cours d'une randonnée. S'il venait quelqu'un, on pourrait l'entendre d'une distance de cent mètres...

— Comment vous appelez-vous ? demanda Winston.

— Julia. Je connais votre nom. C'est Winston. Winston Smith.

— Comment l'avez-vous appris ?

— Je crois, chéri, que j'ai plus d'adresse que vous pour découvrir les choses. Dites-moi, qu'avez-vous pensé de moi avant le jour où je vous ai remis mon bout de billet ?

Il ne fut nullement tenté de lui mentir. Commencer par avouer le pire était même une sorte d'holocauste à l'amour.

— Je détestais vous voir, répondit-il. J'aurais voulu vous enlever et vous tuer. Il y a deux semaines, j'ai sérieusement songé à vous écraser la tête sous un pavé. Si vous voulez réellement savoir, j'imaginais que vous aviez quelque chose à voir avec la Police de la Pensée.

La fille rit joyeusement. Elle prenait évidemment cette déclaration pour un tribut à la perfection de son déguisement.

— La Police de la Pensée ? Vous n'avez pas réellement pensé cela ?

— Eh ! bien, peut-être pas exactement. Mais, à cause de votre apparence générale, simplement parce que vous êtes jeune, fraîche et saine, vous comprenez, je pensais que, probablement...

— Vous pensiez que j'étais un membre loyal du Parti, pure en paroles et en actes. Bannières, processions, slogans, jeux, sorties collectives... toute la marmelade. Et vous pensiez que si j'avais le quart d'une occasion, je vous dénoncerais comme criminel par la pensée et vous ferais tuer ?

— Oui, quelque chose comme cela. Un grand nombre de jeunes filles sont ainsi, vous savez.

— C'est cette maudite ceinture qui en est cause, dit-elle en arrachant de sa taille la ceinture rouge de la Ligue Anti-Sexe des Juniors et en la lançant sur une branche.

Puis, comme si de toucher sa ceinture lui avait rappelé quelque chose, elle fouilla la poche de sa blouse et en tira une petite tablette de chocolat. Elle la cassa en deux et en donna une part à Winston. Avant même qu'il l'eût prise, le parfum lui avait indiqué qu'il ne s'agissait pas de chocolat ordinaire. Celui-ci était sombre et brillant, enveloppé de papier d'étain. Le chocolat était normalement une substance friable d'un brun terne qui avait, autant qu'on pouvait le décrire, le goût de la fumée d'un feu de détritus. Mais il était arrivé à Winston, il ne savait quand, de goûter à du chocolat semblable à celui que Julia venait de lui donner. La première bouffée du parfum de ce chocolat avait éveillé en lui un souvenir qu'il ne pouvait fixer, mais qui était puissant et troublant.

— Où avez-vous eu cela ? demanda-t-il.

— Marché noir, répondit-elle avec indifférence. A voir les choses, je suis bien cette sorte de fille. Je suis bonne aux jeux. Aux Espions, j'étais chef de groupe. Trois soirs par semaine, je fais du travail supplémentaire pour la Ligue Anti-Sexe des Juniors. J'ai passé des heures et des heures à afficher leurs saloperies dans tout Londres. Dans les processions, je porte toujours un coin de bannière. Je parais toujours de bonne humeur et je n'esquive jamais une corvée. Il faut toujours hurler avec les loups, voilà ce que je pense. C'est la seule manière d'être en sécurité.

Le premier fragment de chocolat avait fondu sur la langue de Winston. Il avait un goût délicieux. Mais il y avait toujours ce souvenir qui tournait aux limites de sa conscience, quelque chose ressenti fortement, mais irréductible à une forme définie, comme un objet vu du coin de l'œil. Il l'écarta, conscient seulement qu'il s'agissait du souvenir d'un acte qu'il aurait aimé annuler, mais qu'il ne pouvait annuler.

— Vous êtes très jeune, dit-il. Vous avez dix ou quinze ans de moins que moi. Que pouvez-vous trouver de séduisant dans un homme comme moi ?

— C'est quelque chose dans votre visage. J'ai

pensé que je pouvais courir ma chance. Je suis habile
à dépister les gens qui n'en sont pas. Dès que je
vous ai vu, j'ai su que vous étiez contre *lui*.

Lui, apparemment, désignait le Parti, et surtout le
Parti Intérieur dont elle parlait ouvertement avec
une haine ironique qui mettait Winston mal à l'aise,
bien qu'il sût que s'il y avait un lieu où ils pouvaient être en sécurité, c'était celui où ils se trouvaient. Quelque chose l'étonnait en elle. C'était la
grossièreté de son langage. Les membres du Parti
étaient censés ne pas jurer et Winston lui-même jurait
rarement, en tout cas pas tout haut. Julia, elle, semblait incapable de parler du Parti, spécialement du
Parti Intérieur, sans employer le genre de mots que
l'on voit écrits à la craie dans les ruelles suintantes.
Il ne détestait pas cela. Ce n'était qu'un symptôme de
sa révolte contre le Parti et ses procédés. Cela semblait en quelque sorte naturel et sain, comme l'éter-
nuement d'un cheval à l'odeur d'un foin mauvais.

Ils avaient laissé la clairière et erraient à travers
des taches d'ombre et de lumière. Ils mettaient chacun le bras autour de la taille de l'autre dès qu'il y
avait assez de place pour marcher deux de front. Il
remarqua combien sa taille paraissait plus souple
maintenant qu'elle avait enlevé la ceinture. Leurs
voix ne s'élevaient pas au-dessus du chuchotement.
Hors de la clairière, avait dit Julia, il valait mieux y
aller doucement. Ils atteignirent la limite du petit
bois. Elle l'arrêta.

— Ne sortez pas à découvert. Il pourrait y avoir
quelqu'un qui surveille. Nous sommes en sécurité si
nous restons derrière les branches.

Ils étaient debout à l'ombre d'un buisson de noise-
tiers. Ils sentaient sur leurs visages les rayons encore
chauds du soleil qui s'infiltraient à travers d'innombrables feuilles. Winston regarda le champ qui s'étendait plus loin et reçut un choc étrange et lent. Il le
reconnaissait. Il l'avait déjà vu. C'était un ancien

pâturage tondu de près où s'élevaient çà et là des taupinières et que traversait un sentier sinueux. Dans la haie inégale qui était en face, les branches des ormeaux se balançaient imperceptiblement dans la brise, et leurs feuilles se deplaçaient faiblement, en masses denses comme une chevelure de femme. Quelque part tout près, sûrement, mais caché à la vue, il devait y avoir un ruisseau formant des etangs verts où nageaient des poissons d'or ?

— N'y a-t-il pas un ruisseau quelque part près d'ici ? chuchota-t-il.

— C'est vrai. Il y a un ruisseau. Il est exactement au bord du champ voisin. Il y a des poissons, dedans. De grands, de gros poissons. On peut les voir flotter. Ils font marcher leur queue dans les étangs qui sont sous les saules.

— C'est presque le Pays Doré, murmura-t-il.

— Le Pays Doré ?

— Ce n'est rien. Ce n'est rien. Un paysage que j'ai parfois vu en rêve.

— Regardez, chuchota Julia.

Une grive s'était posée sur une branche à moins de cinq mètres, presque au niveau de leurs visages. Peut-être ne les avait-elle pas vus. Elle était au soleil, eux à l'ombre. Elle ouvrit les ailes, les replia ensuite soigneusement, baissa la tête un moment comme pour rendre hommage au soleil, puis se mit à déverser un flot d'harmonie. Dans le silence de l'après-midi, l'ampleur de la voix était surprenante. Winston et Julia s'accrochèrent l'un à l'autre, fascinés. La musique continuait, encore et encore, minute après minute, avec des variations étonnantes qui ne se répétaient jamais, comme si l'oiseau, délibérément, voulait montrer sa virtuosité. Parfois il s'arrêtait quelques secondes, ouvrait les ailes et les refermait, gonflait son jabot tacheté et, de nouveau, faisait éclater son chant.

Winston le regardait avec un vague respect. Pour

qui, pour quoi cet oiseau chantait-il ? Aucun com-
pagnon, aucun rival ne le regardait. Qu'est-ce qui le
poussait à se poser au bord d'un bois solitaire et à
verser sa musique dans le néant ?

Il se demanda si, après tout, il n'y aurait pas un
microphone caché quelque part à côté. Julia et lui
n'avaient parlé qu'en chuchotant. Il n'enregistrerait
pas ce qu'ils avaient dit, mais il enregistrerait le
chant de la grive. A l'autre extrémité de l'instrument, peut-être quelque petit homme scarabée écoutait intensément, écoutait *cela*.

Mais le flot de musique balaya par degrés de son
esprit toute préoccupation. C'était comme une substance liquide qui se déversait sur lui et se mêlait à
la lumière du soleil filtrant à travers les feuilles. Il
cessa de penser et se contenta de sentir. La taille de
la fille était douce et chaude au creux de son bras.
Il la tourna vers lui et ils se trouvèrent poitrine
contre poitrine. Le corps de Julia semblait se fondre
dans le sien. Il fléchissait partout comme de l'eau
sous les mains. Leurs bouches s'attachèrent l'une à
l'autre. C'était tout à fait différent des durs baisers
qu'ils avaient échangés plus tôt. Quand ils séparèrent
leurs bouches, tous deux soupirèrent profondément.
L'oiseau prit peur et s'envola dans un claquement
d'ailes.

Winston approcha ses lèvres de l'oreille de Julia.
« Maintenant », chuchota-t-il.

— Pas ici, répondit-elle en chuchotant aussi.
Venez sous le couvert. C'est plus sûr.

Ils se faufilèrent rapidement jusqu'à la clairière en
faisant parfois craquer des branches mortes. Quand
ils furent à l'intérieur de l'anneau de jeunes arbres,
elle se retourna et le regarda. Leur respiration à tous
deux était précipitée, mais au coin de la bouche de
Julia, le sourire était revenu. Elle le regarda un
instant puis chercha la fermeture-éclair de sa combinaison.

Ensuite, oui ! ce fut presque comme dans le rêve
de Winston. D'un geste presque aussi rapide qu'il
l'avait imaginé, elle avait arraché ses vêtements et
quand elle les jeta de côté, ce fut avec le même geste
magnifique qui semblait anéantir toute une civilisation. Son corps blanc étincelait au soleil, mais,
durant un instant, il ne regarda pas son corps. Ses
yeux étaient retenus par le visage couvert de taches
de rousseur et par le demi-sourire hardi. Il s'agenouilla devant elle et prit ses mains dans les siennes.

— As-tu déjà fait cela ?

— Naturellement. Des centaines de fois... Allons !
Des vingtaines de fois, de toute façon.

— Avec des membres du Parti ?

— Oui. Toujours avec des membres du Parti.

— Avec des membres du Parti Intérieur ?

— Pas avec ces cochons, non. Mais il y en a des
tas qui voudraient, s'ils avaient le quart d'une
chance. Ils ne sont pas les petits saints qu'ils veulent
se faire croire !

Le cœur de Winston bondit. Elle l'avait fait des
vingtaines de fois. Il aurait voulu que ce fût des
centaines, des milliers de fois. Tout ce qui laissait
entrevoir une corruption l'emplissait toujours d'un
espoir fou. Qui sait ? Peut-être le Parti était-il
pourri en dessous ? Peut-être son culte de l'abnéga-
tion et de l'énergie n'était-il simplement qu'une
comédie destinée à cacher son iniquité ? Si Winston
avait pu leur donner à tous la lèpre ou la syphilis,
comme il l'aurait fait de bon cœur ! N'importe quoi
qui pût pourrir, affaiblir, miner. Il l'attira vers le
sol et ils se trouvèrent à genoux, face à face.

— Ecoute. Plus tu as eu d'hommes, plus je t'aime.
Comprends-tu cela ?

- Oui. Parfaitement.

-- Je hais la pureté. Je hais la bonté. Je ne voudrais d'aucune vertu nulle part. Je voudrais que tous
soient corrompus jusqu'à la moelle. Aimes-tu

l'amour ? Je ne veux pas parler simplement de moi,
je veux dire l'acte lui-même.

— J'adore cela.

C'était par-dessus tout ce qu'il désirait entendre.
Pas simplement l'amour qui s'adresse à une seule
personne, mais l'instinct animal, le désir simple et
indifférencié. Là était la force qui mettrait le Parti
en pièces. Il la pressa sur l'herbe, parmi les jacinthes
tombées. Cette fois, il n'y eut aucune difficulté. Le
souffle qui gonflait et abaissait leurs poitrines ralentit son rythme et reprit sa cadence normale. Ils se
séparèrent dans une sorte d'agréable impuissance. Le
soleil semblait être devenu plus chaud. Ils avaient
tous deux sommeil. Il chercha la combinaison mise
de côté et l'étendit en partie sur elle. Et presque
immédiatement ils s'endormirent. Ils dormirent
environ une demi-heure.

Winston se réveilla le premier. Il s'assit et regarda
le visage couvert de taches, encore calmement endormi, qu'elle avait appuyé sur la paume de sa main.
La bouche mise à part, on ne pouvait dire qu'elle fût
belle. On voyait une ou deux rides autour des yeux
quand on la regardait de près. Les courts cheveux
noirs étaient extraordinairement épais et doux. Il
pensa qu'il ne savait encore ni son nom, ni son
adresse.

Le corps jeune et vigoureux, maintenant abandonné dans le sommeil, éveilla en lui un sentiment
de pitié protectrice. Mais la tendresse irréfléchie qu'il
avait ressentie pour elle sous le noisetier pendant
que la grive chantait n'était pas tout à fait revenue.
Il repoussa la combinaison et étudia le flanc doux et
blanc. Dans les jours d'antan, pensa-t-il, un homme
regardait le corps d'une fille, voyait qu'il était désirable, et l'histoire finissait là. Mais on ne pouvait
aujourd'hui avoir d'amour ou de plaisir pur. Aucune
émotion n'était pure car elle était mêlée de peur et
de haine. Leur embrassement avait été une bataille,

leur jouissance une victoire. C'était un coup porté au
Parti. C'était un acte politique.

III

— Nous pourrons revenir ici une fois, dit Julia.
Généralement, on peut employer une cachette deux
fois sans crainte. Mais pas avant un mois ou deux,
naturellement.

Dès qu'elle se réveilla, son attitude changea. Elle
devint alerte et affairée, se rhabilla, attacha à sa
taille la ceinture rouge et se mit à organiser les détails
de leur retour chez eux. Elle avait visiblement une
intelligence pratique qui faisait défaut à Winston.
Elle semblait posséder une connaissance approfondie,
emmagasinée au cours d'innombrables sorties en
commun, de la campagne qui entourait Londres. La
route qu'elle lui indiqua était tout à fait différente
de celle par laquelle il était venu et le conduisait à
une autre gare.

— Ne jamais retourner chez soi par le chemin par
lequel on est venu, dit-elle, comme si elle énonçait
un important principe général. Elle devait partir la
première et Winston attendrait une demi-heure avant
de la suivre.

Elle lui avait indiqué un endroit où ils pourraient
dans quatre jours se rencontrer après le travail.
C'était une rue d'un des quartiers pauvres, dans laquelle il y avait un marché découvert, qui était généralement bruyant et bondé de gens. Elle flânerait
parmi les étals et ferait semblant de chercher des
lacets de souliers et du fil à repriser. Si elle jugeait
que la route était libre, elle se moucherait à son
approche. Autrement, il devrait passer sans la re-

connaître. Mais avec de la chance, au milieu de la
foule, ils pourraient parler sans risque un quart
d'heure et arranger une autre rencontre.

— Et maintenant, il me faut partir, dit-elle, dès
qu'il eût compris ses instructions. J'ai rendez-vous à
sept heures et demie. Je dois consacrer deux heures à
la Ligue Anti-Sexe des Juniors pour distribuer des
prospectus ou autre chose. C'est assommant. Donne-
moi un coup de brosse, veux-tu ? Ai-je des brindilles
dans les cheveux ? Tu es sûr que non ? Alors au
revoir, mon amour, au revoir.

Elle se jeta dans ses bras, l'embrassa presque avec
violence. Un instant après, elle écartait les jeunes
tiges pour passer et disparaissait presque sans bruit
dans le bois.

Il n'avait pas, même au point où il en était, appris
son nom et son adresse. Mais cela n'avait aucune
importance car il était inconcevable qu'ils pussent
jamais se rencontrer sous un toit ou échanger aucune
sorte de communication écrite.

Le destin fit qu'ils ne retournèrent jamais à la
clairière du bois. Pendant le mois de mai, ils ne
réussirent qu'une seule fois à faire réellement l'amour.
Ce fut dans un autre lieu secret que connaissait
Julia, le beffroi d'une église en ruine, dans une
contrée presque déserte, où une bombe atomique
était tombée trente ans plus tôt. C'était une bonne
cachette quand on y était arrivé, mais le voyage
était très dangereux. Pour le reste, ils ne pouvaient
se rencontrer que dans la rue, en différents endroits
chaque soir, et jamais plus d'une demi-heure d'affilée.

Dans la rue, il était d'habitude possible de se parler d'une certaine façon. Tandis qu'ils se laissaient
emporter par la foule sur les trottoirs, pas tout à fait
de front et sans jamais se regarder, ils poursuivaient
une curieuse conversation intermittente qui reprenait et s'interrompait comme le pinceau d'un phare.

Elle était soudain coupée d'un silence par l'approche
d'un uniforme du Parti ou par la proximité d'un télécran, puis elle reprenait quelques minutes plus tard
au milieu d'une phrase, pour s'interrompre ensuite
brusquement quand ils se séparaient à l'endroit convenu et continuer presque sans introduction le lendemain.

Julia paraissait tout à fait habituée à ce genre de
conversation, qu'elle appelait « parler par acomptes ».
Elle était aussi étonnamment habile à parler sans
bouger les lèvres. Une fois seulement, au cours d'un
mois de rencontres journalières, ils s'arrangèrent
pour échanger un baiser. Ils descendaient en silence
une rue transversale (Julia ne parlait jamais hors
des rues principales), quand il se produisit un grondement assourdissant. La terre trembla, l'air s'obscur-
cit, et Winston se retrouva couché sur le côté, meur-
tri et terrifié. Une bombe fusée devait être tombée
tout près. Il prit soudain conscience du visage de
Julia tout près du sien. Il était d'une pâleur de mort,
aussi blanc que de la craie. Elle était morte ! Il la
serra contre lui et se rendit compte qu'il embrassait
un visage vivant et chaud. Mais ses lèvres rencontraient une substance poudreuse. Leurs deux visages
étaient couverts d'une épaisse couche de plâtre.

Il y eut des soirs où, arrivés au rendez-vous, ils
devaient se croiser, sans un signe, parce qu'une
patrouille venait de tourner le coin de la rue, ou
qu'un hélicoptère planait au-dessus d'eux. Même si
cela avait été moins dangereux, il leur eût été difficile de trouver le temps de se rencontrer. La semaine
de travail de Winston était de soixante heures, celle
de Julia était même plus longue et leurs jours de
liberté variaient suivant la presse du moment et ne
coïncidaient pas toujours. Julia, de toute façon, avait
rarement une soirée complètement libre. Elle passait
un temps incroyable à écouter des conférences, à
prendre part à des manifestation, à distribuer de la

littérature pour la Ligue Anti-Sexe des Juniors, à
préparer des bannières pour la Semaine de la Haine,
à faire des collectes pour la campagne d'économie,
ou à d'autres activités du même genre. Cela payait,
disait-elle. C'était du camouflage. Si on respectait les
petites règles, on pouvait briser les grandes. Elle
entraîna même Winston à engager encore une autre
de ses soirées. Il s'enrôla pour un travail de muni-
tions qui était fait à tour de rôle par des volontaires
zélés membres du Parti.

Un soir par semaine, donc, Winston passait quatre
heures d'ennui paralysant à visser ensemble de petits
bouts de métaux qui étaient probablement des parties de bombes fusées, dans un atelier mal éclairé et
plein de courants d'air où le bruit des marteaux se
mariait tristement à la musique des télécrans.

Quand ils se rencontrèrent dans le beffroi, les trous
de leurs conversations fragmentaires furent comblés.
C'était par un après-midi flamboyant. Dans la petite
chambre carrée qui était au-dessus des cloches, il y
avait un air chaud et stagnant où dominait l'odeur
de la fiente des pigeons. Pendant des heures, ils res-
tèrent à parler, assis sur le parquet poussiéreux couvert de brindilles. L'un d'eux se levait de temps en
temps pour jeter un coup d'œil par les meurtrières
et s'assurer que personne ne venait.

Julia avait trente-six ans. Elle vivait dans un
« foyer » avec trente autres filles. « Toujours dans
l'odeur des femmes ! Ce que je déteste les femmes ! » dit-elle entre parenthèses. Elle travaillait,
comme il l'avait deviné, aux machines du Commissariat aux Romans, qui écrivaient des romans. Elle
aimait son travail qui consistait surtout à alimenter
et faire marcher un moteur électrique puissant, mais
délicat. Elle n'était pas intelligente mais aimait se
servir de ses mains et se sentait à son aise avec les
machines. Elle pouvait décrire dans son entier le
processus de la composition d'un roman, depuis les

directives générales émanant du Comité du plan. jusqu'à la touche finale donnée par l'équipe qui réécrivait. Mais le livre obtenu ne l'intéressait pas. Elle n'aimait pas beaucoup la lecture, dit-elle. Les livres étaient seulement un article qu'on devait produire, comme la confiture ou les lacets de souliers.

Elle ne se souvenait de rien avant 1960. La seule personne qu'elle eût jamais connue, qui parlait fréquemment du temps d'avant la Révolution, était un grand-père qui avait disparu quand elle avait huit ans. A l'école, elle avait été capitaine de l'équipe de hockey et avait gagné le prix de gymnastique deux ans de suite. Elle avait été chef de groupe chez les Espions et secrétaire auxiliaire dans la Ligue de la Jeunesse avant d'entrer dans la Ligue Anti-Sexe des Juniors. Elle avait toujours eu une excellente réputation. Elle avait même été choisie, ce qui était la marque infaillible d'une bonne réputation, pour travailler au Pornosec, sous-section du Commissariat aux Romans, qui produisait la pornographie à bon marché que l'on distribuait aux prolétaires. Les gens qui y travaillaient l'appelaient « boîte à fumier », remarqua-t-elle. Elle était restée là un an. Elle aidait à la production, en paquets scellés, de fascicules qui avaient des titres comme : *Histoires épatantes* ou *Une nuit dans une école de filles*. Ces fascicules étaient achetés en cachette par les jeunes prolétaires qui avaient l'impression de faire quelque chose d'illégal.

— Comment sont ces livres ? demanda Winston avec curiosité.

— Oh ! affreusement stupides. Barbants comme tout. Pense, il n'y a que six modèles d'intrigue dont on interchange les éléments tour à tour. Naturellement, je ne travaillais qu'aux kaléidoscopes. Je n'ai jamais fait partie de l'escouade de ceux qui réécrivent. Je ne suis pas littéraire, chéri, pas même assez pour cela.

Winston apprit avec étonnement que, sauf le

Directeur du Commissariat, tous les travailleurs du
Pornosec étaient des femmes. On prétendait que
l'instinct sexuel des hommes étant moins facile à maîtriser que celui des femmes, ils risquaient beaucoup
plus d'être corrompus par les obscénités qu'ils
maniaient.

— Ils n'aiment pas avoir là des femmes mariées,
ajouta-t-elle. On suppose toujours que les filles sont
tellement pures ! En tout cas, il y en a une ici qui
ne l'est pas.

Elle avait eu son premier commerce amoureux à
seize ans, avec un membre du Parti âgé de soixante
ans, qui se suicida plus tard pour éviter d'être arrêté.
« C'était une veine, autrement ils auraient appris mon
nom par lui quand il se serait confessé », ajouta-t-elle.

Depuis, il y en avait eu divers autres. La vie telle
qu'elle la concevait était tout à fait simple. On voulait du bon temps. « Eux », c'est-à-dire les gens du
Parti, voulaient vous empêcher de l'avoir. On tournait les règles de son mieux. Elle semblait trouver
tout aussi naturel qu' « eux » voulussent dérober
aux gens leurs plaisirs et que les gens voulussent éviter d'être pris. Elle détestait le Parti et exprimait sa
haine par les mots les plus crus. Cependant elle n'en
faisait aucune critique générale. Elle ne s'intéressait
à la doctrine du Parti que lorsque celle-ci touchait
à sa propre vie. Il remarqua qu'elle ne se servait
jamais de mots novlangue, sauf ceux qui étaient
devenus d'un usage journalier.

Elle n'avait jamais entendu parler de la Fraternité
et refusait de croire à son existence. Toute révolte
organisée contre le Parti lui paraissait stupide, car
elle ne pourrait être qu'un échec. L'acte intelligent
était d'agir à l'encontre des règles et de rester quand
même vivant.

Winston se demanda vaguement combien il pouvait
y en avoir comme elle dans la jeune génération, qui
avaient grandi dans le monde de la Révolution, qui

ne connaissaient rien d'autre, et acceptaient le Parti comme quelque chose d'inaltérable, comme le ciel. Ils ne se révoltaient pas contre son autorité, mais, simplement, l'évitaient, comme un lapin se soustrait à la poursuite d'un chien.

Ils ne discutèrent pas la possibilité de se marier. C'était une possibilité trop vague pour qu'on prît la peine d'y penser. Aucun comité imaginable ne sanctifierait jamais une telle union, même si Winston avait pu se libérer de Catherine, sa femme. Même en rêve, il n'y avait pas d'espoir.

— Comment était-elle, ta femme ? demanda Julia.

— Elle était... Connais-tu le mot novlangue « *bienpensant* » qui veut dire naturellement orthodoxe, incapable d'une pensée mauvaise ?

— Non. Je ne connais pas le mot, mais je connais assez bien ce genre de personnes.

Il se mit à lui raconter l'histoire de sa vie maritale, mais elle paraissait en connaître curieusement déjà les parties essentielles. Elle lui décrivit, presque comme si elle l'avait vu ou ressenti, le raidissement du corps de Catherine dès qu'il la touchait, et la manière dont elle semblait le repousser de toutes ses forces, même quand ses bras étaient étroitement serrés autour de lui.

Il n'éprouvait aucune difficulté à aborder de tels sujets avec Julia. Catherine, de toute façon, avait depuis longtemps cessé d'être un souvenir pénible. Elle était simplement devenue un souvenir désagréable.

— Je l'aurais supportée, s'il n'y avait pas eu une chose, dit-il.

Il raconta à Julia la petite cérémonie frigide à laquelle Catherine le forçait à prendre part, un soir, chaque semaine. « Elle detestait cela, mais rien ne pouvait l'empêcher de le faire. Elle avait l'habitude d'appeler cela... mais tu ne devineras jamais.

— Notre devoir envers le Parti, acheva promptement Julia.

— Comment le sais-tu ?

— J'ai été en classe aussi, cher. Il y avait des causeries sur le sexe pour les plus de seize ans, une fois par mois. Il y en avait aussi au Mouvement de la Jeunesse. On vous le rabâche pendant des années. Je crois que cela réussit dans bon nombre de cas. Mais, naturellement, on ne peut jamais dire. Les gens sont de tels hypocrites !

Elle se mit à développer le sujet. Avec Julia, tout revenait à sa propre sexualité. Dès que l'on y touchait d'une façon quelconque, elle était capable d'une grande acuité de jugement. Contrairement à Winston, elle avait saisi le sens caché du puritanisme du Parti. Ce n'était pas seulement parce que l'instinct sexuel se créait un monde à lui hors du contrôle du Parti, qu'il devait, si possible, être détruit. Ce qui était plus important, c'est que la privation sexuelle entraînait l'hystérie, laquelle était désirable, car on pouvait la transformer en fièvre guerrière et en dévotion pour les dirigeants. Julia expliquait ainsi sa pensée :

— Quand on fait l'amour, on brûle son énergie. Après, on se sent heureux et on se moque du reste. Ils ne peuvent admettre que l'on soit ainsi. Ils veulent que l'énergie éclate continuellement. Toutes ces marches et contre-marches, ces acclamations, ces drapeaux flottants, sont simplement de l'instinct sexuel aigri. Si l'on était heureux intérieurement, pourquoi s'exciterait-on sur Big Brother, les plans de trois ans, les Deux Minutes de Haine et tout le reste de leurs foutues balivernes ?

Il pensa que c'était tout à fait exact. Il y avait un lien direct entre la chasteté et l'orthodoxie politique. Sinon, comment aurait-on pu maintenir au degré voulu, chez les membres du Parti, la haine et la crédulité folles dont le Parti avait besoin, si l'on n'emmagasinait quelque puissant instinct et ne l'employait comme force motrice ?

L'impulsion sexuelle était dangereuse pour le Parti et le Parti l'avait détournée à son profit. Il avait joué le même jeu avec l'instinct paternel. La famille ne pouvait être réellement abolie et, en vérité, on encourageait les gens à aimer leurs enfants presque à la manière d'autrefois. D'autre part, on poussait systématiquement les enfants contre leurs parents. On leur apprenait à les espionner et à rapporter leurs écarts. La famille, en fait, était devenue une extension de la Police de la Pensée. C'était un stratagème grâce auquel tous, nuit et jour, étaient entourés d'espions qui les connaissaient intimement.

Son esprit revint brusquement à Catherine. Elle l'aurait indubitablement dénoncé à la Police de la Pensée si elle n'avait été trop stupide pour deviner la non-orthodoxie de ses opinions. Mais ce n'est pas cette pensée qui avait ramené son esprit à Catherine. C'était la chaleur étouffante de l'après-midi qui mouillait son front de sueur. Il se mit à raconter à Julia ce qui était arrivé, ou avait failli arriver, il y avait onze ans, par un lourd après-midi d'été.

C'était trois ou quatre mois après leur mariage. Ils s'étaient égarés au cours d'une sortie collective, quelque part dans le Kent. Ils étaient restés en arrière des autres pendant deux minutes. Ils tournèrent où il ne fallait pas et se trouvèrent arrêtés net par le bord d'une vieille carrière de craie. C'était une pente à pic de dix ou vingt mètres qui se terminait à la base par des rochers. Il n'y avait personne à qui ils auraient pu demander leur chemin. Catherine, dès qu'elle se rendit compte qu'ils s'étaient égarés, fut très mal à son aise. Se trouver éloignée, même pour un instant, de la foule bruyante de la randonnée lui donnait l'impression de mal agir. Elle voulait revenir rapidement en arrière et se mettre à chercher dans une autre direction. Mais Winston, à ce moment, remarqua quelques touffes de lysimaques qui poussaient au-dessous d'eux dans les anfractuosités de la falaise. Il y avait une touffe de deux couleurs, rouge brique et bleu, qui poussaient apparemment sur la même racine. Il n'avait jamais rien vu de ce genre. Il appela Catherine et lui dit de venir voir la touffe.

— Voyez, Catherine ! Regardez ces fleurs. Cette touffe en bas, près du pied de la falaise. Voyez-vous ? Ces fleurs sont de deux couleurs différentes.

Elle s'était déjà retournée pour partir mais, d'assez mauvaise grâce, elle revint un instant. Elle se pencha même par-dessus la falaise pour voir l'endroit qu'il lui désignait. Il était debout un peu derrière elle et il posa la main sur sa ceinture pour la retenir. Il se rendit soudain compte à ce moment combien ils étaient complètement seuls. Il n'y avait nulle part de créature humaine, pas une feuille ne bougeait, pas même un oiseau n'était éveillé. Dans un endroit comme celui-là, le danger qu'il y eût un microphone caché était minime et, même s'il y en avait eu un, il n'aurait enregistré que des bruissements.

C'était l'heure de l'après-midi la plus chaude, la plus propice au sommeil. Le soleil flamboyait, la sueur perlait au front de Winston. L'idée lui vint alors...

— Pourquoi ne lui as-tu pas donné une bonne poussée ? dit Julia. Je l'aurais fait.

— Oui, chérie, tu l'aurais fait. Moi aussi, si j'avais été alors ce que je suis maintenant. Ou peut-être l'aurais-je... je n'en suis pas certain.

— Regrettes-tu de ne pas l'avoir fait ?

Ils étaient assis côte à côte sur le parquet poussiéreux. Il l'attira plus près de lui. La tête de Julia reposait sur son épaule, le parfum agréable de sa chevelure dominait l'odeur de fiente de pigeon. « Elle est jeune, pensa-t-il, elle attend encore quelque chose de la vie. Elle ne comprend pas que pousser par-dessus une falaise quelqu'un qui ne vous convient pas ne résout rien. »

— Cela n'aurait à vrai dire rien changé, dit-il.

— Alors pourquoi regrettes-tu de ne l'avoir pas poussée ?

— Parce que je préfère un positif à un négatif, voilà tout. Au jeu que nous jouons, nous ne pouvons gagner, mais il y a des genres d'échec qui valent mieux que d'autres, rien de plus.

Il sentit l'épaule de Julia qui s'agitait en signe de dénégation. Elle le contredisait toujours quand il disait quelque chose de ce genre. Elle n'acceptait pas que ce fût une loi de la nature que l'individu soit toujours vaincu. Elle aussi, en quelque façon, se rendait compte qu'elle était condamnée, tôt ou tard la Police de la Pensée la prendrait et la tuerait. Mais, d'un autre côté, elle pensait qu'il était possible de bâtir un monde secret dans lequel on pouvait vivre selon ses goûts. Tout ce qui était nécessaire, c'était de la chance, de l'habileté et de l'audace. Elle ne comprenait pas qu'il n'existait point de bonheur, que la seule victoire résidait dans l'avenir, longtemps après la mort et, que du moment que l'on avait déclaré la guerre au Parti, il valait mieux se considérer, tout de suite, comme un cadavre.

— Nous sommes des morts, disait-il.

— Minute ! Nous ne sommes pas encore morts, répondait Julia prosaïquement.

— Pas physiquement. On peut imaginer que nous en avons pour six mois, un an, cinq ans. J'ai peur de la mort. Toi, tu es jeune, tu as probablement plus peur que moi. Evidemment, nous repousserons la mort aussi longtemps que nous serons humains, la vie et la mort seront la même chose.

— Oh ! Des blagues ! Avec qui préfères-tu coucher ? Avec moi, ou avec un squelette ? Est-ce que tu n'es pas content d'être vivant ? Est-ce que tu n'aimes pas sentir que ceci est toi, ceci ta main, ceci

ta jambe, que tu es réel, solide, vivant ? Et ça, dis,
tu n'aimes pas ça ?

Elle tourna vers lui son buste et appuya contre lui
sa poitrine. Il pouvait sentir, à travers la blouse, les
seins lourds, mais fermes. Le corps de Julia semblait
verser dans le sien un peu de sa jeunesse, de sa
vigueur.

— Oui, j'aime cela, répondit-il.

— Alors, cesse de parler de mourir. Et maintenant,
écoute, il nous faut fixer notre prochain rendez-vous.
Nous pourrons retourner à la clairière du bois. Nous
l'avons laissée reposer un bon bout de temps. Mais
cette fois, tu t'y rendras par un autre chemin que la
dernière fois. J'ai tout combiné. Tu prends le train...
Mais, regarde, je vais te le dessiner.

Et, à sa manière pratique, elle racla et amassa un
petit carré de poussière. Ensuite, à l'aide d'une brin-
dille prise dans un nid de pigeon, elle se mit à dessiner une carte à même le sol.

IV

Winston jeta un regard circulaire dans la petite
chambre râpée qui était au-dessus du magasin de
M. Charrington. Le grand lit, près de la fenêtre,
était fait, avec des couvertures déchirées et un traversin découvert. La pendule ancienne, au cadran de
douze heures, faisait entendre son tic tac sur la cheminée. Dans un coin, sur la table pliante, le presse-
papier de verre qu'il avait acheté lors de sa dernière
visite luisait faiblement dans la demi-obscurité. Sur
la galerie de la cheminée, il y avait un fourneau à
pétrole en étain martelé, une casserole et deux tasses

fournis par M. Charrington. Winston alluma le brûleur et mit à bouillir de l'eau et quelques tablettes de saccharine. Les aiguilles de la pendule indiquaient sept, vingt. Il était réellement dix-neuf heures vingt. Elle devait arriver à dix-neuf heures trente.

Folie, folie, lui répétait son cœur. Folie consciente, gratuite, qui mènerait au désastre. De tous les crimes que pouvait commettre un membre du Parti, c'était celui-ci qui pouvait le moins se dissimuler. A la vérité, l'idée l'avait d'abord hanté sous forme d'une vision du presse-papier de verre reflété par la surface de la table. Ainsi qu'il l'avait prévu, M. Charrington n'avait fait aucune difficulté pour louer la chambre. Il était visiblement content de gagner quelques dollars. Il ne fut pas non plus choqué et ne se montra pas agressivement compréhensif quand il fut entendu que Winston désirait la chambre pour des rendez-vous d'amour. Au contraire, son regard se fit lointain, il parla de généralités, d'un air si délicat qu'il donnait l'impression d'être devenu en partie invisible.

L'isolement, dit-il, avait son prix. Chacun désirait disposer d'un endroit où se trouver seul à l'occasion. Cet endroit trouvé, c'était la moindre des politesses que celui qui était au courant gardât pour lui ce qu'il savait. Il ajouta même, avec presque l'air de s'effacer et de cesser d'exister, qu'il y avait deux entrées à la maison, dont l'une par la cour de derrière, qui donnait sur une allée.

Quelqu'un chantait sous la fenêtre. Winston, protégé par le rideau de mousseline, regarda au dehors. Le soleil de juin était encore haut dans le ciel et, en bas, dans la cour baignée de soleil, une femme aux avant-bras d'un brun rouge, qui portait, attaché à la taille, un tablier en toile à sac, marchait en clopinant entre un baquet à laver et une corde à sécher. Monstrueuse et solide comme une colonne romaine, elle épinglait sur la corde des carrés blancs dans

lesquels Winston reconnut des couches de bébé. Dès
que sa bouche n'était pas obstruée par des épingles
à linge, elle chantait d'une voix puissante de
contralto.

Ce n'était qu'un rêve sans espoir.
Il passa comme un soir d'avril, un soir.
Mais un regard, un mot, les rêves ont recommencé.
Ils ont pris mon cœur, ils l'ont emporté.

L'air avait couru dans Londres pendant les dernières semaines. C'était une de ces innombrables
chansons, toutes semblables, que la sous-section du
Commissariat à la Musique publiait pour les prolétaires. Les paroles de ces chansons étaient composées,
sans aucune intervention humaine, par un instrument appelé versificateur. Mais la femme chantait
d'une voix si mélodieuse qu'elle transformait en un
chant presque agréable la plus horrible stupidité.
Winston pouvait entendre le chant de la femme,
le claquement de ses chaussures sur les dalles, les
cris des enfants dans la rue et, quelque part dans le
lointain, le grondement sourd du trafic de la cité. La
chambre paraissait cependant curieusement silencieuse, grâce à l'absence de télécran.
Folie ! folie ! folie ! pensa-t-il encore. Il était inconcevable qu'ils pussent fréquenter cet endroit plus
de quelques semaines sans être pris. Mais la tentation d'avoir un coin secret qui fût vraiment à eux,
qui fût dans une maison, accessible, sous la main,
avait été trop forte pour tous deux. Après leur visite
au beffroi, il leur avait été impossible, pendant
quelque temps, d'organiser des rencontres. En pré-
vision de la Semaine de la Haine, les heures de travail avaient été rigoureusement augmentées. Elle
n'aurait lieu que dans plus d'un mois, mais les préparatifs grandioses et compliqués qu'elle exigeait,
entraînaient pour tout le monde un surcroît de tra-

vail. Finalement, ils s'arrangèrent tous deux pour avoir le même jour un après-midi de liberté. Ils s'étaient entendus pour retourner à la clairière du bois. La veille, ils se rencontrèrent un court instant dans la rue. Comme d'habitude, Winston regardait à peine Julia tandis qu'ils se laissaient emporter par la foule. Mais le bref coup d'œil qu'il lui jeta lui apprit qu'elle était plus pâle que de coutume.

— Rien à faire, murmura-t-elle aussitôt qu'elle jugea pouvoir parler sans danger. Pour demain, je veux dire.

— Quoi ?

— Demain après-midi, je ne peux pas venir.

— Pourquoi ?

— Oh ! Pour la raison habituelle. C'est venu plus tôt cette fois.

Il fut, pendant un moment, pris d'une violente colère. Pendant ce mois de fréquentation, la nature de son sentiment pour elle avait changé. Au début, il comportait peu de vraie sensualité. Leur premier contact amoureux avait été simplement un acte de volonté. Mais ce fut différent après la deuxième fois. L'odeur de ses cheveux, le goût de sa bouche, le contact de sa peau, semblaient s'être introduits en lui ou dans l'air qui l'entourait. Quand elle dit qu'elle ne pouvait venir, il eut l'impression qu'elle le trompait. Mais, juste à cet instant, la foule les poussa l'un contre l'autre et leurs mains se rencontrèrent par hasard. Elle pressa rapidement le bout des doigts de Winston, comme pour solliciter, non son désir, mais son affection. L'idée vint à Winston que, lorsqu'on vivait avec une femme, ce désappointement périodique était un événement normal. Une profonde tendresse, qu'il n'avait pas encore ressentie pour elle, s'empara de lui.

Il aurait voulu qu'ils fussent un couple de mariés de dix ans. Il aurait voulu pouvoir se promener avec elle dans la rue, exactement comme ils le faisaient,

mais ouvertement et sans crainte, et parler de choses
ordinaires en achetant de petits objets pour leur
ménage. Il aurait voulu par-dessus tout avoir un
endroit où ils pourraient être seuls sans se sentir
obligés de faire l'amour chaque fois qu'ils se rencontraient.

Ce ne fut pas réellement à cet instant, mais à un
moment du jour suivant que l'idée lui vint de louer
la chambre de M. Charrington. Quand il en parla à
Julia, elle accepta avec une promptitude inattendue.
Tous deux savaient que c'était une folie. C'était
comme s'ils se rapprochaient volontairement de leurs
tombes. Tandis qu'il attendait, assis au bord du lit,
il pensa une fois de plus aux caves du Ministère de
l'Amour. Le rythme suivant lequel l'horrible destinée à laquelle ils étaient voués entrait dans la
conscience et en sortait, était curieux. Il était là, ce
destin, son heure était fixée dans l'avenir. Il précé-
dait la mort aussi sûrement que 99 précède 100. On
ne pouvait l'éviter, mais peut-être pouvait-on en
reculer l'échéance. Et pourtant, il arrivait que l'on
choisisse, par un acte conscient, volontaire, d'écour-
ter l'intervalle par lequel on en était séparé.

Un pas rapide se fit entendre dans l'escalier. Julia
fit irruption dans la pièce. Elle portait un sac à
outils, en grosse toile brune, dont il l'avait vue chargée, maintes fois, dans les bâtiments du Ministère.
Il s'élança pour la prendre dans ses bras, mais elle
se dégagea assez rapidement car elle tenait encore le
sac à outils.

— Une seconde, dit-elle. Laisse-moi seulement te
montrer ce que j'apporte. Tu as apporté de cet immonde café de la Victoire ? Je pensais que tu l'aurais
fait. Tu peux le mettre de côté, nous n'en aurons pas
besoin. Regarde.

Elle s'agenouilla, ouvrit le sac et en sortit pêle-
mêle quelques clefs anglaises et un tournevis qui en
remplissaient la partie supérieure. En dessous, il y

avait une quantité de paquets bien faits, enveloppés de papier.

Le premier paquet qu'elle passa à Winston provoquait une sensation étrange, mais vaguement familière. Il était plein d'une substance lourde et friable qui cédait quand on y touchait.

— Ce n'est pas du sucre ? demanda-t-il.

— Du vrai sucre. Pas de la saccharine, du sucre. Et voilà une miche de pain, du vrai pain blanc, pas notre horrible substance, et un petit pot de confiture. Et voici une boîte de lait. Mais vois ! Je suis vraiment fière de celui-là. J'ai dû l'envelopper d'un bout de toile à sac parce que...

Mais elle n'avait pas besoin de lui dire pourquoi elle l'avait enveloppé. Le parfum se répandait déjà dans la pièce, un parfum riche et chaud qui semblait être une émanation de sa première enfance, mais qu'on pouvait encore rencontrer. Parfois, avant le claquement d'une porte, il se répandait dans un passage, parfois il se diffusait mystérieusement dans la foule. On le respirait un instant puis on le perdait.

— C'est du café, murmura-t-il, du vrai café.

— C'est le café du Parti Intérieur. Il y en a là un kilog entier, dit-elle.

— Comment as-tu fait pour te procurer tout cela ?

— C'est tout des victuailles du Parti Intérieur. Ils ne sont privés de rien, ces porcs, de rien. Mais naturellement, les garçons, les serviteurs, les gens chipent des choses et... vois, j'ai aussi un petit paquet de thé.

Winston s'était accroupi près d'elle. Il déchira un coin du paquet et l'ouvrit.

— C'est du vrai thé. Pas des feuilles de mûres.

— Il y a eu dernièrement un arrivage de thé. Ils ont pris l'Inde ou quelque autre pays, dit-elle vaguement. Mais écoute, mon chéri. Je voudrais que tu me tournes le dos pendant trois minutes. Va t'asseoir de l'autre côté du lit. Pas trop près de la fenêtre.

Et ne te retourne pas avant que je ne te le dise.
Winston regarda distraitement à travers le rideau
de mousseline. En bas, dans la cour, la femme aux
bras rouges évoluait encore entre le baquet et la
corde. Elle ôta de sa bouche deux épingles de bois et
chanta avec sentiment :

On dit que le temps guérit toute blessure.
On dit que l'on peut toujours oublier.
Mais la vie est toujours là et tout le temps qu'elle
[*dure.*
Par la joie ou par les pleurs toujours mon cœur est
[*travaillé.*

Elle semblait connaître par cœur toute la ren-
gaine. Sa voix s'élevait dans la douceur de l'air d'été,
mélodieuse et chargée d'heureuse mélancolie. On
avait l'impression qu'elle eût été parfaitement heureuse, pourvu que le soir de juin fût infini et le
nombre de couches inépuisable, heureuse de rester là
des milliers d'années à attacher des couches et chanter des stupidités. Winston fut frappé par le fait
étrange qu'il n'avait jamais entendu chanter, seul et
spontanément, un membre du Parti. Cela aurait paru
légèrement non-orthodoxe, ce serait une excentricité
dangereuse, comme de se parler à soi-même. Peut-
être était-ce seulement quand les gens n'étaient pas
loin de la famine qu'ils avaient des raisons de chanter.
— Maintenant, tu peux te retourner, dit Julia.
Il se retourna et, pendant une seconde, faillit
presque ne pas la reconnaître. Il s'était attendu à la
voir nue. Mais elle n'était pas nue. La transformation
qu'elle avait opérée était beaucoup plus surprenante
que cela. Elle s'était fardé le visage.
Elle avait dû se glisser dans quelque magasin des
quartiers prolétaires et acheter un assortiment complet de produits de beauté. Ses lèvres étaient d'un

rouge foncé, ses joues étaient fardées, son nez poudré. Il y avait même sous les yeux un soupçon de quelque chose qui les avivait. Ce n'était pas fait très habilement. Mais les références de Winston en la matière ne valaient pas cher. Jamais auparavant il n'avait vu ou imaginé une femme du Parti avec du fard sur le visage. Avec seulement quelques touches de couleur où il fallait, elle était devenue, non seulement beaucoup plus jolie, mais, surtout, beaucoup plus féminine. Ses cheveux courts et sa blouse de jeune garçon ajoutaient plutôt à cet effet. Quand il la prit dans ses bras, une vague de parfum de violette synthétique lui vint aux narines. Il se souvint de la pénombre d'une cuisine en sous-sol et de la bouche caverneuse d'une femme. Elle avait employé exactement le même parfum, mais cela ne semblait pas, en cet instant, avoir d'importance.

— Du parfum aussi ! dit-il.

— Oui, chéri du parfum aussi. Et sais-tu ce que je vais faire la prochaine fois ? Je vais me procurer une réelle robe de femme et la porter à la place de ces saloperies de culottes. J'aurai des bas de soie et des chaussures à talons hauts. Dans cette pièce, je serai une femme, pas une camarade du Parti.

Ils enlevèrent leurs vêtements et grimpèrent sur l'immense lit de mahogany. C'était la première fois que Winston se déshabillait et se mettait nu en sa présence. Jusqu'alors, il avait été trop honteux de son corps pâle et maigre, des varices en saillie sur ses mollets, de la tache décolorée au-dessus de son cou de pied.

Il n'y avait pas de draps, mais la couverture sur laquelle ils s'étendirent était élimée et lisse. Les dimensions et l'élasticité du lit les étonnèrent tous deux.

— C'est certainement plein de punaises, mais qu'importe ! dit Julia.

On ne voyait jamais alors de lit pour deux, sauf

chez les prolétaires. Il était arrivé à Winston, pendant son enfance, de dormir dans un lit·de ce genre.
Julia, autant qu'elle pût s'en souvenir, ne s'était
jamais trouvée dans un semblable lit.

Ils dormirent un moment. Quand Winston se
réveilla, les aiguilles de la pendule avaient tourné et
atteignaient presque le chiffre neuf. Il ne bougea
point, parce qu'au creux de son bras, la tête de Julia
endormie reposait. Une grande partie de son fard
était passée sur le visage de Winston et sur le traversin, mais une légère teinte rouge faisait encore
ressortir la beauté de sa pommette. Un rayon jaune
du soleil couchant tombait au pied du lit et éclairait
la cheminée où l'eau bouillait à gros bouillons dans
la casserole. Dans la cour, en bas, la femme avait
cessé de chanter, mais les cris des enfants dans la
rue flottaient assourdis dans la chambre.

Winston se demanda vaguement si, dans le passé
aboli, cela avait été un événement normal de dormir
dans un lit comme celui-ci, dans la fraîcheur d'un
soir d'été, d'être un homme et une femme sans vêtements, de faire l'amour quand on le voulait, de
converser sur des sujets que l'on choisissait, de ne
sentir aucune obligation de se lever, d'être simplement étendu et d'écouter les sons paisibles de l'extérieur. Sûrement, il n'y avait jamais eu d'époque où
cela aurait paru naturel...

Julia se réveilla, se frotta les yeux, se souleva et
s'appuya sur un coude pour regarder le fourneau à
pétrole.

— La moitié de l'eau s'est évaporée, dit-elle. Je
vais tout de suite me lever et faire du café. Nous
avons une heure. A quelle heure éteint-on, chez toi ?

— A vingt-trois heures et demie.

— A mon foyer, c'est à vingt-trois heures. Mais il
nous faudra rentrer plus tôt que cela parce que...
Hé ! Dehors, sale bête !

Elle se retourna dans le lit, attrapa un soulier sur

le parquet et le lança avec violence dans un angle
de la pièce, d'une détente brusque et juvénile du
bras, exactement comme il l'avait vue, un matin, lancer le dictionnaire contre Goldstein pendant les Deux
Minutes de la Haine.

— Qu'est-ce que c'était ? demanda-t-il surpris.

— Un rat. J'ai vu pointer son sale museau hors de
la boiserie. Il y a un trou, là. Mais je lui ai foutu
les foies.

— Des rats, murmura Winston. Dans cette chambre !

— Il y en a partout, dit Julia avec indifférence en
se recouchant. Nous en avons même dans la cuisine, au foyer. Il y a des parties de Londres où ils
fourmillent. Savais-tu qu'ils attaquent les enfants ?
Oui, des enfants. Dans certaines rues, les femmes
n'osent pas laisser un bébé tout seul deux minutes.
Ce sont les grands gros bruns. Et l'horrible, c'est que
ces sales bêtes, toujours...

— Tais-toi, dit Winston, les yeux étroitement fermés.

— Chéri ! Tu es devenu tout pâle ! Qu'y a-t-il ?
Ce sont les rats qui te donnent mal au cœur ?

— De toutes les horreurs du monde... un rat !

Elle se pressa contre lui, enroula ses membres
autour de lui, comme pour le rassurer avec la chaleur de son corps. Il ne rouvrit pas les yeux immédiatement. Il avait eu, pendant quelques minutes,
l'impression de revivre un cauchemar qui, au cours
des années, revenait de temps en temps. C'était toujours à peu près le même. Il était debout devant un
mur d'ombre, et de l'autre côté de ce mur, il y avait
quelque chose d'intolérable, quelque chose trop horrible pour être affronté. Dans son rêve, son sentiment profond était toujours un sentiment de duperie
volontaire, car, en fait, il savait ce qu'il y avait
derrière le mur d'ombre. Il aurait même pu, d'un
effort mortel, comme s'il arrachait un morceau de

son propre cœur, tirer la chose en pleine lumière.
Il se réveillait toujours sans avoir découvert ce que
c'était. Mais cela se rapportait, d'une manière ou
d'une autre, à ce qu'allait dire Julia quand il lui
avait coupé la parole.

— Excuse-moi, dit-il. Ce n'est rien. Je n'aime pas
les rats, c'est tout.

— Ne te tourmente pas, chéri, ces sales brutes de
rats n'entreront pas ici. Avant que nous partions, je
vais boucher le trou avec un bout de toile à sac et la
prochaine fois que nous viendrons, j'apporterai un
peu de plâtre et je le fermerai proprement, tu verras.

L'instant de panique aveugle était déjà à moitié
oublié. Légèrement honteux de lui-même, Winston
s'assit, appuyé au dossier du lit. Julia se leva, enfila
sa combinaison et fit le café. L'odeur qui montait de
la casserole était si puissante et si excitante qu'ils
fermèrent la fenêtre, de peur qu'elle ne fût remar-
quée par quelqu'un du dehors et qu'elle n'éveillât la
curiosité. Ce qui était même meilleur que le goût du
café, c'était le velouté donné par le sucre, sensation
que Winston, après des années de saccharine, avait
presque oubliée.

Une main dans sa poche, l'autre tenant une tartine
de confiture, Julia errait dans la pièce. Elle regarda
la bibliothèque avec indifférence, indiqua le meilleur
moyen de réparer la table pliante, se laissa tomber
dans le fauteuil usé pour voir s'il était confortable,
regarda l'absurde pendule aux douze chiffres avec
un amusement bienveillant. Elle apporta le presse-
papier de verre sur le lit pour le voir sous une lumière plus vive. Winston le lui prit des mains, fasciné
comme toujours par l'aspect doux et la transparence
liquide du verre.

— Que penses-tu que ce soit ? demanda Julia.

— Je ne pense pas que ce soit quelque chose. Je
veux dire, je ne pense pas que cela ait jamais été
destiné à servir. C'est ce que j'aime en lui. C'est un

petit morceau d'Histoire que l'on a oublié de falsifier. C'est un message d'il y a cent ans, si l'on sait
comment le lire.

— Et ce tableau, là-haut ? (elle indiquait, de la
tête, la gravure sur le mur en face d'elle) est-ce qu'il
est vieux d'un siècle ?

— Plus que cela. Deux siècles, peut-être. Il est
absolument impossible aujourd'hui de découvrir l'âge
de quoi que ce soit.

Elle traversa la pièce. « Voici l'endroit où cette
saloperie de bête a passé le nez, dit-elle, en frappant
sur la boiserie immédiatement sous le tableau. Elle
regarda le tableau. « Où ça se tient ? J'ai vu ça
quelque part.

— C'est une église, ou tout au moins c'en était
une. On l'appelait l'église de Saint-Clément. » Le
fragment de refrain que lui avait appris M. Charrington lui revint à l'esprit, et il ajouta, à demi nostalgique : « Oranges et citrons, disent les cloches de
Saint-Clément. »

A sa stupéfaction, elle répondit au vers par un vers.

— Tu me dois trois farthings, disent les cloches de
Saint-Martin.

— Quand me paieras-tu ? disent les cloches du
Vieux Bailey.

— Je ne me souviens pas de la suite. Mais je me
rappelle en tout cas que cela se termine ainsi :
« Voici une chandelle pour aller vous coucher, voici
un couperet pour vous couper la tête ! »

C'était comme les deux moitiés d'un contreseing.
Mais il devait y avoir une autre ligne après « les
cloches du Vieux Bailey ». Peut-être pourrait-on l'extraire de la mémoire de M. Charrington, si elle était
convenablement excitée.

— Qui t'a appris cela ? demanda-t-il.

— Mon grand-père. Il avait l'habitude de me le
répéter quand j'étais petite. Il a été vaporisé quand
j'avais huit ans. En tout cas, il disparut. Je me

demande ce que c'était, un citron, ajouta-t-elle, sans logique. J'ai vu des oranges. C'est une sorte de fruit rond et jaune, avec une peau épaisse.

— Je me souviens des citrons, dit Winston. Ils étaient très connus entre 1950 et 1959. Ils étaient tellement acides qu'on avait les dents glacées, rien qu'à les sentir.

— Je suis sûre qu'il y a des punaises derrière ce tableau, dit Julia. Je le descendrai un de ces jours et je lui donnerai un bon coup de torchon. Je crois qu'il est presque temps de nous en aller. Il faut que je lave ma figure pour enlever ce fard. Quel ennui ! J'enlèverai ensuite de ton visage le rouge à lèvres.

Winston resta couché quelques minutes encore. La chambre s'assombrissait. Il se tourna vers la lumière et resta étendu, les yeux fixés sur le presse-papier de verre. Il y avait en cet objet une telle profondeur ! Il était pourtant presque aussi transparent que l'air. C'était comme si la surface du verre était une arche du ciel enfermant un monde minuscule avec son atmosphère complète. Il avait l'impression de pouvoir y pénétrer. Il s'imaginait, il ressentait que, pour de bon, il était à l'intérieur du verre, avec le lit de mahogany, la table pliante, la pendule, la gravure ancienne et le presse-papier lui-même. Le presse-papier était la pièce dans laquelle il se trouvait, et le corail était la vie de Julia et la sienne, fixées dans une sorte d'éternité au cœur du cristal.

V

Syme avait disparu. Un matin, il avait été absent de son travail. Quelques personnes sans cervelle commentèrent son absence. Le jour suivant, personne ne mentionna son nom. Le troisième jour, Winston se rendit au vestibule du Commissariat aux Archives pour regarder le tableau des informations. L'une des notices contenait une liste imprimée des membres du Comité des Echecs dont Syme avait fait partie. Cette liste paraissait à peu près semblable à ce qu'elle était auparavant. Rien n'avait été raturé. Mais elle avait un nom en moins. C'était suffisant. Syme avait cessé d'exister, il n'avait jamais existé.

Le temps chauffait dur. Dans le labyrinthe du Ministère, les pièces sans fenêtres, dont l'air était conditionné, gardaient leur température normale, mais à l'extérieur, les pavés brûlaient les pieds et la puanteur du métro aux heures d'affluence était horrible. Les préparatifs pour la Semaine de la Haine battaient leur plein et le personnel de tous les Ministères faisait des heures supplémentaires.

Processions, réunions, parades militaires, conférences, exhibition d'effigies, spectacles de cinéma, programmes de télécran, tout devait être organisé. Des tribunes devaient être dressées, des effigies modelées, des slogans inventés, des chansons écrites, des rumeurs mises en circulation, des photographies maquillées. On avait enlevé à la Section de Julia, dans le Commissariat aux Romans, la production des romans. Ce Département sortait maintenant, à une cadence précipitée, une série d'atroces pamphlets. Winston, en plus de son travail habituel, passait de longues heures chaque jour à parcourir d'anciennes collections du *Times* et à changer et embellir des paragraphes concernant les nouvelles qui devaient être commentées dans des discours. Tard dans la nuit, alors qu'une foule de prolétaires bruyants erraient par les rues, la ville avait un curieux air de fébrilité. Les bombes-fusées s'abattaient avec fracas plus souvent que jamais. Parfois, dans le lointain, il y avait d'énormes explosions que personne ne pouvait expliquer et à propos desquelles circulaient de folles rumeurs.

Le nouvel air qui devait être la chanson-thème de

la Semaine de la Haine (on l'appelait la chanson de
la Haine), avait déjà été composé et on le donnait
sans arrêt au télécran. Il avait un rythme d'aboiement sauvage qu'on ne pouvait exactement appeler
de la musique, mais qui ressemblait au battement
d'un tambour. Quand, chanté par des centaines de
voix, il scandait le bruit des pas, il était terrifiant.
Les prolétaires s'en étaient entichés et, au milieu de
la nuit, il rivalisait dans les rues avec l'air encore
populaire « Ce n'était qu'un rêve sans espoir. » Les
enfants de Parsons le jouaient de façon insupportable à toutes les heures du jour et de la nuit, sur un
peigne et un bout de papier hygiénique. Les soirées
de Winston étaient plus occupées que jamais. Des
escouades de volontaires, organisées par Parsons, pré-
paraient la rue pour la Semaine de la Haine. Elles
cousaient des bannières, peignaient des affiches, éri-
geaient des hampes de drapeaux sur les toits, risquaient leur vie pour lancer des fils par-dessus la rue
et accrocher des banderoles.

Parsons se vantait que seul le bloc de la Victoire
déploierait quatre cents mètres de pavoisement. La
chaleur et les travaux manuels lui avaient même
fourni un prétexte pour revenir dans la soirée aux
shorts et aux chemises ouvertes. Il était partout à la
fois à pousser, tirer, scier, clouer, improviser, à
réjouir tout le monde par ses exhortations familières
et à répandre par tous les plis de son corps un stock
qui semblait inépuisable de sueur acide.

Les murs de Londres avaient soudain été couverts
d'une nouvelle affiche. Elle ne portait pas de légende
et représentait simplement la monstrueuse silhouette
de trois ou quatre mètres de haut d'un soldat eurasien au visage mongol impassible, aux bottes énormes, qui avançait à grands pas avec, sur la hanche,
une mitrailleuse pointée en avant. Sous quelque angle
qu'on regardât l'affiche, la gueule de la mitrailleuse
semblait pointée droit sur vous.

Ces affiches avaient été collées sur tous les espaces vides des murs et leur nombre dépassait même celles qui représentaient Big Brother. Les prolétaires, habituellement indifférents à la guerre, étaient excités et poussés à l'un de leurs périodiques délires patriotiques. Comme pour s'harmoniser avec l'humeur générale, les bombes-fusées avaient tué un nombre de gens plus grand que d'habitude. L'une d'elles tomba sur un cinéma bondé de Stepney et ensevelit sous les décombres plusieurs centaines de victimes. Toute la population du voisinage sortit pour les funérailles. Elle forma un long cortège qui dura des heures et fut, en fait, une manifestation d'indignation. Une autre bombe tomba dans un terrain abandonné qui servait de terrain de jeu. Plusieurs douzaines d'enfants furent atteints et mis en pièces. Il y eut d'autres manifestations de colère. On brûla l'effigie de Goldstein. Des centaines d'exemplaires de l'affiche du soldat eurasien furent arrachés et ajoutés aux flammes et un grand nombre de magasins furent pillés dans le tumulte. Puis le bruit courut que des espions dirigeaient les bombes par ondes et on mit le feu à la maison d'un vieux couple suspect d'être d'origine étrangère. Il périt étouffé.

Dans la pièce qui se trouvait au-dessus du magasin de M. Charrington, Winston et Julia, quand ils pouvaient s'y rendre, se couchaient côte à côte sur le lit sans couvertures, nus sous la fenêtre ouverte pour avoir frais. Le rat n'était jamais revenu, mais les punaises s'étaient hideusement multipliées avec la chaleur. Cela ne semblait pas avoir d'importance. Sale ou propre, la chambre était un paradis.

Quand ils arrivaient, Winston et Julia saupoudraient tout de poivre acheté au marché noir, enlevaient leurs vêtements, faisaient l'amour avec leurs corps en sueur, puis s'endormaient. A leur réveil, ils découvraient que les punaises étaient revenues en masse pour une contre-attaque.

Pendant le mois de juin, ils se rencontrèrent quatre, cinq, six, sept fois. Winston avait perdu l'habitude de boire du gin à n'importe quelle heure. Il semblait n'en avoir plus besoin. Il avait grossi, son ulcère variqueux s'était cicatrisé, ne laissant qu'une tache brune au-dessus du cou-de-pied. Ses quintes de toux matinales s'étaient arrêtées. Le cours de la vie avait cessé d'être intolérable. Il n'était plus tenté de faire des grimaces aux télécrans ou de proférer des jurons à tue-tête. Maintenant qu'ils possédaient tous deux un endroit secret et sûr, il ne leur paraissait même pas pénible de ne pouvoir se rencontrer que rarement et pour deux heures chaque fois. L'important était que cette chambre au-dessus du magasin d'antiquités existât. Savoir qu'elle était là, inviolée, c'était presque s'y trouver. La chambre était un monde, une poche du passé où auraient pu marcher des animaux dont la race était éteinte.

Winston pensait que M. Charrington faisait partie, lui aussi, de la race disparue. Avant de monter, il s'arrêtait d'habitude quelques minutes pour causer avec lui. Le vieillard semblait ne sortir que rarement, ou même jamais et, d'autre part, n'avoir presque aucun client. Il menait une existence de fantôme entre le minuscule magasin et une arrière-cuisine encore plus minuscule où il préparait ses repas. Cette cuisine contenait, entre autres choses, un gramophone incroyablement ancien, muni d'un énorme pavillon. M. Charrington paraissait heureux d'avoir une occasion de parler. Tandis qu'il errait d'un objet à l'autre de son stock sans valeur, le nez long, les lunettes épaisses, les épaules courbées, vêtu d'une veste de velours, il avait toujours vaguement l'air d'être plutôt un collectionneur qu'un commerçant... Il palpait, avec une sorte d'enthousiasme désuet, un fragment ou un autre d'objets sans valeur — le bouchon d'un flacon d'encre de Chine, le couvercle peint d'une tabatière cassée, un médaillon en simili contenant une mèche des cheveux d'un bébé mort depuis longtemps. Il ne demandait jamais à Winston d'acheter. Il se contentait de solliciter son admiration.

Causer avec lui était comme écouter le son d'une boîte à musique usée. Il avait ramené des profondeurs de sa mémoire quelques autres fragments de chansons oubliées. Il y en avait une qui parlait de vingt-quatre merles, dans une autre il était question d'une vache à la corne brisée. Une autre encore racontait la mort du jeune coq Robin. « J'ai pensé que cela pourrait vous intéresser », disait-il avec un petit rire d'excuse chaque fois qu'il produisait un nouveau fragment. Mais il ne se rappelait jamais que quelques vers de chaque chanson.

Winston et Julia savaient tous deux — dans une certaine mesure, ce n'était jamais absent de leurs esprits, — que le cours actuel des choses ne pouvait durer longtemps. Il y avait des moments où l'idée d'une mort imminente était aussi palpable que le lit sur lequel ils se couchaient et ils s'accrochaient l'un à l'autre avec une sorte de sensualité désespérée, comme les damnés qui, cinq minutes avant que sonne la pendule, saisissent leur dernière bouchée de plaisir.

Mais il y avait aussi des moments où ils avaient l'illusion, non seulement de la sécurité, mais de la permanence. Tant qu'ils se trouvaient dans la chambre, ils avaient tous deux l'impression qu'aucun mal ne pourrait leur advenir. Y arriver était difficile et dangereux, mais la chambre elle-même était un sanctuaire inviolable. C'était comme lorsque Winston avait regardé l'intérieur du presse-papier. Il avait eu l'impression qu'il pourrait pénétrer dans le monde de verre et, qu'une fois là, la marche du temps pourrait être arrêtée.

Ils se laissaient aller à des rêves d'évasion. Leur chance durerait indéfiniment et leur intrigue continuerait, exactement semblable, pendant tout le reste de leur vie naturelle. Catherine mourait et, par des manœuvres habiles, ils réussissaient à se marier. Ou ils se suicidaient ensemble. Ou ils disparaissaient. modifiaient leur apparence pour ne pas être reconnus, apprenant à parler avec l'accent des prolétaires, obtenaient du travail dans une usine et passaient leur vie dans une rue écartée où on ne les découvrait pas.

Tout cela n'avait pas de sens. Ils le savaient tous deux. En réalité, il n'y avait aucun moyen d'évasion. Ils n'avaient même pas l'intention de réaliser le seul plan qui fût praticable, le suicide. S'accrocher jour après jour, semaine après semaine, pour prolonger un présent qui n'avait pas de futur, était un instinct qu'on ne pouvait vaincre, comme on ne peut empêcher les poumons d'aspirer l'air tant qu'il y a de l'air à respirer.

Parfois aussi, ils parlaient de s'engager dans une rébellion active contre le Parti, mais ils ne savaient pas du tout comment commencer. Même si la fabuleuse Fraternité était une réalité, il restait encore la difficulté de trouver le moyen d'en faire partie. Winston fit part à Julia de l'étrange intimité qui existait, ou semblait exister, entre O'Brien et lui et de la tentation qui le prenait parfois de se mettre simplement en présence d'O'Brien, de lui annoncer qu'il était l'ennemi du Parti et de lui demander son aide. Assez étrangement, l'impossibilité et la témérité de cet acte ne la frappèrent pas. Elle était habituée à juger des gens par leur visage et il lui semblait naturel que Winston put croire en la loyauté d'O'Brien sur la seule foi d'un éclair des yeux. De plus, elle considérait comme admis que tout le monde, ou presque tout le monde, haïssait en secret le Parti et violerait les règles s'il était possible de le faire sans danger.

Mais elle refusait de croire qu'une opposition vaste et organisée existât ou pût exister. Les histoires sur Goldstein et son armée clandestine, disait-elle, n'étaient qu'un tas de balivernes que le Parti avait inventées pour des fins personnelles et qu'on devait faire semblant de croire.

Elle avait, un nombre incalculable de fois, lors des rassemblements du Parti, et au cours de manifestations spontanées, demandé en criant à tue-tête, pour des crimes supposés auxquels elle n'ajoutait pas la moindre créance, l'exécution de gens dont elle n'avait jamais entendu les noms. Quand il y avait des procès publics, elle tenait sa place dans les détachements de la Ligue de la Jeunesse qui entouraient les tribunaux du matin au soir et chantaient à intervalles réguliers « Mort aux traîtres ». Pendant les Deux Minutes de la Haine, les insultes qu'elle proférait contre Goldstein dominaient toujours celles des autres. Elle n'avait pourtant qu'une idée très vague de Goldstein et des doctrines qu'il était censé représenter. Elle avait grandi après la Révolution et était trop jeune pour se rappeler les batailles idéologiques de 1950 à 1969. Une chose telle qu'un mouvement politique indépendant dépassait le pouvoir de son imagination et, en tout cas, le Parti était invincible. Il existerait toujours et serait toujours le même. On ne pouvait se révolter contre lui que par une désobéissance secrète ou, au plus, par des actes isolés de violence, comme de tuer quelqu'un ou de lui lancer quelque chose à la tête.

Elle était, par certains côtés, beaucoup plus fine que Winston et beaucoup moins perméable à la propagande du Parti. Il arriva une fois à Winston de parler, à propos d'autre chose, de la guerre contre l'Eurasia. Elle le surprit en disant avec désinvolture qu'à son avis il n'y avait pas de guerre. Les bombes-fusées qui tombaient chaque jour sur Londres étaient probablement lancées par le gouvernement de l'Océania lui-même, « juste pour maintenir les gens dans la peur ». C'était une idée qui, littéralement, n'était jamais venue à Winston. Julia éveilla encore en lui une sorte d'envie lorsqu'elle lui dit que, pendant les

Deux Minutes de la Haine, le plus difficile pour elle était de se retenir d'éclater de rire. Mais elle ne mettait en question les enseignements du Parti que lorsqu'ils touchaient, de quelque façon, à sa propre vie. Elle était souvent prête à accepter le mythe officiel, simplement parce que la différence entre la vérité et le mensonge ne lui semblait pas importante.

Elle croyait, par exemple, l'ayant appris à l'école, que le Parti avait inventé les aéroplanes. Winston se souvenait qu'à l'époque où il était, lui, à l'école, vers 1958-59, c'était seulement l'hélicoptère que le Parti prétendait avoir inventé. Une douzaine d'années plus tard, pendant les années de classe de Julia, il prétendait déjà avoir inventé l'aéroplane. Dans une génération, il s'attribuerait l'invention des machines à vapeur. Et quand il lui dit que les aéroplanes existaient avant qu'il fût né et longtemps avant la Révolution, elle trouva le fait sans intérêt aucun. Après tout, quelle importance cela avait-il que ce fût celui-ci ou celui-là qui ait inventé les aéroplanes ?

Ce fut plutôt un choc pour Winston de découvrir, à propos d'une remarque faite par hasard, qu'elle ne se souvenait pas que l'Océania, il y avait quatre ans, était en guerre contre l'Estasia et en paix avec l'Eurasia. Il est vrai qu'elle considérait toute la guerre comme une comédie. Mais elle n'avait apparemment même pas remarqué que le nom de l'ennemi avait changé.

— Je croyais que nous avions toujours été en guerre contre l'Eurasia, dit-elle vaguement.

Winston en fut un peu effrayé. L'invention des aéroplanes était de beaucoup antérieure à sa naissance, mais le nouvel aiguillage donné à la guerre datait de quatre ans seulement, bien après qu'elle eût grandi. Il discuta à ce sujet avec elle pendant peut-être un quart d'heure. A la fin, il réussit à

l'obliger à creuser sa mémoire jusqu'à ce qu'elle se
souvînt confusément qu'à une époque c'était l'Estasia et non l'Eurasia qui était l'ennemi. Mais la conclusion lui parut encore sans importance.

— Qui s'en soucie ? dit-elle avec impatience. C'est
toujours une sale guerre après une autre et on sait
que, de toutes façons, les nouvelles sont toujours
fausses.

Il lui parlait parfois du Commissariat aux Archives
et des impudentes falsifications qui s'y perpétraient.
De telles pratiques ne semblaient pas l'horrifier. Elle
ne sentait pas l'abîme s'ouvrir sous ses pieds à la
pensée que des mensonges devenaient des vérités.

Il lui raconta l'histoire de Jones, Aaronson et
Rutherford et de l'important fragment de papier
qu'il avait une fois tenu entre ses doigts. Elle n'en
fut pas très impressionnée. Elle ne saisit pas tout de
suite, d'ailleurs, le nœud de l'histoire.

— Etaient-ce tes amis ? demanda-t-elle.

— Non. Je ne les ai jamais connus. C'étaient des
membres du Parti Intérieur. En outre, ils étaient
beaucoup plus âgés que moi. Ils appartenaient à l'ancienne époque, d'avant la Révolution. Je les connais-
sais tout juste de vue.

— Alors qu'y avait-il là pour te tracasser ? Il y a
toujours eu des gens tués, n'est-ce pas ?

Il essaya de lui faire comprendre. C'était un cas
exceptionnel. Il ne s'agissait pas seulement du meurtre d'un individu.

— Te rends-tu compte que le passé a été aboli jusqu'à hier? S'il survit quelque part, c'est dans quelques objets auxquels n'est attaché aucun mot, comme
ce bloc de verre sur la table. Déjà, nous ne savons
littéralement presque rien de la Révolution et des
années qui la précédèrent. Tous les documents ont
été détruits ou falsifiés, tous les livres réécrits, tous
les tableaux repeints. Toutes les statues, les rues, les
édifices, ont changé de nom, toutes les dates ont été

modifiées. Et le processus continue tous les jours, à chaque minute. L'histoire s'est arrêtée. Rien n'existe qu'un présent éternel dans lequel le Parti a toujours raison. Je sais naturellement que le passé est falsifié, mais il me serait impossible de le prouver, alors même que j'ai personnellement procédé à la falsification. La chose faite, aucune preuve ne subsiste. La seule preuve est à l'intérieur de mon cerveau et je n'ai aucune certitude qu'un autre être humain quelconque partage mes souvenirs. De toute ma vie, il ne m'est arrivé qu'une seule fois de tenir la preuve réelle et concrète. Des années après.

— Et à quoi cela t'avançait-il ?

— A rien, parce que quelques minutes plus tard j'ai jeté le papier.. Mais aujourd'hui, si le cas se reproduisait, je garderais le papier.

— Eh ! bien, pas moi, répondit Julia. Je suis prête à courir des risques, mais pour quelque chose qui en vaut la peine, pas pour des bouts de vieux journaux. Qu'en aurais-tu fait, même si tu l'avais gardé ?

— Pas grand'chose, peut-être, mais c'était une preuve. Elle aurait pu implanter quelques doutes çà et là si j'avais osé la montrer. Je ne pense pas que nous puissions changer quoi que ce soit pendant notre existence. Mais on peut imaginer que de petits nœuds de résistance puissent jaillir çà et là, de petits groupes de gens qui se ligueraient et dont le nombre augmenterait peu à peu. Ils pourraient même laisser après eux quelques documents pour que la génération suivante reprenne leur action au point où ils l'auraient laissée.

— La prochaine génération ne m'intéresse pas, chéri. Ce qui m'intéresse, c'est nous.

— De la taille aux orteils, tu n'es qu'une rebelle, chérie.

Elle trouva la phrase très spirituelle et, ravie, jeta ses bras autour de lui.

Elle ne prêtait pas le moindre intérêt aux ramifications de la doctrine du Parti. Quand il se mettait
à parler des principes de l'Angsoc, de la doublepensée, de la mutabilité du passé, de la négation de la
réalité objective, et qu'il employait des mots Novlangue, elle était ennuyée et confuse et disait qu'elle
n'avait jamais fait attention à ces choses. On savait
que tout cela n'était que balivernes, alors pourquoi
s'en préoccuper ? Elle savait à quel moment applau-
dir, à quel moment pousser des huées et c'est tout ce
qu'il était nécessaire de savoir. Quand il persistait
à parler sur de tels sujets, elle avait la déconcer-
tante habitude de s'endormir. Elle était de ces gens
qui peuvent s'endormir à n'importe quelle heure et
dans n'importe quelle position.

En causant avec elle, Winston se rendit compte à
quel point il était facile de présenter l'apparence de
l'orthodoxie sans avoir la moindre notion de ce que
signifiait l'orthodoxie. Dans un sens, c'est sur les
gens incapables de la comprendre que la vision du
monde qu'avait le Parti s'imposait avec le plus de
succès. On pouvait leur faire accepter les violations
les plus flagrantes de la réalité parce qu'ils ne saisis-
saient jamais entièrement l'énormité de ce qui leur
était demandé et n'étaient pas suffisamment inté-
ressés par les événements publics pour remarquer ce
qui se passait. Par manque de compréhension, ils
restaient sains. Ils avalaient simplement tout, et ce
qu'ils avalaient ne leur faisait aucun mal, car cela
ne laissait en eux aucun résidu, exactement comme
un grain de blé, qui passe dans le corps d'un oiseau
sans être digéré.

VI

C'était enfin arrivé. Le message attendu était venu. Il semblait à Winston qu'il avait toute sa vie attendu ce moment.

Il longeait le couloir du Ministère et il était presque à l'endroit où Julia lui avait glissé le mot dans la main, quand il s'aperçut que quelqu'un plus corpulent que lui marchait juste derrière lui. La personne, qu'il n'identifiait pas encore, fit entendre une petite toux, prélude évident de ce qu'elle allait dire. Winston s'arrêta brusquement et se retourna. C'était O'Brien.

Ils étaient enfin face à face et il semblait à Winston que son seul désir était de s'enfuir. Son cœur battait à se rompre. Il aurait été incapable de parler. O'Brien, cependant, continuait à marcher du même pas, sa main un moment posée sur le bras de Winston d'un geste amical, de sorte que tous deux marchèrent côte à côte. Il se mit à parler avec la courtoisie grave et particulière qui le différenciait de la plupart des membres du Parti Intérieur.

— J'attendais une occasion de vous parler, dit-il. J'ai lu l'autre jour un de vos articles Novlangue dans le *Times*. Vous vous intéressez en érudit au Novlangue, je crois ?

Winston avait recouvré une partie de son sang-froid. « Erudit ? Oh ! A peine, dit-il. Je ne suis qu'un amateur. Ce n'est pas ma partie. Je n'ai jamais rien eu à faire avec l'actuelle construction du langage.

— Mais vous écrivez très élégamment, dit O'Brien. Je ne suis pas seul à le penser. Je parlais récemment à un de vos amis qui est un expert. Son nom m'échappe pour l'instant.

Le cœur de Winston battit de nouveau douloureusement. Il était inconcevable que cette phrase ne se rapportât point à Syme. Mais Syme n'était pas seulement mort, il était aboli, il était un *nonêtre*. Toute évidente référence à lui était mortellement dangereuse. La remarque d'O'Brien devait certainement être comprise comme un signal, un mot de code. En partageant avec Winston un petit crime par la pensée, il avait fait de tous deux des complices.

Ils avaient continué à marcher lentement dans le corridor, mais O'Brien s'arrêta. Avec cette curieuse, désarmante amitié qu'il s'arrangeait pour mettre dans son geste, il équilibra ses lunettes sur son nez. Puis il poursuivit :

— Ce que je voulais surtout vous dire, c'est que, dans votre article, vous avez employé deux mots qui sont périmés. Mais ils ne le sont que depuis peu. Avez-vous vu la dixième édition du dictionnaire Novlangue ?

— Non, répondit Winston. Je ne pensais pas qu'elle eût déjà paru. Nous nous servons encore, au Département des Archives, de la neuvième édition.

— La dixième édition ne paraîtra pas avant quelques mois, je crois. Mais quelques exemplaires ont déjà été mis en circulation. J'en ai moi-même un. Peut-être vous intéresserait-il de le voir ?

— Très certainement, répondit Winston qui comprit immédiatement à quoi tendait O'Brien.

— Quelques-unes des nouvelles trouvailles sont très ingénieuses. La réduction du nombre de verbes. C'est cette partie qui vous plaira, je pense. Voyons, vous l'enverrai-je par un messager ? Mais j'oublie invariablement, je crois, toutes les choses de ce genre. Peut-être pourriez-vous passer à mon appartement ? Quand cela vous conviendra. Attendez. Laissez-moi vous donner mon adresse.

Ils étaient debout devant un télécran. D'un geste désinvolte, O'Brien fouilla ses poches et en sortit un

petit carnet couvert de cuir et un crayon à encre en
or. Immédiatement sous le télécran, dans une pos-
ture telle que n'importe qui, à l'autre bout de l'instrument, pouvait lire ce qu'il écrivait, il griffonna
une adresse, déchira la page et la tendit à Winston.

— Je suis d'habitude chez moi dans la soirée, dit-
il. Si je n'y étais pas, mon domestique vous remet-
trait le dictionnaire.

Il partit, laissant Winston avec le bout de papier
entre les mains. Il n'était pas besoin, cette fois, de
le cacher. Néanmoins, Winston étudia soigneusement
ce qui y était écrit et, quelques heures plus tard, le
jeta, avec un tas d'autres papiers, dans le trou de
mémoire.

Ils ne s'étaient parlé que pendant deux minutes
au plus. L'épisode ne pouvait avoir qu'une signification. Il n'avait été machiné que pour faire connaître à Winston l'adresse d'O'Brien. C'était nécessaire,
car il n'était jamais possible, si on ne le lui demandait directement, de découvrir où vivait quelqu'un.
Il n'y avait, en cette matière, de fil d'Ariane d'aucune sorte.

— Si jamais vous voulez me voir, c'est là que vous
me trouveriez. » Voilà ce que lui avait dit O'Brien.
Peut-être même y aurait-il un message caché quelque
part dans le dictionnaire. Mais en tout cas, une chose
était certaine. La conspiration dont il avait rêvé
existait et il en avait atteint la pointe extérieure.

Il savait que tôt ou tard il obéirait aux ordres
d'O'Brien. Peut-être serait-ce le lendemain, peut-
être serait-ce après un long délai, il l'ignorait. Ce
qui arrivait n'était que le résultat d'un processus
qui avait commencé depuis des années. Le premier
pas avait été une pensée secrète, involontaire. Le
deuxième était l'ouverture de son journal. Il avait
passé des pensées aux mots et il passait maintenant
des mots aux actes. Le dernier pas serait quelque
chose qui aurait lieu au Ministère de l'Amour. Il

l'avait accepté. La fin était impliquée dans le commencement. Mais c'était effrayant. Plus exactement,
c'était comme un avant-goût de la mort, c'était
comme d'être un peu moins vivant. Même pendant
qu'il parlait à O'Brien, alors que le sens des mots
le pénétrait, il avait été secoué d'un frisson glacial.
Il avait la sensation de marcher dans l'humidité
d'une tombe, et qu'il ait toujours su que la tombe
était là et qu'elle l'attendait n'améliorait rien.

VII

Winston s'était redressé, les yeux pleins de larmes.
Julia, tout ensommeillée, roula contre lui et murmura quelque chose qui pouvait être : « Qu'est-ce
que tu as ?

— Je rêvais... commença-t-il. Mais il s'arrêta net.
C'était trop complexe pour être traduit par des mots.
Il y avait le rêve lui-même, et il y avait le souvenir
lié à ce rêve, qui s'était glissé dans son esprit quelques secondes après son réveil.

Il s'allongea, les yeux fermés, encore plongé dans
l'atmosphère du rêve. C'était un rêve vaste et lumineux dans lequel toute sa vie semblait s'étendre
devant lui comme, un soir d'été, un paysage après
la pluie.

Tout s'était passé à l'intérieur du presse-papier en
verre, mais la surface du verre était le dôme du ciel
et, à l'intérieur de ce dôme, tout était plongé dans
une claire et douce lumière qui permettait de voir
à des distances infinies. Le rêve comprenait aussi en
vérité, — c'est en quoi en un sens il avait consisté —
un geste du bras fait par sa mère et répété trente ans

plus tard par la femme juive qu'il avait vue sur le film d'actualités. Avant que les hélicoptères les réduisent tous deux en pièces, elle avait essayé d'abriter des balles un petit garçon.

— Sais-tu, dit Winston, que jusqu'à ce moment je croyais avoir tué ma mère ?

— Pourquoi l'as-tu tuée ? demanda Julia presque endormie.

— Je ne l'ai pas tuée. Pas matériellement.

Il s'était rappelé dans son rêve la dernière vision qu'il avait eue de sa mère et, pendant les quelques minutes de son réveil, le faisceau de petits faits qui accompagnaient cette vision lui était revenu à l'esprit. C'était un souvenir qu'il avait volontairement repoussé de sa conscience pendant des années. Il n'était pas certain de la date à laquelle cela s'était passé, mais il ne devait pas avoir moins de dix ans, il en avait peut-être même douze, quand l'événement avait eu lieu.

Son père avait disparu quelque temps auparavant. Combien de temps avant, il ne pouvait se le rappeler. Il se souvenait mieux du tumulte, du malaise qui marquaient cette époque. Les paniques périodiques à propos de raids aériens, la recherche d'un abri dans les stations de métro, les tas de moellons partout, les proclamations inintelligibles affichées à tous les carrefours, les équipes de jeunes en chemises de même couleur, les interminables queues devant les boulangeries, le bruit intermittent du canon dans le lointain et, surtout, le fait qu'il n'y avait jamais assez à manger.

Il se souvenait de longs après-midi passés avec d'autres garçons à fouiller les poubelles et les tas de détritus pour en extraire des nervures de feuilles de chou, des épluchures de pommes de terre, parfois même de vieilles croûtes de pain rassis sur lesquelles ils grattaient soigneusement la cendre. Ils attendaient aussi le passage de camions sur une certaine route.

On savait qu'ils transportaient de la nourriture à bestiaux et que parfois, à la faveur de cahots dans les mauvais passages de la route, ils répandaient des fragments de tourteau.

Quand son père eut disparu, sa mère n'accusa ni surprise ni chagrin violent, mais il y eut en elle un changement soudain. Elle semblait avoir perdu toute énergie. Il était évident, même pour Winston, qu'elle attendait un événement qu'elle savait devoir se produire. Elle faisait tout ce qui était nécessaire, cuisinait, lavait, raccommodait, faisait le lit, balayait le parquet, essuyait la cheminée, toujours très lentement et avec un manque étrange de mouvements superflus, comme, un personnage dessiné qui, de sa propre initiative, se. mettrait en mouvement. Son corps volumineux et bien proportionné semblait retomber naturellement dans l'immobilité. Des heures et des heures, elle restait assise sur le lit, presque immobile, à nourrir la jeune sœur de Winston, enfant de deux ou trois ans, petite, malade, silencieuse, dont le visage était simiesque à force de minceur. Quelquefois, rarement, elle prenait Winston dans ses bras et le serrait contre elle longtemps sans rien dire. Il comprenait, en dépit de sa jeunesse et de son égoïsme, que ce geste était en quelque sorte lié à l'événement, mais lequel ? qui devait survenir.

Il se souvenait de la pièce dans laquelle ils vivaient, une pièce sombre, sentant le renfermé, qui paraissait à moitié remplie par un lit recouvert d'une courtepointe blanche. Il y avait un fourneau à gaz dans la galerie de la cheminée, une étagère où l'on gardait la nourriture et, à l'extérieur, sur le palier, un évier de faïence brune commun à plusieurs pièces.

Il se souvenait du corps sculptural de sa mère courbé sur le fourneau à gaz pour remuer quelque chose dans la casserole. Il se souvenait surtout de sa faim presque continuelle et des batailles féroces et sordides au moment des repas. Il ne cessait d'adres-

ser des reproches à sa mère et de lui demander pourquoi il n'y avait pas plus de nourriture. Il criait et
tempêtait contre elle. (Il se souvenait même des différents tons de sa voix qui commençait à muer pré-
maturément et explosait parfois d'une façon particulière.) Ou bien, il essayait une hypocrite note
pathétique pour obtenir plus que sa part. Sa mère
était tout à fait prête à lui donner plus que sa part.
Elle considérait comme admis que lui, le « garçon »,
reçût la plus grosse portion. Mais quelque quantité
qu'elle lui donnât, il en réclamait invariablement
davantage. A chaque repas, elle le suppliait de ne
pas être égoïste, de se rappeler que sa petite sœur
était malade et avait besoin, elle aussi, de nourriture.
Mais c'était inutile. Il criait de rage quand elle s'arrêtait de le servir, il essayait de lui arracher la casserole et la cuiller des mains, il s'appropriait des morceaux dans l'assiette de sa sœur. Il savait qu'il
affamait sa mère et sa sœur, mais il ne pouvait s'en
empêcher. Il sentait même qu'il avait le droit de le
faire. La faim qui lui faisait crier les entrailles
semblait le justifier. Entre les repas, si sa mère ne
montait pas la garde, il puisait continuellement dans
la misérable réserve de nourriture qui était sur l'étagère

Un jour, on distribua une ration de chocolat. Il
n'y en avait pas eu depuis des semaines et des mois.
Winston se souvenait clairement du précieux petit
morceau de chocolat. C'était une tablette de deux
onces (on parlait encore d'onces à cette époque) à
partager entre eux trois. Il était évident qu'elle
devait être divisée en trois parts égales. Winston,
comme s'il écoutait quelqu'un d'autre, s'entendit
soudain demander d'une voix mugissante la tablette
entière pour lui seul. Sa mère lui dit de ne pas être
gourmand. Il y eut une longue discussion avec des
reproches de part et d'autre, des cris, des gémissements, des pleurs, des remontrances, des marchés.

Sa minuscule petite sœur, qui s'accrochait à sa mère
des deux mains, exactement comme un petit de singe,
était assise et, de ses grands yeux tristes, le regardait
par-dessus l'épaule de sa mère. A la fin, celle-ci cassa
les trois quarts de la tablette et les donna à Winston.
L'autre quart fut pour la petite sœur. La petite fille
s'en empara et le fixa d'un air morne. Elle ne savait
peut-être pas ce que c'était. Winston la regarda un
moment puis, d'un bond rapide et soudain, arracha
le chocolat d'entre les mains de sa sœur et s'enfuit
vers la porte.

— Winston ! Winston ! appela sa mère. Reviens,
rends son chocolat à ta sœur.

Il s'arrêta mais ne revint pas. Les yeux anxieux de
sa mère étaient fixés sur son visage. Même à ce
moment-là, elle pensait à l'événement, il ne savait
lequel, qui était sur le point de se produire. Sa sœur,
consciente d'avoir été frustrée de quelque chose,
avait poussé une faible plainte. Sa mère entoura l'enfant de son bras et lui pressa le visage contre sa
poitrine. Quelque chose lui dit que sa sœur était
mourante. Il se retourna et s'envola dans l'escalier
avec le chocolat qui lui collait aux doigts.

Il ne revit jamais sa mère. Après avoir dévoré le
chocolat, il se sentit quelque peu honteux d lui-
même et traîna par les rues pendant plusieurs heures,
jusqu'à ce que la faim le ramenât à la maison.

Quand il rentra, sa mère avait disparu. A cette
époque, c'était un événement déjà normal. Rien
n'avait disparu de la pièce, sauf sa mère et sa sœur.
On n'avait pris aucun vêtement, pas même le man-
teau de sa mère. Il n'avait, à ce jour, aucune certitude de la mort de sa mère. Il était très possible
qu'elle eût été simplement envoyée dans un camp de
travail. Quant à sa sœur, elle pouvait avoir été ver-
sée, comme le fut Winston lui-même, dans une des
colonies d'enfants sans foyer (on les appelait Centres
de Conversion) qui s'étaient développées à la faveur

des guerres civiles. Ou on l'avait peut-être envoyée
au camp de travail avec sa mère. Ou bien encore on
l'avait simplement laissée mourir n'importe où.

Le rêve était encore très net dans l'esprit de Winston, surtout le geste du bras, enveloppant, protecteur, dans lequel la complète signification de ce
rêve semblait contenue. Son esprit se tourna vers un
autre rêve qu'il avait eu deux mois auparavant.

Exactement comme sa mère était assise sur le petit
lit sale recouvert d'un couvre-pied blanc, l'enfant
agrippée à elle, il l'avait vue assise dans un navire
qui sombrait, loin au-dessous de lui. Elle s'enfon-
çait de plus en plus à chaque minute, mais levait
encore les yeux vers lui, à travers l'eau qui s'assombrissait.

Il raconta à Julia l'histoire de la disparition de sa
mère. Sans ouvrir les yeux, elle se retourna et s'ins-
talla dans une position confortable.

— Je crois que tu étais un sale petit cochon dans
ce temps-là, dit-elle indistinctement. Tous les enfants
sont des cochons.

— Oui. Mais le sens réel de l'histoire...

Il était évident, à sa respiration, qu'elle s'endor-
mait encore. Il aurait aimé continuer à parler de sa
mère. D'après ce qu'il pouvait s'en rappeler, il ne
pensait pas qu'elle eût été une femme extraordinaire,
encore moins une femme intelligente. Elle possédait
cependant une sorte de noblesse, de pureté, simplement parce que les règles auxquelles elle obéissait
lui étaient personnelles. Ses sentiments lui étaient
propres et ne pouvaient être changés de l'extérieur.
Elle n'aurait pas pensé qu'une action inefficace est,
par là, dépourvue de signification. Quand on aimait,
on aimait, et quand on n'avait rien d'autre à donner,
on donnait son amour. Quand le dernier morceau de
chocolat avait été enlevé, la mère avait serré l'enfant dans ses bras. C'était un geste inutile, qui ne
changeait rien, qui ne produisait pas plus de choco-

lat, qui n'empêchait pas la mort de l'enfant ou la
sienne, mais il lui semblait naturel de le faire. La
femme réfugiée du bateau avait aussi couvert le petit
garçon de son bras, qui n'était pas plus efficace
contre les balles qu'une feuille de papier.

Le Parti avait commis le crime de persuader que
les impulsions naturelles, les sentiments naturels
étaient sans valeur, alors qu'il dérobait en même
temps à l'individu tout pouvoir sur le monde matériel. Quand on se trouvait entre les griffes du Parti,
ce que l'on sentait ou ne sentait pas, ce que l'on
faisait ou se retenait de faire n'avait littéralement
aucune importance. On disparaissait et personne
n'entendait plus parler de vous, de vos actes. Vous
étiez aspiré hors du cours de l'Histoire.

Les gens de deux générations auparavant n'essayaient pas de changer l'Histoire. Ils étaient dirigés
par leur fidélité à des règles personnelles qu'ils ne
mettaient pas en question. Ce qui importait, c'étaient
les relations individuelles, et un geste absolument
inefficace, un baiser, une larme, un mot dit à un
mourant, pouvaient avoir en eux-mêmes leur signification.

Winston pensa soudain que les prolétaires étaient
demeurés dans cette condition. Ils n'étaient pas fidèles à un Parti, un pays ou une idée, ils étaient
fidèles l'un à l'autre. Pour la première fois de sa vie,
il ne méprisa pas les prolétaires et ne pensa pas à
eux simplement comme à une force inerte qui un
jour naîtrait à la vie et régénérerait le monde. Les
prolétaires étaient restés humains. Ils ne s'étaient pas
durcis intérieurement. Ils avaient retenu les émotions primitives qu'il avait, lui, à réapprendre par
un effort conscient. A cette pensée, il se souvint, sans
soulagement apparent, d'avoir, il y avait quelques
semaines, vu sur le pavé une main arrachée, et de
l'avoir poussée du pied dans le caniveau comme s'il
s'agissait d'un trognon de chou.

— Les prolétaires sont des êtres humains, dit-il
tout haut. Nous ne sommes pas des humains.

— Pourquoi ? demanda Julia, qui était de nouveau réveillée.

Il réfléchit un instant. « Est-ce qu'il t'est jamais
venu à l'idée, dit-il, que le mieux que nous ayons à
faire est simplement de nous en aller d'ici avant qu'il
soit trop tard et de ne jamais nous revoir.

— Oui, chéri. J'y ai pensé, plusieurs fois, mais
je ne le ferai tout de même pas.

— Nous avons eu de la chance, dit-il, mais ça ne
peut pas durer beaucoup plus longtemps. Tu es
jeune, tu parais normale et innocente. Si tu te tiens
à distance de gens comme moi, tu peux vivre encore
cinquante ans.

— Non. J'ai réfléchi à tout cela. Ce que tu fais,
je le fais. Mais ne sois pas si déprimé. Je m'entends
assez à rester en vie.

— Il se peut que nous restions ensemble encore
six mois, peut-être un an, on ne sait pas, mais au
bout du compte, nous sommes certains d'être séparés. Est-ce que tu te rends compte à quel point nous
serons seuls ? Quand ils se seront emparés de nous,
nous ne pourrons rien, absolument rien l'un pour
l'autre. Si je me confesse, ils te fusilleront. Si je ne
me confesse pas, ils te fusilleront de la même façon.
Quoi que je dise, quoi que je fasse, et même si je
me retiens de parler, rien ne retardera ta mort de
cinq minutes. Aucun de nous deux ne saura si l'autre
est vivant ou mort. Nous serons absolument démunis,
absolument désarmés. La seule chose qui importe,
c'est que nous ne nous trahissions pas l'un l'autre,
mais, au fond, rien ne changera rien.

— Pour ce qui est de la confession, dit-elle, nous
nous confesserons, c'est sûr. Tout le monde se confesse. On ne peut pas faire autrement. Ils vous tor-
turent.

— Je ne parle pas de confession. Se confesser n'est

pas trahir. Ce que l'on dit ou fait ne compte pas.
Seuls les sentiments comptent. S'ils peuvent m'amener à cesser de t'aimer, là sera la vraie trahison.

Elle considéra la question.

— Ils ne le peuvent pas, dit-elle finalement. C'est
la seule chose qu'ils ne puissent faire. Ils peuvent
nous faire dire n'importe quoi, absolument *n'importe quoi*, mais ils ne peuvent nous le faire croire.
Ils ne peuvent entrer en nous.

— Non, dit-il avec un peu d'espoir. Non. C'est
bien vrai. Ils ne peuvent entrer en nous. Si l'on peut
sentir qu'il vaut la peine de rester humain, même s'il
ne doit rien en résulter, on les a battus.

Il pensa au télécran et à son oreille toujours
ouverte. Ils pouvaient vous espionner nuit et jour,
mais si l'on ne perdait pas la tête, on pouvait les
déjouer. Malgré toute leur intelligence, ils ne
s'étaient jamais rendus maîtres du secret qui per-
mettrait de découvrir ce que pense un autre homme.
Peut-être cela était-il moins vrai quand on se trouvait entre leurs mains. On ne savait pas ce qui se
passait au Ministère de l'Amour, mais on pouvait le
deviner : tortures, drogues, enregistrement des
réactions nerveuses par des appareils sensibles, usure
graduelle de la résistance par le manque de sommeil,
la solitude et les interrogatoires continuels. Les faits,
en tout cas, ne pouvaient être dissimulés. Ils étaient
découverts par des enquêtes, on vous en arrachait
l'aveu par la torture.

Mais si le but poursuivi était, non de rester vivant,
mais de rester humain, qu'importait, en fin de
compte, la découverte des faits ? On ne pouvait
changer les sentiments. Même soi-même, on ne pouvait pas les changer, l'eût-on désiré. Le Parti pouvait mettre à nu les plus petits détails de tout ce que
l'on avait fait, dit ou pensé, mais les profondeurs
de votre cœur, dont les mouvements étaient mystérieux, même pour vous, demeuraient inviolables.

VIII

Ils l'avaient fait, à la fin. Ils l'avaient fait.

La pièce dans laquelle ils se trouvaient était longue et éclairée d'une lumière douce. La voix diminuée du télécran n'était plus qu'un murmure bas. La richesse du tapis bleu sombre donnait, quand on marchait, l'impression du velours. A l'extrémité de la pièce, O'Brien, assis à une table, sous une lampe à abat-jour vert, avait, de chaque côté de lui, un monceau de papiers. Il n'avait pas pris la peine de lever les yeux quand le domestique avait introduit Winston et Julia.

Le cœur de Winston battait si fort qu'il se demandait s'il pourrait parler. « Ils l'avaient fait, ils l'avaient fait. » C'est tout ce qu'il pouvait penser. Cela avait été un acte imprudent de venir là, et une pure folie d'arriver ensemble, bien qu'à la vérité, ils fussent venus par des chemins différents et ne se soient rencontrés qu'à la porte d'O'Brien. Mais de marcher seulement dans un tel lieu demandait un effort des nerfs.

Ce n'était qu'en de très rares occasions qu'on voyait l'intérieur d'appartements de membres du Parti Intérieur ou même que l'on pénétrait dans le quartier de la ville où ils vivaient. L'atmosphère générale de l'énorme bloc d'appartements, la richesse et les vastes dimensions de tout ce qui s'y trouvait, les odeurs non familières de la bonne nourriture et du bon tabac, les ascenseurs silencieux et incroyablement rapides qui montaient et descendaient sans secousses, les serviteurs, en veste blanche qui se dépêchaient çà et là, tout était intimidant.

Quoiqu'il eût un bon prétexte pour venir là, Winston était hanté à chaque pas par la crainte qu'un garde en uniforme noir n'apparaisse soudain à un détour, ne lui demande ses papiers et ne lui ordonne de sortir. Le domestique d'O'Brien, cependant, les avait reçus tous deux sans hésitation. C'était un petit homme aux cheveux noirs, vêtu d'une veste blanche, qui avait un visage en forme de losange, absolument sans expression, qui pouvait être un visage de Chinois.

Dans le passage à travers lequel il les conduisit, le parquet était couvert d'un épais tapis. Les murs étaient couverts d'un papier crème, les lambris étaient blancs, le tout d'une propreté exquise. Cela aussi était intimidant. Winston ne pouvait se rappeler avoir jamais vu un couloir dont les murs ne fussent pas salis par le frottement des corps.

O'Brien avait entre les mains un bout de papier et semblait l'étudier attentivement. Son lourd visage, penché de telle sorte qu'on pouvait voir la ligne de son nez, paraissait à la fois formidable et intelligent. Pendant peut-être vingt secondes, il resta assis sans bouger. Puis il rapprocha de lui le phonoscript et lança un message dans le jargon hybride des Ministères :

Item un virgule cinq virgule sept approuvés entièrement stop suggestion contenue item six absolument ridicule frisant crimepensée annuler stop interrompre construction sage d'abord avoir estimations plus complètes machinerie aérienne stop fin message.

Il se leva délibérément de sa chaise et s'avança vers eux d'un pas assourdi par le tapis. Un peu de l'atmosphère officielle semblait s'être détachée de lui en même temps que les mots Novlangue, mais son expression était plus sombre que de coutume, comme s'il n'était pas content d'être dérangé.

La terreur que ressentait Winston fut soudain traversée par une pointe d'embarras. Il lui parut tout à

fait possible qu'il eût simplement commis une stupide
erreur. Quelle preuve réelle avait-il, en effet,
qu'O'Brien fût une sorte de conspirateur politique ?
Rien qu'un éclair des yeux et une unique remarque
équivoque. Hors cela, il n'y avait que ses propres
secrètes suppositions fondées sur un rêve. Il ne pouvait même pas se rabattre sur le prétexte qu'il était
venu emprunter le dictionnaire car, dans ce cas, la
présence de Julia ne s'expliquait pas.

O'Brien, en passant devant le télécran, parut
frappé d'une idée. Il s'arrêta, se tourna et pressa un
bouton sur le mur. Il y eut un bruit sec et aigu. La
voix s'était arrêtée.

Julia laissa échapper un petit cri, une sorte de cri
de surprise. Même dans sa panique, Winston fut
trop abasourdi pour pouvoir tenir sa langue.

— Vous pouvez le fermer ! s'exclama-t-il.

— Oui, répondit O'Brien. Nous pouvons le fermer. Nous avons ce privilège.

Il était maintenant devant eux. Sa carrure solide
dominait celle des deux autres et l'expression de son
visage était encore indéchiffrable. Il attendait, avec
quelque rigidité, que Winston parlât. Mais sur quel
sujet ? Même alors, on pouvait parfaitement conce-
voir qu'il était simplement un homme occupé qui se
demandait avec irritation pourquoi on l'avait interrompu. Personne ne parlait. Après l'arrêt du télécran, un silence de mort parut régner dans la pièce.
Les secondes passaient, énormes. Winston, avec difficulté, continua à tenir les yeux fixés sur ceux de
O'Brien. Le visage sombre s'adoucit alors soudain en
ce qui aurait pu être une ébauche de sourire. De son
geste caractéristique, O'Brien ajusta ses lunettes sur
son nez.

— Le dirai-je, ou voulez-vous le dire ? demanda-
t-il.

— Je le dirai répondit promptement Winston.
Cette chose est-elle réellement fermée ?

— Oui. Tout est fermé. Nous sommes seuls.

— Nous sommes venus ici parce que...

Il s'arrêta, réalisant pour la première fois le manque de précision de ses propres motifs. Comme il ne
savait pas, en fait, quelle sorte d'aide il attendait
d'O'Brien, il ne lui était pas facile de dire pourquoi
il était venu. Il poursuivit, conscient que ce qu'il
disait devait avoir un son faible et prétentieux.

— Nous croyons qu'il existe une sorte de conspiration, de secrète organisation qui travaille contre le
Parti, et que vous en êtes un des membres. Nous
désirons nous joindre à cette organisation et travailler pour elle. Nous sommes des ennemis du Parti.
Nous ne croyons pas aux principes de l'Angsoc. Nous
sommes des criminels par la pensée. Nous commettons l'adultère. Je vous dis cela parce que nous voulons nous mettre à votre merci. Si vous désirez que
nous nous accusions d'une autre façon, nous sommes
prêts.

Winston s'arrêta et regarda par-dessus son épaule
avec la sensation que la porte s'était ouverte. En
effet, le petit serviteur au visage jaune était entré
sans frapper. Winston vit qu'il portait un plateau
sur lequel se trouvaient des verres et une carafe.

— Martin est des nôtres, dit O'Brien impassible.
Par ici les verres, Martin. Déposez-les sur la table
ronde. Assez de chaises ? Alors nous ferions aussi
bien de nous asseoir confortablement pour parler.
Apportez une chaise pour vous, Martin. Nous allons
parler affaires. Vous pouvez, pendant dix minutes,
cesser d'être un domestique.

Le petit homme s'assit, tout à fait à son aise, et
cependant avec encore l'air d'un serviteur, l'air d'un
valet jouissant d'un privilège. Winston le regarda du
coin de l'œil. Il comprit que l'homme jouait une
partie qui engageait toute sa vie et qu'il estimait dangereux d'abandonner, même pour un instant, la
personnalité qu'il avait adoptée.

O'Brien saisit la carafe par le col et emplit les verres d'un liquide rouge foncé. Ce geste éveilla chez Winston le souvenir confus de quelque chose qu'il avait vu il y avait longtemps sur un mur ou une palissade, une grande bouteille faite de becs électriques, qui semblait s'élever et s'abaisser et verser son contenu dans un verre. Vue de dessus, la substance paraissait presque noire, mais dans la carafe, elle luisait comme un rubis. Elle avait une odeur aigre-douce. Il vit Julia prendre son verre et le flairer avec une franche curiosité.

— Cela s'appelle du vin, dit O'Brien avec un faible sourire. Vous le connaissez par les livres, sans doute. Je crains qu'il n'y en ait pas beaucoup qui aille au Parti Extérieur. » Son visage reprit son expression solennelle et il leva son verre. « Je pense qu'il est bon de commencer par porter un toast. A Notre Chef, Emmanuel Goldstein. »

Winston prit son verre avec une certaine avidité. Le vin était un breuvage qu'il connaissait par ses lectures et dont il rêvait. Comme le presse-papier de verre ou les bouts-rimés que M. Charrington se rappelait à demi, il appartenait à un passé romantique disparu, le vieux temps, comme il l'appelait en secret. Il avait toujours pensé, il ne savait pourquoi, que le vin était excessivement sucré, comme la confiture de mûres, et qu'il avait un effet immédiatement enivrant. En réalité, quand il en vint à l'avaler, il fut tout à fait désappointé. En réalité, après avoir bu du gin pendant des années, c'est à peine s'il était capable de sentir le goût du vin. Il posa le verre vide.

— Il existe donc quelqu'un qui est Goldstein ? demanda-t-il.

— Oui. Il existe et il est vivant. Où, je ne sais.

— Et la conspiration ? L'organisation ? Est-elle réelle ? Elle n'est pas simplement une invention de la Police de la Pensée ?

— Non, elle est réelle. Nous l'appelons la Fra-

ternité. Vous n'en apprendrez jamais beaucoup plus
sur la Fraternité, hors qu'elle existe et que vous en
faites partie. J'y reviendrai tout à l'heure. Il regarda
sa montre. Il est imprudent, même pour les membres
du Parti Intérieur, de fermer le télécran plus d'une
demi-heure. Vous n'auriez pas dû venir ensemble
et il vous faudra partir séparément. Vous, camarade,
dit-il en inclinant la tête dans la direction de Julia,
vous allez partir la première. Nous avons environ
vingt minutes à notre disposition. Vous comprenez
que je dois commencer par vous poser certaines
questions. Qu'êtes-vous préparés à faire en général ?

— Tout ce dont nous sommes capables, répondit
Winston.

O'Brien s'était légèrement retourné sur sa chaise,
de sorte qu'il faisait face à Winston. Il ignora presque Julia, tenant pour convenu que Winston pouvait
parler en son nom. Ses paupières battirent un
moment sur ses yeux. Il se mit à poser des questions
d'une voix basse, sans expression, comme si c'était
une routine, une sorte de catéchisme, dont il connaissait déjà la plupart des réponses.

— Etes-vous prêts à donner vos vies ?

— Oui.

— Etes-vous prêts à tuer ?

— Oui.

— A commettre des actes de sabotage pouvant
entraîner la mort de centaines d'innocents ?

— Oui.

— A trahir votre pays auprès de puissances étrangères ?

— Oui.

— Vous êtes prêts à tromper, à faire des faux, à
extorquer, à corrompre les esprits des enfants, à distribuer les drogues qui font naître des habitudes, à
encourager la prostitution, à propager les maladies
vénériennes, à faire tout ce qui est susceptible de
causer la démoralisation du Parti et de l'affaiblir ?

— Oui.

— Si notre intérêt exigeait, par exemple, que de l'acide sulfurique fût jeté au visage d'un enfant seriez-vous prêts à le faire ?

— Oui.

— Etes-vous prêts à perdre votre identité et à vivre le reste de votre existence comme garçon de café ou docker ?

— Oui.

— Etes-vous prêts à vous suicider si nous vous l'ordonnons et quand nous vous l'ordonnerons ?

— Oui.

— Etes-vous prêts, tous deux, à vous séparer et à ne jamais vous revoir ?

— Non ! jeta Julia.

Il sembla à Winston qu'un long moment s'écoulait avant qu'il pût répondre. Un instant même, il crut être privé du pouvoir de parler. Sa langue s'agitait sans émettre de son. Elle commençait les premières syllabes d'un mot, puis d'un autre, recommençait encore et encore. Il ne savait pas, avant qu'il l'eût dit, quel mot il allait prononcer.

— Non ! dit-il enfin.

— Vous faites bien de me le faire savoir, dı. O'Brien. Il est nécessaire que nous sachions tout.

Il se tourna vers Julia et ajouta, d'une voix un peu plus expressive :

— Comprenez-vous que, même s'il survit, ce sera peut-être sous l'aspect d'une personne différente ? Nous pouvons être obligés de lui donner une autre identité. Son visage, ses gestes, la forme de ses mains, la couleur de ses cheveux, même sa voix, seraient différents. Et vous-même pourrez être devenue une personne différente. Nos chirurgiens peuvent changer les gens et les rendre absolument meconnaissables. Il arrive que ce soit nécessaire. Nous faisons même parfois l'amputation d'un membre.

Winston ne put s'empêcher de lancer de côté un

autre regard au visage mongolien de Martin. Il ne
put voir aucune cicatrice. Julia avait un peu pâli,
ce qui fit ressortir ses taches de rousseur, mais elle
affronta bravement O'Brien. Elle murmura quelque
chose qui ressemblait à un assentiment.

— Bien. Ainsi, c'est réglé.

Il y avait sur la table une boîte de cigarettes, en
argent. O'Brien, d'un air quelque peu absent, la
poussa vers eux. Il en prit une lui-même, puis se
leva et se mit à marcher lentement de long en large
comme si, debout, il pouvait mieux réfléchir.
C'étaient de très bonnes cigarettes très épaisses et
bien tassées, au papier d'une douceur soyeuse non
familière. O'Brien regarda encore sa montre-brace-
let.

— Vous feriez mieux de retourner à l'office, Martin. Je tournerai le bouton du télécran dans un quart
d'heure. Regardez bien les visages de ces camarades
avant de vous en aller. Vous les reverrez. Moi, peut-
être pas.

Les yeux noirs du petit homme, exactement comme
ils l'avaient fait à la porte d'entrée, vacillèrent en
regardant leurs visages. Il classait leur aspect dans
sa mémoire, mais il n'éprouvait pour eux aucun intérêt, ou du moins ne paraissait en éprouver aucun.

Winston se dit qu'un visage synthétique était peut-
être incapable de changer d'expression. Sans parler
ni faire aucune sorte de salutation, Martin se retira
en fermant silencieusement la porte derrière lui.
O'Brien arpentait la pièce, une main dans la poche
de sa combinaison noire, l'autre tenant sa cigarette.

— Vous comprenez, dit-il, que vous lutterez dans
l'obscurité. Vous serez toujours dans l'obscurité.
Vous recevrez des ordres et y obéirez sans savoir
pourquoi. Je vous enverrai plus tard un livre dans
lequel vous étudierez la vraie nature de la société
dans laquelle nous vivons et la tactique par laquelle
nous la détruirons. Quand vous aurez lu ce livre,

vous serez tout à fait membres de la Fraternité. Mais
entre les fins générales pour lesquelles nous luttons
et les devoirs immédiats du moment, vous ne saurez
jamais rien. Je vous dis que la Fraternité existe,
mais je ne peux vous dire si elle comprend une centaine de membres ou dix millions. Pour ce que vous
en connaîtrez personnellement, vous ne serez jamais
capables de dire si elle comprend même une douzaine
de membres. Vous aurez des contacts avec trois ou
quatre personnes qui seront remplacées de temps en
temps au fur et à mesure de leur disparition. Comme
ceci est votre premier contact, il sera maintenu. Les
ordres que vous recevrez viendront de moi. Si nous
jugeons nécessaire de communiquer avec vous, ce
sera par l'entremise de Martin. Quand vous serez
finalement pris, vous vous confesserez. C'est inévitable. Mais, mis à part vos propres actes, vous aurez
très peu à confesser. Vous ne pourrez trahir qu'une
poignée de gens sans importance. Vous ne me trahi-
rez probablement même pas. D'ici là, je serai peut-
être mort, ou je serai devenu une personne différente, avec un visage différent.

Il continuait à marcher de long en large sur le
tapis épais. En dépit de sa corpulence, il y avait une
grâce remarquable dans ses mouvements. Elle se
manifestait même dans le geste avec lequel il mettait
sa main dans sa poche ou roulait une cigarette. Plus
même que de face, il donnait une impression de
sûreté de soi et d'intelligence teintée d'ironie. Quelle
que pût être son ardeur, il n'avait rien du fanatique
mû par une idée fixe. Quand il parlait de meurtre,
de suicide, de maladie vénérienne, de membres
amputés et de visages modifiés, c'était avec un léger
accent de persiflage. « C'est inévitable, semblait dire
sa voix. C'est ce que nous devons faire sans fléchir.
Mais ce n'est pas ce que nous ferons quand la vie
vaudra de nouveau la peine d'être vécue. »

Une vague d'admiration, presque de dévotion à

l'adresse d'O'Brien afflua en Winston. Il avait pour
l'instant oublié la silhouette symbolique de Goldstein. Quand on regardait les épaules puissantes
d'O'Brien et son visage aux traits grossiers, si laid
et pourtant tellement civilisé, il était impossible de
croire qu'il pourrait être défait. Il n'y avait pas de
stratagème à la hauteur duquel il ne fût pas, de
danger qu'il ne pût prévoir. Même Julia semblait
impressionnée. Elle avait laissé tomber la cigarette
de sa bouche et écoutait attentivement. O'Brien
poursuivit :

— Vous devez avoir entendu des rumeurs sur
l'existence de la Fraternité. Sans doute vous en êtes-
vous formé une image qui vous est personnelle. Vous
avez probablement imaginé une puissante organisation clandestine de conspirateurs qui se rencontrent
secrètement dans des caves, qui griffonnent des messages sur les murs, qui se reconnaissent mutuellement
par des mots de passe ou par des mouvements spéciaux de la main. Il n'existe rien de ce genre. Les
membres de la Fraternité n'ont aucun moyen de se
reconnaître et un membre ne peut connaître l'identité que de très peu d'autres. Goldstein lui-même,
s'il tombait entre les mains de la Police de la Pensée, ne pourrait leur donner une liste complète des
membres ou aucune information qui pourrait les
amener à avoir une liste complète. Une telle liste
n'existe pas. La Fraternité ne peut être anéantie parce
qu'elle n'est pas une organisation, dans le sens ordinaire du terme. Rien ne relie ses membres, sinon une
idée qui est indestructible. Vous n'aurez jamais, pour
vous soutenir, que cette idée. Vous n'aurez aucun
camarade et aucun encouragement. A la fin, quand
vous serez pris, vous ne recevrez aucune aide. Nous
n'aidons jamais nos membres, jamais. S'il est absolument nécessaire que quelqu'un garde le silence,
nous pouvons tout au plus introduire parfois en
cachette une lame de rasoir dans la cellule d'un pri-

sonnier. Il faudra vous habituer à vivre sans obtenir
de résultats et sans espoir. Vous travaillerez un bout
de temps, vous serez pris, vous vous confesserez et
vous mourrez. Ce sont les seuls résultats que vous
verrez jamais. Il n'y a aucune possibilité pour qu'un
changement perceptible ait lieu pendant la durée de
notre existence. Nous sommes des morts. Notre seule
vie réelle est dans l'avenir. Nous prendrons part à
cet avenir sous forme de poignées de poussière et
d'esquilles d'os. Mais à quelle distance de nous peut
être ce futur, il est impossible de le savoir. Ce peut
être un millier d'années. Actuellement, rien n'est
possible, sauf d'étendre petit à petit la surface du
jugement sain. Nous ne pouvons agir de concert.
Nous pouvons seulement diffuser nos connaissances
d'individu à individu, de génération à génération.
En face de la Police de la Pensée, il n'y a pas d'autre voie.

Il s'arrêta et regarda sa montre pour la troisième
fois.

— Il est presque temps que vous partiez, camarade, dit-il à Julia. Attendez. Le carafon est encore
à moitié plein.

Il remplit les verres et, prenant le sien par le
pied, l'éleva. « A quoi devons-nous boire, cette fois ?
dit-il, avec toujours la même légère teinte d'ironie.
A la confusion de la Police de la Pensée ? A la mort
de Big Brother ? A l'humanité ? A l'avenir ?

— Au passé, répondit Winston.

— Le passé est plus important, consentit O'Brien
gravement.

Ils vidèrent leurs verres et un moment après Julia
se leva pour partir. O'Brien prit sur un secrétaire
une petite boîte et tendit à Julia une tablette blanche
et plate qu'il lui dit de mettre sur sa langue. Il était
important de ne pas sortir avec l'odeur du vin sur
soi. Les employés de l'ascenseur étaient très observateurs.

Sitôt que la porte se referma sur Julia, il sembla oublier son existence. Il fit encore quelques pas dans la pièce, puis s'arrêta.

— Il y a des détails à régler, dit-il. Je présume que vous avez un endroit quelconque où vous cacher?

Winston parla de la pièce qui était au-dessus de la boutique de M. Charrington.

— Pour l'instant, cela suffira. Plus tard, nous arrangerons quelque chose d'autre pour vous. Il est important de changer fréquemment de cachette. Entre temps, je vous enverrai un exemplaire du *livre*. — Même O'Brien, remarqua Winston, semblait prononcer ce mot comme s'il était en italique. — Le livre de Goldstein, je veux dire, aussitôt que possible. Il faudra peut-être quelques jours pour que j'en obtienne un. Il n'en existe pas beaucoup, comme vous pouvez l'imaginer. La Police de la Pensée les pourchasse et les détruit presque aussi rapidement que nous pouvons les sortir. Cela importe très peu. Le livre est indestructible. Si le dernier exemplaire était détruit, nous pourrions le reproduire presque mot pour mot. Apportez-vous une serviette pour travailler ?

— En général, oui.

— Comment est-elle ?

— Noire. Très usée. A deux courroies.

— Noire, deux courroies, très usée. Bon. Un jour proche, je ne peux vous donner de date, un des messages que l'on vous envoie pour votre travail contiendra un matin une coquille et vous aurez à réclamer une autre copie. Le lendemain vous irez travailler sans votre serviette. A un moment de la journée, dans la rue, un homme vous touchera le bras et vous dira : « Je crois que vous avez laissé tomber votre serviette. » Celle qu'il vous donnera contiendra un exemplaire du livre de Goldstein. Vous le retournerez avant quatorze jours.

Ils gardèrent un moment le silence.

— Il reste encore deux minutes avant que vous ayez à partir, dit O'Brien. Nous nous rencontrerons encore, si nous devons nous rencontrer...

Winston leva vers lui les yeux. « Là où il n'y a plus de ténèbres... » continua-t-il en hésitant.

O'Brien acquiesça sans manifester de surprise. « Là où il n'y a plus de ténèbres », répéta-t-il, comme s'il avait reconnu l'allusion. « Et entre temps, y a-t-il quelque chose que vous désiriez dire avant de partir ? Un message ? Une question ? »

Winston réfléchit. Il ne semblait pas y avoir d'autre question qu'il voulût poser. Encore moins sentait-il le désir d'émettre des généralités ronflantes. Au lieu de penser à quelque chose qui se rapporterait directement à O'Brien ou à la Fraternité, il lui vint à l'esprit une sorte de tableau composite de la sombre chambre dans laquelle sa mère avait passé ses derniers jours, de la petite pièce au-dessus du magasin de M. Charrington, du presse-papier de verre et de la gravure sur acier dans son cadre de bois de rose. Presque au hasard, il dit :

— Avez-vous jamais entendu une vieille chanson qui commence ainsi :

Oranges et citrons, disent les cloches de Saint-Clément ?

O'Brien acquiesça. Avec une sorte de courtoisie grave, il compléta la strophe :

Oranges et citrons, disent les cloches de Saint-
                                    [Clément
Tu me dois trois farthings, disent les cloches de
                                    [Saint-Martin
Quand me paieras-tu ? disent les cloches du Vieux
                                    [Bailey.
Quand je serai riche, disent les cloches de Shore-
                                    [ditch.

— Vous saviez la dernière ligne ! dit Winston.

— Oui, je savais la dernière ligne. Et maintenant, je crois qu'il est temps que vous partiez. Vous feriez mieux de me laisser vous donner une de ces tablettes.

Quand Winston se leva, O'Brien tendit la main. Sa poigne puissante serra la main de Winston jusqu'aux os. A la porte, Winston se retourna, mais O'Brien semblait déjà en train de le rejeter de son esprit. Il attendait, sa main sur le bouton qui commandait le télécran. Winston put voir dans le fond la table à écrire avec sa lampe à abat-jour vert, le phonoscript et les corbeilles à télégrammes bourrées de papiers. L'incident était clos. Dans trente secondes, se dit-il, O'Brien aurait repris, pour le service du Parti, son important travail interrompu.

IX

Winston était gélatineux de fatigue. Gélatineux était le mot juste, qui lui était spontanément venu à l'esprit. Son corps lui semblait avoir, non seulement la faiblesse de la gelée, mais son aspect translucide. Il avait l'impression que s'il levait la main, il pourrait voir la lumière à travers elle. Tout le sang et toute la lymphe de son corps avaient été drainés par une énorme débauche de travail, ne laissant qu'une frêle structure de nerfs, d'os et de peau. Toutes ses sensations semblaient amplifiées. Sa combinaison lui irritait les épaules, le pavé lui chatouillait les pieds, même ouvrir et fermer la main demandait un effort qui faisait craquer les jointures.

Il avait, en cinq jours, travaillé plus de quatre-vingt-dix heures. Tous les autres du Ministère en avaient fait autant. Maintenant, c'était fini, et il n'avait littéralement rien à faire, aucun travail d'au-

cune sorte pour le Parti, jusqu'au lendemain matin.
Il pourrait passer six heures dans la cachette et neuf
dans son propre lit.

Par un doux après-midi ensoleillé, il remontait
lentement une rue sale en direction du magasin de
M. Charrington. Il tenait l'œil ouvert pour surveiller
les patrouilles, mais, sans raison, il était convaincu
que cet après-midi-là il n'y avait aucun danger que
quelqu'un vienne le gêner. La lourde serviette qu'il
portait lui cognait le genou à chaque pas et faisait
monter et descendre, dans la peau de sa jambe, une
sensation de fourmillement. Dans la serviette était
placé *le livre* qu'il possédait depuis six jours, et qu'il
n'avait pourtant pas ouvert ni même regardé.

Au sixième jour de la Semaine de la Haine, après
les processions, les discours, les cris, les chants, les
bannières, les affiches, les films, les effigies de cire,
le roulement des tambours, le glapissement des trom-
pettes, le bruit de pas des défilés en marche, le grincement des chenilles de tanks, le mugissement des
groupes d'aéroplanes, le grondement des canons,
après six jours de tout cela, alors que le grand
orgasme palpitait vers son point culminant, que la
haine générale contre l'Eurasia s'était échauffée et
en était arrivée à un délire tel que si la foule avait
pu mettre la main sur les deux mille criminels eurasiens qu'on devait pendre en public le dernier jour
de la semaine, elle les aurait certainement mis en
pièces ; juste à ce moment, on annonça qu'après tout
l'Océania n'était pas en guerre contre l'Eurasia.
L'Océania était en guerre contre l'Estasia. L'Eurasia
était un allié.

Il n'y eut naturellement aucune déclaration d'un
changement quelconque. On apprit simplement, partout à la fois, avec une extrême soudaineté, que
l'ennemi c'était l'Estasia et non l'Eurasia.

Winston prenait part à une manifestation dans l'un
des squares du centre de Londres quand la nouvelle

fut connue. C'était la nuit. Les visages blancs et les
bannières rouges étaient éclairés d'un flot de lumière
blafarde. Le square était bondé de plusieurs milliers
de personnes dont un groupe d'environ un millier
d'écoliers revêtus de l'uniforme des Espions. Sur
une plate-forme drapée de rouge, un orateur du Parti
Intérieur, un petit homme maigre aux longs bras
disproportionnés, au crâne large et chauve sur lequel
étaient disséminées quelques rares mèches raides,
haranguait la foule. C'était une petite silhouette de
baudruche hygiénique, contorsionnée par la haine.
Une de ses mains s'agrippait au tube du microphone
tandis que l'autre, énorme et menaçante au bout
d'un bras osseux, déchirait l'air au-dessus de sa tête.

Sa voix, rendue métallique par les haut-parleurs,
faisait retentir les mots d'une interminable liste
d'atrocités, de massacres, de déportations, de pilla-
ges, de viols, de tortures de prisonniers, de bombar-
dements de civils, de propagande mensongère,
d'agressions injustes, de traités violés. Il était presque impossible de l'écouter sans être d'abord convaincu, puis affolé. La fureur de la foule croissait à
chaque instant et la voix de l'orateur était noyée
dans un hurlement de bête sauvage qui jaillissait
involontairement de milliers de gosiers. Les glapissements les plus sauvages venaient des écoliers.

L'orateur parlait depuis peut-être vingt minutes
quand un messager monta en toute hâte sur la plate-
forme et lui glissa dans la main un bout de papier.
Il le déplia et le lut sans interrompre son discours.
Rien ne changea de sa voix ou de ses gestes ou du
contenu de ce qu'il disait mais les noms, soudain,
furent différents. Sans que rien fût dit, une vague
de compréhension parcourut la foule. L'Océania était
en guerre contre l'Estasia ! Il y eut, le moment
d'après, une terrible commotion. Les bannières et
les affiches qui décoraient le square tombaient toutes
à faux. Presque la moitié d'entre elles montrait des

visages de l'ennemi actuel. C'était du sabotage ! Les
agents de Goldstein étaient passés par là. Il y eut
un interlude tumultueux au cours duquel les affiches
furent arrachées des murs, les bannières réduites en
lambeaux et piétinées. Les Espions accomplirent des
prodiges d'activité en grimpant jusqu'au faîte des
toits pour couper les banderoles qui flottaient sur les
cheminées. Mais en deux ou trois minutes, tout était
terminé.

L'orateur, qui étreignait encore le tube du microphone, les épaules courbées en avant, la main libre
déchirant l'air, avait sans interruption continué son
discours. Une minute après, les sauvages hurlements
de rage éclataient de nouveau dans la foule. La Haine
continuait exactement comme auparavant, sauf que
la cible avait été changée.

Ce qui impressionna Winston quand il y repensa,
c'est que l'orateur avait passé d'une ligne politique
à une autre exactement au milieu d'une phrase, non
seulement sans s'arrêter, mais sans même changer de
syntaxe.

A ce moment-là, Winston avait eu d'autres sujets
de préoccupation. C'est pendant le désordre du
moment, pendant que les affiches étaient déchirées
et jetées, qu'un homme dont il ne vit pas le visage
lui avait frappé l'épaule et dit : « Pardon, je crois
que vous avez laissé tomber votre serviette. »

Il prit la serviette d'un geste distrait, sans mot
dire. Il savait qu'il faudrait attendre quelques jours
avant qu'il eût la possibilité de l'ouvrir. Dès la fin
de la manifestation, il se rendit tout droit au Ministère, bien qu'il fût près de vingt-trois heures. L'équipe
entière du Ministère avait fait comme lui. Les ordres
que déjà émettaient les télécrans pour les rappeler
à leurs postes étaient à peine nécessaires.

L'Océania était en guerre contre l'Estasia. L'Océania avait donc toujours été en guerre contre l'Estasia. Une grande partie de la littérature politique de

cinq années était maintenant complètement surannée. Exposés et récits de toutes sortes, journaux, livres, pamphlets, films, disques, photographies, tout devait être rectifié, à une vitesse éclair. Bien qu'aucune directive n'eût jamais été formulée, on savait que les chefs du Commissariat entendaient qu'avant une semaine ne demeure nulle part aucune mention de la guerre contre l'Eurasia et de l'alliance avec l'Estasia.

Le travail était écrasant, d'autant plus que les procédés qu'il impliquait ne pouvaient être appelés de leurs vrais noms. Au Commissariat aux Archives, tout le monde travaillait dix-huit heures sur vingt-quatre, avec deux intervalles de trois heures de sommeil hâtif. Des matelas furent montés des caves et étalés dans tous les couloirs. Les repas consistaient en sandwichs, et du café de la Victoire était apporté sur des chariots roulants par des gens de la cantine.

Chaque fois que Winston s'arrêtait pour un de ses tours de sommeil, il tâchait de ne pas laisser de travail à faire sur son bureau. Mais lorsqu'il se traînait, les yeux collants et malades, vers sa cabine, c'était pour trouver une autre pluie de cylindres de papier qui recouvraient le bureau comme un monceau de neige et commençaient à s'abattre sur le parquet. Si bien que le premier travail était toujours de les entasser en une pile assez régulière pour avoir la place de travailler. Le pire était que le travail n'était pas du tout purement mécanique. Souvent, il suffisait simplement de substituer un nom à un autre, mais tout rapport détaillé d'événements demandait de l'attention et de l'imagination. Les connaissances géographiques mêmes, nécessaires pour transférer la guerre d'une partie du monde dans une autre, étaient considérables.

Au troisième jour, il avait des maux d'yeux insupportables et il lui fallait essuyer ses verres à chaque instant. C'était comme de lutter contre une tâche physique écrasante, quelque chose qu'on aurait le

droit de refuser, mais que l'on était néanmoins nerveusement anxieux d'accomplir. Autant qu'il pût s'en
souvenir, Winston n'était pas troublé par le fait que
tous les mots qu'il murmurait au phonoscript, tous
les traits de son crayon à encre étaient des mensonges
délibérés. Il était aussi désireux que n'importe qui
dans le Département, que la falsification fût parfaite.

Le sixième jour au matin, l'écoulement des cylindres ralentit. Pendant près d'une demi-heure, rien
ne sortit du tube, puis il y eut un autre cylindre, puis
plus rien. Partout, au même moment, le travail
ralentit. Un profond et secret soupir fut exhalé dans
tout le Commissariat. Une œuvre importante, dont
on ne pourrait jamais parler, venait d'être achevée.
Il était maintenant impossible à aucun être humain
de prouver par des documents qu'il y avait jamais eu
une guerre contre l'Eurasia.

A douze heures, il fut annoncé de façon inattendue
que tous les employés du Ministère étaient libres
jusqu'au lendemain matin.

Winston portait encore la serviette qui contenait
le *livre*. Elle était restée entre ses pieds pendant qu'il
travaillait et sous son corps pendant qu'il dormait.
Il rentra chez lui, se rasa, et s'endormit presque dans
le bain, bien que l'eau fût à peine plus que tiède.

Avec une sorte de voluptueux grincement de ses
articulations, il monta l'escalier au-dessus du magasin de M. Charrington. Il était fatigué, mais n'avait
plus sommeil. Il ouvrit la fenêtre, alluma le petit
fourneau à pétrole sale et posa dessus une casserole
d'eau pour le café. Julia arriverait bientôt. D'ici là,
il y avait le *livre*. Il s'assit dans le fauteuil usé et
défit les courroies de la serviette.

C'était un lourd volume noir, relié par un amateur,
sans nom ni titre sur la couverture. L'impression
paraissait légèrement irrégulière. Les pages étaient
usées sur les bords et se séparaient facilement, comme

si le livre avait passé entre beaucoup de mains. Sur
la page de garde, il y avait l'inscription suivante :

THÉORIE ET PRATIQUE
DU COLLECTIVISME OLIGARCHIQUE
par
EMMANUEL GOLDSTEIN

Winston commença à lire :

CHAPITRE I
L'IGNORANCE C'EST LA FORCE

Au long des époques historiques, et probablement
depuis la fin de l'âge néolithique, il y eut dans le
monde trois classes : la classe supérieure, la classe
moyenne, la classe inférieure. Elles ont été subdivi-
sées de beaucoup de façons, elles ont porté d'innombrables noms différents, la proportion du nombre
d'individus que comportait chacune, aussi bien que
leur attitude les unes vis-à-vis des autres, ont varié
d'âge en âge. Mais la structure essentielle de la
société n'a jamais varié. Même après d'énormes
poussées et des changements apparemment irrévocables, la même structure s'est toujours rétablie, exactement comme un gyroscope reprend toujours son
équilibre, aussi loin qu'on le pousse d'un côté ou
de l'autre.

Les buts de ces trois classes sont absolument in-
conciliables.

Winston s'arrêta de lire. surtout pour jouir du
fait qu'il était en train de lire, dans le confort et la
sécurité. Il était seul. Pas de télécran, pas d'oreille
au trou de la serrure, pas d'impulsion nerveuse le
poussant à regarder par-dessus son épaule ou à couvrir la page de sa main. L'air doux de l'été se jouait
contre son visage. De quelque part, au loin, arri-

vaient des cris affaiblis d'enfants. Dans la chambre
elle-même, il n'y avait aucun bruit, sauf la voix
d'insecte de l'horloge. Il s'enfonça plus profondément dans le fauteuil et posa ses pieds sur le garde-
feu. C'était le bonheur, c'était l'éternité.

Soudain, comme on fait parfois d'un livre dont on
sait qu'en fin de compte on lira et relira tous les
mots, il l'ouvrit à une page et se trouva au chapitre III. Il continua à lire :

CHAPITRE III

LA GUERRE C'EST LA PAIX

La division du monde en trois grands Etats principaux est un événement qui pouvait être et, en
vérité, était prévu avant le milieu du vingtième siècle. Avec l'absorption de l'Europe par la Russie et
de l'Empire britannique par les Etats-Unis, deux des
trois puissances actuelles, l'Eurasia et l'Océania,
étaient déjà effectivement constituées. La troisième,
l'Estasia, n'émergea comme unité distincte qu'après
une autre décade de luttes confuses. Les frontières
entre les trois super-Etats sont, en quelques endroits
arbitraires. En d'autres, elles varient suivant la for-
tune de la guerre, mais elles suivent en général les
tracés géographiques.

L'Eurasia comprend toute la partie nord du conti-
nent européen et asiatique, du Portugal au détroit de
Behring.

L'Océania comprend les Amériques, les îles de
l'Atlantique, y compris les îles Britanniques, l'Aus-
tralie et le Sud de l'Afrique.

L'Estasia, plus petite que les autres, et avec une
frontière occidentale moins nette, comprend la Chine
et les contrées méridionales de la Chine, les îles du
Japon et une portion importante, mais variable, de
la Mandchourie, de la Mongolie et du Thibet.

Groupés d'une façon ou d'une autre, ces trois
super-Etats sont en guerre d'une façon permanente
depuis vingt-cinq ans. La guerre, cependant, n'est
plus la lutte désespérée jusqu'à l'anéantissement
qu'elle était dans les premières décades du vingtième
siècle. C'est une lutte dont les buts sont limités, entre
combattants incapables de se détruire l'un l'autre,
qui n'ont pas de raison matérielle de se battre et ne
sont divisés par aucune différence idéologique véritable. Cela ne veut pas dire que la conduite de la
guerre ou l'attitude dominante en face d'elle soit
moins sanguinaire ou plus chevaleresque. Au contraire, l'hystérie guerrière est continue et universelle
dans tous les pays et le viol, le pillage, le meurtre
d'enfants, la mise en esclavage des populations, les
représailles contre les prisonniers qui vont même
jusqu'à les faire bouillir ou à les enterrer vivants,
sont considérés comme normaux. Commis par des
partisans et non par l'ennemi, ce sont des actes méri-
toires.

Mais, dans un sens matériel, la guerre engage un
très petit nombre de gens qui sont surtout des spécialistes très entraînés et, comparativement, cause
peu de morts. La lutte, quand il y en a une, a lieu
sur les vagues frontières dont l'homme moyen peut
seulement deviner l'emplacement, ou autour des Forteresses Flottantes qui gardent les points stratégiques
des routes maritimes. Dans les centres civilisés, la
guerre signifie surtout une diminution continuelle des
produits de consommation et la chute, parfois, d'une
bombe-fusée qui peut causer quelques vingtaines de
morts.

La guerre a, en fait, changé de caractère. Plus
exactement, l'ordre d'importance des raisons pour
lesquelles la guerre est engagée a changé. Des motifs
qui existaient déjà, mais dans une faible mesure, lors
des grandes guerres du début du vingtième siècle,
sont maintenant devenus essentiels. Ils sont ouverte-

ment reconnus et l'on agit en conséquence d'après
eux.

Pour comprendre la nature de la présente guerre,
car en dépit des regroupements qui se succèdent à
peu d'intervalle, *c'est toujours la même guerre*, on
doit réaliser d'abord, qu'il est impossible qu'elle soit
décisive. Aucun des trois super-Etats ne pourrait être
définitivement conquis, même par les deux autres
réunis. Les forces sont trop également partagées, les
défenses naturelles trop formidables.

L'Eurasia est protégée par ses vastes étendues de
terres, l'Océania par la largeur de l'Atlantique et du
Pacifique, l'Estasia par la fécondité et l'habileté de
ses habitants.

En deuxième lieu il n'y a plus, au sens matériel,
de raison pour se battre. Avec l'établissement des
économies intérieures dans lesquelles la production
et la consommation sont engrenées l'une dans l'autre,
la lutte pour les marchés, qui était l'une des principales causes des guerres antérieures, a disparu. La
compétition pour les matières premières n'est plus
une question de vie ou de mort. Dans tous les cas,
chacun des trois super-Etats est si vaste qu'il peut
obtenir à l'intérieur de ses frontières presque tous les
matériaux qui lui sont nécessaires.

Pour autant que la guerre ait un but directement
économique, c'est une guerre engagée pour la puissance de la main-d'œuvre.

Entre les frontière des trois super-Etats, dont
aucun ne parvient à le posséder en permanence,
s'étend un quadrilatère approximatif dont les som-
mets sont à Tanger, Brazzaville, Darwin et Hong-
Kong, et qui contient environ un cinquième de la
population du globe. C'est pour la possession de ces
régions surpeuplées et du pôle glacé du Nord que les
trois puissances sont constamment en guerre. En pratique, aucune puissance ne régit jamais la surface
entière de l'espace disputé. Des portions de cette

surface changent constamment de mains et c'est la
volonté de s'emparer d'un fragment ou d'un autre
de ces pays par une soudaine trahison qui dicte les
changements sans fin des groupements.

Tous les territoires disputés contiennent des miné-
raux de valeur et quelques-uns fournissent d'importants produits végétaux comme le caoutchouc, dont
il est nécessaire, dans les pays plus froids, de faire
la synthèse, par des méthodes comparativement oné-
reuses. Mais ils contiennent surtout une réserve
inépuisable de main-d'œuvre à bon marché. La puissance qui régit l'Afrique Equatoriale ou les contrées
du moyen Orient ou l'Inde du Sud, ou l'archipel
Indonésien, dispose aussi de vingtaines ou de centaines de millions de coolies qui travaillent durement
pour des salaires de famine.

Les habitants de ces pays, réduits plus ou moins
ouvertement à l'état d'esclaves, passent continuellement d'un conquérant à un autre. Ils sont employés,
comme une quantité donnée de charbon ou d'huile
humains, à produire plus d'armes, à s'emparer de
plus de territoires et à posséder une plus grande puissance de main-d'œuvre pour produire plus d'armes,
pour s'emparer de plus de territoires, et ainsi de suite
indéfiniment.

Il est à noter que la lutte ne dépasse jamais réellement les limites des surfaces disputées. Les frontières de l'Eurasia reculent et avancent entre le bas-
sin du Congo et le rivage nord.de la Méditerranée.
Les îles de l'Océan indien et du Pacifique sont
constamment prises et reprises par l'Océania ou par
l'Estasia. En Mongolie, la ligne qui sépare l'Eurasia
de l'Estasia n'est jamais stable. Autour du pôle, les
trois puissances revendiquent de vastes territoires qui
sont en fait, en grande partie, inhabités et inexplorés.
Mais le niveau de puissance reste toujours approximativement équivalent, et le territoire qui forme le
cœur de chaque super-Etat demeure toujours inviolé.

Qui plus est, le travail des peuples exploités autour de l'Equateur n'est pas réellement nécessaire à l'économie mondiale. Il n'ajoute rien à la richesse du monde, puisque tout ce qu'il produit est utilisé à des fins de guerre. Lorsqu'on livre une guerre, c'est toujours pour être en meilleure position pour livrer une autre guerre. Par leur travail, les populations esclaves permettent de hâter la marche de l'éternelle guerre. Mais si elles n'existaient pas, la structure de la société et le processus par lequel elle se maintient ne seraient pas essentiellement différents.

Le but primordial de la guerre moderne, (en accord avec les principes de la doublepensée, ce but est en même temps reconnu et non reconnu par les cerveaux directeurs du Parti Intérieur) est de consommer entièrement les produits de la machine sans élever le niveau général de la vie.

Depuis la fin du dix-neuvième siècle, le problème de l'utilisation du surplus des produits de consommation a été latent dans la société industrielle. Actuellement, alors que peu d'êtres humains ont suffisamment à manger, ce problème n'est évidemment pas urgent, et il pourrait ne pas le devenir, alors même qu'aucun procédé artificiel de destruction n'aurait été mis en œuvre.

Le monde d'aujourd'hui est un monde nu, affamé, dilapidé, comparé au monde qui existait avant 1914, et encore plus si on le compare à l'avenir qu'imaginaient les gens de cette époque.

Dans les premières années du vingtième siècle, la vision d'une société future, incroyablement riche, jouissant de loisirs, disciplinée et efficiente, un monde aseptisé et étincelant de verre, d'acier, de béton d'un blanc de neige, faisait partie de la conscience de tous les gens qui avaient des lettres. La science et la technologie se développaient avec une prodigieuse rapidité et il semblait naturel de présumer qu'elles continueraient à se développer. Ceci ne se produisit pas, en partie à cause de l'appauvrissement qu'entraîna une longue série de guerres et de révolutions, en partie parce que le progrès scientifique et technique dépendait d'habitudes de pensée empiriques qui ne pouvaient survivre dans une société strictement enrégimentée.

Le monde est, dans son ensemble, plus primitif aujourd'hui qu'il ne l'était il y a cinquante ans. Certains territoires arriérés se sont civilisés et divers appareils, toujours par quelque côté en relation avec la guerre et l'espionnage policier, ont été perfectionnés, mais les expériences et les inventions se sont en grande partie arrêtées. De plus, les ravages de la guerre atomique de l'époque 1950 n'ont jamais été entièrement réparés. Néanmoins, les dangers inhérents à la machine sont toujours présents.

Dès le moment de la parution de la première machine, il fut évident, pour tous les gens qui réfléchissaient, que la nécessité du travail de l'homme et, en conséquence, dans une grande mesure, de l'inégalité humaine, avait disparu. Si la machine était délibérément employée dans ce but, la faim, le surmenage, la malpropreté, l'ignorance et la maladie pourraient être éliminés après quelques générations. En effet, alors qu'elle n'était pas employée dans cette intention, la machine, en produisant des richesses qu'il était parfois impossible de distribuer, éleva réellement de beaucoup, par une sorte de processus automatique, le niveau moyen de vie des humains, pendant une période d'environ cinquante ans, à la fin du dix-neuvième siècle et au début du vingtième.

Mais il était aussi évident qu'un accroissement général de la richesse menaçait d'amener la destruction, était vraiment, en un sens, la destruction, d'une société hiérarchisée.

Dans un monde dans lequel le nombre d'heures de travail serait court, où chacun aurait suffisamment de nourriture, vivrait dans une maison munie d'une salle de bains et d'un réfrigérateur, posséderait une automobile ou même un aéroplane, la plus évidente, et peut-être la plus importante forme d'inégalité aurait déjà disparu. Devenue générale, la richesse ne conférerait plus aucune distinction.

Il était possible, sans aucun doute, d'imaginer une société dans laquelle la *richesse* dans le sens de possessions personnelles et de luxe serait également distribuée, tandis que le *savoir* resterait entre les mains d'une petite caste privilégiée. Mais, dans la pratique, une telle société ne pourrait demeurer longtemps stable.

Si tous, en effet, jouissaient de la même façon de loisirs et de sécurité, la grande masse d'êtres humains qui est normalement abrutie par la pauvreté pourrait s'instruire et apprendre à réfléchir par elle-même, elle s'apercevrait alors tôt ou tard que la minorité privilégiée n'a aucune raison d'être, et la balaierait. En résumé, une société hiérarchisée n'était possible que sur la base de la pauvreté et de l'ignorance.

Revenir à la période agricole du passé, comme l'ont rêvé certains penseurs du début du vingtième siècle, n'était pas une solution pratique. Elle s'opposait à la tendance à la mécanisation devenue quasi-instinctive dans le monde entier. De plus, une contrée qui serait arriérée industriellement, serait impuissante au point de vue militaire et serait vite dominée, directement ou indirectement, par ses rivaux plus avancés.

Maintenir les masses dans la pauvreté en restreignant la production n'était pas non plus une solution satisfaisante. Cette solution fut appliquée sur une large échelle durant la phase finale du capitalisme, en gros entre 1920 et 1940. On laissa stagner l'économie d'un grand nombre de pays, des terres furent laissées en jachère, on n'ajouta pas au capital-équipement et de grandes masses de population furent

empêchées de travailler. La charité d'Etat les maintenait à moitié en vie.

Mais cette situation, elle aussi, entraînait la faiblesse militaire, et comme les privations qu'elle
infligeait étaient visiblement inutiles, elle rendait
l'opposition inévitable.

Le problème était de faire tourner les roues de l'in-
dustrie sans accroître la richesse réelle du monde.
Des marchandises devaient être produites, mais non
distribuées. En pratique, le seul moyen d'y arriver
était de faire continuellement la guerre.

L'acte essentiel de la guerre est la destruction, pas
nécessairement de vies humaines, mais des produits
du travail humain. La guerre est le moyen de briser,
de verser dans la stratosphère, ou de faire sombrer
dans les profondeurs de la mer, les matériaux qui,
autrement, pourraient être employés à donner trop
de confort aux masses et, partant, trop d'intelligence
en fin de compte. Même quand les armes de guerre
ne sont pas réellement détruites, leur manufacture
est encore un moyen facile de dépenser la puissance
de travail sans rien produire qui puisse être con-
sommé. Une Forteresse Flottante, par exemple, a
immobilisé pour sa construction, la main-d'œuvre
qui aurait pu construire plusieurs centaines de car-
gos. Plus tard, alors qu'elle n'a apporté aucun
bénéfice matériel, à personne, elle est déclarée surannée et envoyée à la ferraille. Avec une dépense
plus énorme de main-d'œuvre, une autre Forteresse
Flottante est alors construite.

En principe, l'effort de guerre est toujours organisé de façon à dévorer le surplus qui pourrait
exister après que les justes besoins de la population
sont satisfaits.

En pratique, les justes besoins vitaux de la population sont toujours sous-estimés. Le résultat est que,
d'une façon chronique, la moitié de ce qui est nécessaire pour vivre manque toujours. Mais cela est

considéré comme un avantage. C'est par une politique délibérée que l'on maintient tout le monde, y compris même les groupes favorisés, au bord de la privation. Un état général de pénurie accroît en effet l'importance des petits privilèges et magnifie la distinction entre un groupe et un autre.

D'après les standards des premières années du vingtième siècle, les membres mêmes du Parti Intérieur mènent une vie austère et laborieuse. Néanmoins, le peu de confort dont ils jouissent, leurs appartements larges et bien meublés, la solide texture de leurs vêtements, la bonne qualité de leur nourriture, de leur boisson, de leur tabac, leurs deux ou trois domestiques, leurs voitures ou leurs hélicoptères personnels, les placent dans un monde différent de celui d'un membre du Parti Extérieur. Et les membres du Parti Extérieur ont des avantages similaires, comparativement aux masses déshéritées que nous appelons les prolétaires.

L'atmosphère sociale est celle d'une cité assiégée dans laquelle la possession d'un morceau de viande de cheval constitue la différence entre la richesse et la pauvreté. En même temps, la conscience d'être en guerre, et par conséquent en danger, fait que la possession de tout le pouvoir par une petite caste semble être la condition naturelle et inévitable de survie.

La guerre, comme on le verra, non seulement accomplit les destructions nécessaires, mais les accomplit d'une façon acceptable psychologiquement. Il serait en principe très simple de gaspiller le surplus de travail du monde en construisant des temples et des pyramides, en creusant des trous et en les rebouchant, en produisant même de grandes quantités de marchandises auxquelles on mettrait le feu. Ceci suffirait sur le plan économique, mais la base psychologique d'une société hiérarchisée n'y gagnerait rien. Ce qui intervient ici, ce n'est pas la morale des masses dont l'attitude est sans importance tant qu'elles sont fermement maintenues dans le travail, mais la morale du Parti lui-même.

On demande au membre, même le plus humble du Parti, d'être compétent, industrieux et même intelligent dans d'étroites limites. Il est de plus nécessaire qu'il soit un fanatique crédule et ignorant, dont les caractéristiques dominantes sont la crainte, la haine, l'humeur flagorneuse et le triomphe orgiaque.

En d'autres mots, il est nécessaire qu'il ait la mentalité appropriée à l'état de guerre. Peu importe que la guerre soit réellement déclarée et, puisque aucune victoire décisive n'est possible, peu importe qu'elle soit victorieuse ou non. Tout ce qui est nécessaire, c'est que l'état de guerre existe.

La systématisation de l'intelligence que requiert le Parti de ses membres et qui est plus facilement réalisée dans une atmosphère de guerre, est maintenant presque universelle, mais plus le rang est élevé, plus marquée devient cette spécialisation.

C'est précisément dans le Parti Intérieur que l'hystérie de guerre et la haine de l'ennemi sont les plus fortes. Dans son rôle d'administrateur, il est souvent nécessaire à un membre du Parti Intérieur de savoir qu'un paragraphe ou un autre des nouvelles de la guerre est faux et il lui arrive souvent de savoir que la guerre entière est apocryphe, soit qu'elle n'existe pas, soit que les motifs pour lesquels elle est déclarée soient tout à fait différents de ceux que l'on fait connaître. Mais une telle connaissance est neutralisée par la technique de la *doublepensée*. Entre temps, aucun membre du Parti Intérieur n'est un instant ébranlé dans sa conviction mystique que la guerre est réelle et qu'elle doit se terminer victorieusement pour l'Océania qui restera maîtresse incontestée du monde entier.

Tous les membres du Parti Intérieur croient à cette conquête comme à un article de foi. Elle sera réalisée, soit par l'acquisition graduelle de territoires, ce qui permettra de construire une puissance d'une écrasante supériorité, soit par la découverte d'une arme nouvelle contre laquelle il n'y aura pas de défense.

La recherche de nouvelles armes se poursuit sans arrêt. Elle est l'une des rares activités restantes dans lesquelles le type d'esprit inventif ou spéculatif peut trouver un exutoire. Actuellement, la science, dans le sens ancien du mot, a presque cessé d'exister dans l'Océania. Il n'y a pas de mot pour *science* en Novlangue. La méthode empirique de la pensée sur laquelle sont fondées toutes les réalisations du passé, est opposée aux principes les plus essentiels de l'Angsoc. Les progrès techniques eux-mêmes ne se produisent que lorsqu'ils peuvent, d'une façon quelconque, servir à diminuer la liberté humaine. Dans tous les arts utilitaires, le monde piétine ou recule. Les champs sont cultivés avec des charrues tirées par des chevaux, tandis que les livres sont écrits à la machine. Mais dans les matières d'une importance vitale — ce qui veut dire, en fait, la guerre et l'espionnage policier — l'approche empirique est encore encouragée ou, du moins, tolérée.

Les deux buts du Parti sont de conquérir toute la surface de la terre et d'éteindre une fois pour toutes la possibilité d'une pensée indépendante. Il y a, en conséquence, deux grands problèmes que le Parti a la charge de résoudre : l'un est le moyen de découvrir, contre sa volonté, ce que pense un autre être humain, l'autre est le moyen de tuer plusieurs centaines de millions de gens en quelques secondes, sans qu'ils en soient avertis. Dans la mesure où continue la recherche scientifique, ceci est son principal objet.

Le savant d'aujourd'hui est, soit une mixture de psychologue et d'inquisiteur qui étudie avec une extraordinaire minutie la signification des expressions du visage, des gestes, des tons de la voix, et expérimente les effets, pour l'obtention de la vérité, des drogues, des chocs thérapeutiques, de l'hypnose, de la torture physique, soit un chimiste, un physicien ou un biologiste, intéressé seulement par les branches de sa spécialité qui se rapportent à la suppression de la vie.

Dans les vastes laboratoires du Ministère de la Paix, et dans les centres d'expérience cachés dans les forêts brésiliennes, ou dans le désert australien, ou dans les îles perdues de l'Antarctique, des équipes d'experts sont infatigablement au travail.

Quelques-uns s'occupent d'établir les plans des guerres futures ; d'autres inventent des bombes-fusées de plus en plus grosses, des explosifs de plus en plus puissants, des blindages de plus en plus impénétrables ; d'autres recherchent des gaz nouveaux et plus mortels ou des poisons solubles que l'on pourrait produire en quantité suffisante pour détruire la végétation de continents entiers, ou encore des espèces de germes de maladie immunisés contre tous les antidotes possibles ; d'autres travaillent à la fabrication d'un véhicule qui pourrait circuler sous terre comme un sous-marin sous l'eau, ou pour construire un aéroplane aussi indépendant de sa base qu'un navire à voiles ; d'autres explorent les possibilités même les plus lointaines, comme de concentrer les rayons du soleil à travers des lentilles suspendues à des milliers de kilomètres dans l'espace, ou bien de produire des tremblements de terre artificiels ou des raz de marée, en agissant sur la chaleur du centre de la terre.

Mais aucun de ces projets n'approche jamais de la réalisation et aucun des trois super-Etats ne gagne jamais sur les autres une avance significative.

Le plus remarquable est que les trois puissances possèdent déjà, dans la bombe atomique, une arme beaucoup plus puissante que celles que leurs recherches actuelles sont susceptibles de découvrir. Bien que le Parti, suivant son habitude, revendique l'honneur de cette invention, les bombes atomiques

apparurent dès l'époque 1940-1949 et furent pour la
première fois employées sur une large échelle environ dix ans plus tard. Une centaine de bombes
furent alors lâchées sur les centres industriels, surtout dans la Russie d'Europe, l'Ouest européen et
l'Amérique du Nord.

Elles avaient pour but de convaincre les groupes
dirigeants de tous les pays que quelques bombes atomiques de plus entraîneraient la fin de la société
organisée et, partant, de leur propre puissance.

Ensuite, bien qu'aucun accord formel ne fût
jamais passé ou qu'on y fît même allusion, il n'y eut
plus de lâchers de bombes. Les trois puissances conti-
nuent simplement à produire des bombes atomiques
et à les emmagasiner en attendant une occasion décisive qu'elles croient toutes devoir se produire tôt
ou tard.

En attendant, l'art de la guerre est resté station-
naire pendant trente ou quarante ans. Les hélicoptères sont plus employés qu'ils ne l'étaient anciennement, les bombardiers ont été en grande partie
supplantés par des projectiles à propulseurs, et le
fragile et mobile cuirassé a été remplacé par la
Forteresse Flottante qu'il est presque impossible de
couler. Mais autrement, il y a eu peu de perfection-
nements. Le tank, le sous-marin, la torpille, la
mitrailleuse, même le fusil et la grenade à main
sont encore employés. Et, en dépit des interminables
massacres reportés par la presse et les télécrans, les
batailles désespérées des guerres antérieures au cours
desquelles des centaines de milliers ou même de millions d'hommes étaient tués en quelques semaines ne
se sont jamais répétées.

Aucun des trois super-Etats ne tente jamais un
mouvement qui impliquerait le risque d'une défaite
sérieuse. Quand une opération d'envergure est entreprise, c'est généralement une attaque par surprise
contre un allié.

La stratégie que les trois puissances suivent toutes trois, ou prétendent suivre, est la même. Le plan est, par une combinaison de luttes, de marches, de coups de force au moment opportun, d'acquérir un anneau de bases encerclant complètement l'un ou l'autre des Etats d'un rival, puis de signer un pacte d'amitié avec ce rival et de rester avec lui en termes de paix assez longtemps pour endormir sa suspicion. Pendant ce temps, des fusées chargées de bombes atomiques seraient amoncelées à tous les points stratégiques. Finalement, elles seraient toutes allumées simultanément et leurs effets seraient si dévastateurs qu'ils rendraient impossible toute représaille. Il serait temps alors de risquer un pacte d'amitié avec la puissance mondiale restante, en vue d'une autre attaque.

Ce plan, il est à peine besoin de le dire, est un simple rêve éveillé impossible à réaliser. De plus, il n'y a jamais aucune bataille, sauf dans les territoires disputés autour de l'Equateur et du Pôle. Aucune invasion de territoire ennemi n'est jamais entreprise. C'est ce qui explique qu'en certains endroits les frontières entre les super-Etats soient arbitraires. L'Eurasia, par exemple, pourrait aisément conquérir les îles Britanniques qui, géographiquement, font partie de l'Europe. D'un autre côté, il serait possible à l'Océania de pousser ses frontières jusqu'au Rhin, ou même jusqu'à la Vistule. Mais ce serait violer le principe suivi par tous, bien que jamais formulé, de l'intégrité culturelle.

Si l'Océania conquérait les territoires connus à une époque sous les noms de France et d'Allemagne, il lui faudrait, ou en exterminer les habitants, tâche d'une grande difficulté matérielle, ou assimiler une population d'environ cent millions d'habitants qui, en ce qui concerne le développement technique, sont approximativement au niveau océanien.

Le problème est le même pour les trois super-

Etats. Il est absolument nécessaire à leur structure qu'ils n'aient aucun contact avec l'étranger sauf, dans une mesure limitée, avec les prisonniers de guerre et les esclaves de couleur. Même l'allié officiel du moment est toujours regardé avec une sombre suspicion. Mis à part les prisonniers de guerre, le citoyen ordinaire de l'Océania ne pose jamais les yeux sur un citoyen de l'Eurasia ou de l'Estasia et on lui défend d'étudier les langues étrangères.

Si les contacts avec les étrangers lui étaient permis, il découvrirait que ce sont des créatures semblables à lui-même et que la plus grande partie de ce qu'on lui a raconté d'eux est fausse. Le monde fermé, scellé, dans lequel il vit, serait brisé, et la crainte, la haine, la certitude de son bon droit, desquelles dépende sa morale, pourraient disparaître.

Il est par conséquent admis de tous les côtés que, si souvent que la Perse, l'Egypte, Java ou Ceylan puissent changer de mains, les frontières principales ne doivent jamais être franchies que par des bombes.

En dessous de tout cela, il est un fait, jamais exprimé tout haut, mais tacitement compris, et qui inspire la conduite de chacun, c'est que les conditions de vie dans les trois super-Etats sont sensiblement les mêmes. Dans l'Océania, la philosophie dominante s'appelle Angsoc, en Eurasia, elle s'appelle Néo-Bolchevisme, en Estasia, elle est désignée par un mot chinois habituellement traduit par *Culte de la Mort,* mais qui serait peut-être mieux rendu par *Oblitération du Moi.*

On ne permet pas au citoyen de l'Océania de savoir quoi que ce soit de la doctrine des deux autres philosophies. Mais on lui enseigne à les exécrer et à les considérer comme des outrages barbares à la morale et au sens commun. En vérité, les trois philosophies se distinguent à peine l'une de l'autre et les systèmes sociaux qu'elles supportent ne se distinguent pas du tout.

Il y a partout la même structure pyramidale, le même culte d'un chef semi-divin, le même système économique existant par et pour une guerre continuelle. Il s'ensuit que les trois super-Etats, non seulement ne peuvent se conquérir l'un l'autre, mais ne tireraient aucun avantage de leur conquête. Au contraire, tant qu'ils restent en conflit, ils se soutiennent l'un l'autre comme trois gerbes de blé.

Comme d'habitude, les groupes directeurs des trois puissances sont, et en même temps ne sont pas au courant de ce qu'ils font. Leur vie est consacrée à la conquête du monde, mais ils savent aussi qu'il est nécessaire que la guerre continue indéfiniment et sans victoire. Pendant ce temps, le fait qu'il n'y ait aucun danger de conquête rend possible la négation de la réalité qui est la caractéristique spéciale de l'Angsoc et des systèmes de pensée qui lui sont rivaux. Il est ici nécessaire de répéter ce qui a été dit ci-dessus, c'est qu'en devenant continuelle la guerre a changé de caractère fondamental.

Anciennement, une guerre, par définition presque, était quelque chose qui, tôt ou tard prenait fin, d'habitude par une victoire ou une défaite décisive. Anciennement aussi, la guerre était un des principaux instruments par lesquels les sociétés humaines étaient maintenues en contact avec la réalité physique. Tous les chefs, à toutes les époques, ont essayé d'imposer à leurs adeptes une fausse vue du monde, mais ils ne pouvaient se permettre d'encourager aucune illusion qui tendrait à diminuer l'efficacité militaire. Aussi longtemps que la défaite signifiait perte de l'indépendance ou quelque autre résultat généralement tenu pour indésirable, les précautions contre la défaite devaient être sérieuses. Les faits matériels ne devaient pas être ignorés. Dans la philosophie, la religion, l'éthique ou la politique, deux et deux peuvent faire cinq, mais quand le chiffre un désigne un fusil ou un aéroplane, deux et deux doivent faire quatre. Les nations inefficientes sont toujours tôt ou tard conquises et la lutte pour l'efficience est ennemie des illusions.

De plus, il était nécessaire, pour être efficient, d'être capable de recevoir les leçons du passé, ce qui signifiait avoir une idée absolument précise des événements du passé. Journaux et livres d'histoire étaient naturellement toujours enjolivés et influencés, mais le genre de falsification actuellement pratiqué aurait été impossible. La guerre était une sauvegarde, même de la santé et, dans la mesure où les classes dirigeantes étaient affectées, c'était, probablement, la plus sûre de toutes les sauvegardes. Tant que les guerres pouvaient se gagner ou se perdre, aucune classe dirigeante ne pouvait être entièrement irresponsable.

Mais quand la guerre devient littéralement continuelle, elle cesse aussi d'être dangereuse. Il n'y a plus de nécessité militaire quand la guerre est permanente. Le progrès peut s'arrêter et les faits les plus patents peuvent être niés ou négligés. Comme nous l'avons vu, les recherches que l'on pourrait appeler scientifiques sont encore poursuivies, en vue de la guerre, mais elles sont essentiellement du domaine du rêve, et leur échec à fournir des résultats n'a aucune importance. L'efficience, même l'efficience militaire, n'est plus nécessaire. En Océania, sauf la Police de la Pensée, rien n'est efficient. Depuis que chacun des trois super-Etats est imprenable, chacun est en effet un univers séparé, à l'intérieur duquel peuvent être pratiquées, en toute sécurité, presque toutes les perversions de la pensée.

La réalité n'exerce sa pression qu'à travers les besoins de la vie de tous les jours, le besoin de manger et de boire, d'avoir un abri et des vêtements, d'éviter d'avaler du poison ou de passer par les fenêtres du dernier étage, et ainsi de suite. Entre la vie et la mort, entre le plaisir et la peine physique, il y a encore une distinction, mais c'est tout.

Coupé de tout contact avec le monde extérieur et avec le passé, le citoyen d'Océania est comme un homme des espaces interstellaires qui n'a aucun moyen de savoir quelle direction monte et laquelle descend. Les dirigeants d'un tel Etat sont absolus, plus que n'ont jamais pu l'être les Pharaons ou les Césars. Ils sont obligés d'empêcher leurs adeptes de mourir d'inanition en nombre assez grand pour être un inconvénient, et ils sont obligés de s'en tenir au même bas niveau de technique militaire que leurs rivaux, mais ce minimum réalisé, ils peuvent déformer la réalité et lui donner la forme qu'ils choisissent.

La guerre donc, si nous la jugeons sur le modèle des guerres antérieures, est une simple imposture. Elle ressemble aux batailles entre certains ruminants dont les cornes sont plantées à un angle tel qu'ils sont incapables de se blesser l'un l'autre. Mais, bien qu'irréelle, elle n'est pas sans signification. Elle dévore le surplus des produits de consommation et elle aide à préserver l'atmosphère mentale spéciale dont a besoin une société hiérarchisée.

Ainsi qu'on le verra, la guerre est une affaire purement intérieure. Anciennement, les groupes dirigeants de tous les pays, bien qu'il leur fût possible de reconnaître leur intérêt commun et, par conséquent, de limiter les dégâts de la guerre, luttaient réellement les uns contre les autres et celui qui était victorieux pillait toujours le vaincu. De nos jours, ils ne luttent pas du tout les uns contre les autres. La guerre est engagée par chaque groupe dirigeant contre ses propres sujets et l'objet de la guerre n'est pas de faire ou d'empêcher des conquêtes de territoires, mais de maintenir intacte la structure de la société.

Le mot « guerre », lui-même, est devenu erroné. Il serait probablement plus exact de dire qu'en devenant continue, la guerre a cessé d'exister. La pression particulière qu'elle a exercée sur les êtres humains entre l'âge néolithique et le début du vingtième siècle a disparu et a été remplacée par quelque chose de tout à fait différent. L'effet aurait été exactement le même si les trois super-Etats, au lieu de se battre l'un contre l'autre, s'entendaient pour vivre dans une paix perpétuelle, chacun inviolé à l'intérieur de ses frontières. Dans ce cas, en effet, chacun serait encore un univers clos, libéré à jamais de l'influence assoupissante du danger extérieur. Une paix qui serait vraiment permanente, serait exactement comme une guerre permanente. Ceci, bien que la majorité des membres du Parti ne le comprenne que dans un sens superficiel, est la signification profonde du slogan du Parti : *La guerre, c'est la Paix.*

Winston arrêta un moment sa lecture. Quelque part, dans le lointain, tonna une bombe-fusée. La félicité qu'il éprouvait à être seul avec le livre défendu, dans une pièce sans télécran, n'était pas épuisée. La solitude et la sécurité étaient des sensations mêlées en quelque sorte à la fatigue de son corps, au moelleux du fauteuil, au contact de la faible brise qui entrait par la fenêtre et se jouait sur son visage.

Le livre le passionnait ou, plus exactement, le rassurait. Dans un sens, il ne lui apprenait rien de nouveau, mais il n'en était que plus attrayant. Il disait ce que lui, Winston, aurait dit, s'il lui avait été possible d'ordonner ses pensées éparses. Il était le produit d'un cerveau semblable au sien mais beaucoup plus puissant, plus systématique, moins dominé par la crainte.

Les meilleurs livres, se dit-il, sont ceux qui racontent ce que l'on sait déjà.

Il revenait au chapitre I quand il entendit le pas de Julia dans l'escalier et se leva de son fauteuil pour aller au-devant d'elle. Elle déposa sur le parquet son sac à outils brun et se jeta dans les bras de Winston.

Il y avait plus d'une semaine qu'ils ne s'étaient vus.

— J'ai le *livre*, dit-il, quand ils se séparèrent.

— Oh ! tu l'as ? Bien, dit-elle, sans montrer beaucoup d'intérêt. Presque immédiatement elle s'agenouilla devant le fourneau à pétrole pour faire le café.

Ils ne revinrent sur ce sujet qu'après être restés au lit une demi-heure. La soirée était juste assez fraîche pour qu'il fût nécessaire de remonter le couvre-pied. D'en bas venaient le bruit familier des chansons et le claquement des bottes sur les pavés. La femme aux bras rouge-brique que Winston avait vue là lors de sa première visite était presque à demeure dans la cour. Il semblait qu'elle passât toutes les heures du jour à marcher dans un sens ou dans l'autre entre le baquet à laver et la corde à linge. Tantôt elle fermait la bouche sur des épingles à linge, tantôt elle faisait éclater un chant lascif.

Julia s'était installée sur le côté et semblait déjà sur le point de s'endormir. Winston allongea le bras pour prendre le livre sur le parquet et s'assit, appuyé au dossier du lit.

— Nous devons le lire, dit-il, toi aussi, tous les membres de la Fraternité doivent le lire.

— Lis-le, dit-elle les yeux fermés. Lis-le tout haut. C'est la meilleure manière. Ainsi, tu pourras me l'expliquer au fur et à mesure.

L'aiguille de la pendule était sur six, ce qui signifiait dix-huit heures. Ils avaient trois ou quatre heures devant eux. Winston appuya le livre sur ses genoux et se mit à lire :

CHAPITRE I

L'IGNORANCE C'EST LA FORCE

Au long des temps historiques, et probablement depuis la fin de l'âge néolithique, le monde a été

divisé en trois classes. La classe supérieure, la classe
moyenne, la classe inférieure. Elles ont été subdi-
visées de beaucoup de façons, elles ont porté d'innombrables noms différents et leurs proportions,
aussi bien que leur attitude vis-à-vis les unes des
autres ont varié d'âge en âge. Mais la structure essentielle de la société n'a jamais varié. Même après
d'énormes poussées et des changements apparemment irrévocables, le même modèle s'est toujours
réétabli, exactement comme un gyroscope reprend
toujours son équilibre, quelque loin qu'on le pousse
dans un sens ou dans l'autre.

— Julia, es-tu réveillée ? demanda Winston.
— Oui, mon amour. J'écoute. Continue. C'est
merveilleux.

Il continua à lire :
Les buts de ces trois groupes sont absolument in-
conciliables. Le but du groupe supérieur est de rester
en place. Celui du groupe moyen, de changer de
place avec le groupe supérieur. Le but du groupe
inférieur, quand il en a un — car c'est une caractéristique permanente des inférieurs qu'ils sont trop
écrasés de travail pour être conscients, d'une façon
autre qu'intermittente, d'autre chose que de leur vie
de chaque jour — est d'abolir toute distinction et de
créer une société dans laquelle tous les hommes
seraient égaux.

Ainsi, à travers l'histoire, une lutte qui est la
même dans ses lignes principales se répète sans
arrêt. Pendant de longues périodes, la classe supérieure semble être solidement au pouvoir. Mais tôt
ou tard, il arrive toujours un moment où elle perd,
ou sa foi en elle-même, ou son aptitude à gouverner
efficacement, ou les deux. Elle est alors renversée
par la classe moyenne qui enrôle à ses côtés la classe
inférieure en lui faisant croire qu'elle lutte pour la
liberté et la justice.

Sitôt qu'elle a atteint son objectif, la classe

moyenne rejette la classe inférieure dans son ancienne servitude et devient elle-même supérieure. Un
nouveau groupe moyen se détache alors de l'un des
autres groupes, ou des deux, et la lutte recommence.
Des trois groupes, seul le groupe inférieur ne
réussit jamais, même temporairement, à atteindre son
but. Ce serait une exagération que de dire qu'à travers l'histoire il n'y a eu aucun progrès matériel.
Même aujourd'hui, dans une période de déclin, l'être
humain moyen jouit de conditions de vie meilleures
que celles d'il y a quelques siècles. Mais aucune aug-
mentation de richesse, aucun adoucissement des
mœurs, aucune réforme ou révolution n'a jamais
rapproché d'un millimètre l'égalité humaine. Du
point de vue de la classe inférieure, aucun changement historique n'a jamais signifié beaucoup plus
qu'un changement du nom des maîtres.

Vers la fin du dix-neuvième siècle, de nombreux
observateurs se rendirent compte de la répétition
constante de ce modèle de société. Des écoles de penseurs apparurent alors qui interprétèrent l'histoire
comme un processus cyclique et prétendirent démontrer que l'inégalité était une loi inaltérable de la vie
humaine.

Cette doctrine, naturellement, avait toujours eu
des adhérents, mais il y avait un changement signi-
ficatif dans la façon dont elle était mise en avant.
Dans le passé, la nécessité d'une forme hiérarchisée
de société avait été la doctrine spécifique de la classe
supérieure. Elle avait été prêchée par les rois et les
aristocrates, par les prêtres, hommes de loi et autres
qui étaient les parasites des premiers et elle avait
été adoucie par des promesses de compensation dans
un monde imaginaire, par delà la tombe. La classe
moyenne, tant qu'elle luttait pour le pouvoir, avait
toujours employé des termes tels que liberté, justice
et fraternité.

Cependant, le concept de la fraternité humaine

commença à être attaqué par des gens qui n'occupaient pas encore les postes de commande, mais espéraient y être avant longtemps. Anciennement, la classe moyenne avait fait des révolutions sous la bannière de l'égalité, puis avait établi une nouvelle tyrannie dès que l'ancienne avait été renversée. Les nouveaux groupes moyens proclamèrent à l'avance leur tyrannie.

Le socialisme, une théorie qui apparut au début du dix-neuvième siècle et constituait le dernier anneau de la chaîne de pensée qui remontait aux rébellions d'esclaves de l'antiquité, était encore profondément infecté de l'utopie des siècles passés. Mais dans toutes les variantes du socialisme qui apparurent à partir de 1900 environ, le but d'établir la liberté et l'égalité était de plus en plus ouvertement abandonné.

Les nouveaux mouvements qui se firent connaître dans les années du milieu du siècle, l'Angsoc en Océania, le Néo-Bolchevisme en Eurasia, le Culte de la Mort, comme on l'appelle communément, en Estasia, avaient la volonté consciente de perpétuer la non-liberté et l'inégalité.

Ces nouveaux mouvements naissaient naturellement des anciens. Ils tendaient à conserver les noms de ceux-ci et à payer en paroles un hommage à leur idéologie. Mais leur but à tous était d'arrêter le progrès et d'immobiliser l'histoire à un moment choisi. Le balancement familier du pendule devait se produire une fois de plus, puis s'arrêter. Comme d'habitude, la classe supérieure devait être délogée par la classe moyenne qui deviendrait alors la classe supérieure. Mais cette fois, par une stratégie consciente, cette classe supérieure serait capable de maintenir perpétuellement sa position.

Les nouvelles doctrines naquirent en partie grâce à l'accumulation de connaissances historiques et au développement du sens historique qui existait à peine avant le dix-neuvième siècle. Le mouvement cyclique de l'histoire était alors intelligible, ou paraissait l'être, et s'il était intelligible, il pouvait être changé.

Mais la cause principale et sous-jacente de ces doctrines était que, dès le début du vingtième siècle, l'égalité humaine était devenue techniquement possible. Il était encore vrai que les hommes n'étaient pas égaux par leurs dispositions naturelles et que les fonctions devaient être spécialisées en des directions qui favorisaient les uns au détriment des autres. Mais il n'y avait plus aucun besoin réel de distinction de classes ou de différences importantes de richesse.

Dans les périodes antérieures, les distinctions de classes avaient été non seulement inévitables, mais désirables. L'inégalité était le prix de la civilisation. Le cas, cependant, n'était plus le même avec le développement de la production par la machine. Même s'il était encore nécessaire que les êtres humains s'adonnent à des travaux différents, il n'était plus utile qu'ils vivent à des niveaux sociaux ou économiques différents. C'est pourquoi, du point de vue des nouveaux groupes qui étaient sur le point de s'emparer du pouvoir, l'égalité humaine n'était plus un idéal à poursuivre, mais un danger à éviter. Dans les périodes antérieures, quand une société juste et paisible était en fait impossible, il.avait été tout à fait facile d'y croire. L'idée d'un paradis terrestre dans lequel les hommes vivraient ensemble dans un état de fraternité, sans lois et sans travail de brute, a hanté l'imagination humaine pendant des milliers d'années. Cette vision a eu une certaine emprise, même sur les groupes qui profitaient réellement de chaque changement historique.

Les héritiers des révolutions françaises, anglaises et américaines ont, en partie, cru à leurs propres phrases sur les droits de l'homme, la liberté d'expression, l'égalité devant la loi, et leur conduite,

dans une certaine mesure, a même été influencée par
elles.

Mais vers la quatrième décade du vingtième siècle,
tous les principaux courants de la pensée politique
étaient des courants de doctrine autoritaire. Le paradis terrestre avait été discrédité au moment exact où
il devenait réalisable. Toute nouvelle théorie politique, de quelque nom qu'elle s'appelât, ramenait
à la hiérarchie et à l'enrégimentation et, dans le
général durcissement de perspective qui s'établit vers
1930, des pratiques depuis longtemps abandonnées,
parfois depuis des centaines d'années, (emprisonne-
ment sans procès, emploi de prisonniers de guerre
comme esclaves, exécutions publiques, tortures pour
arracher des confessions, usage des otages et dépor-
tation de populations entières) non seulement rede-
vinrent courantes, mais furent tolérées et même défendues par des gens qui se considéraient comme
éclairés et progressistes.

C'est seulement après une décade de guerres inter-
nationales, de guerres civiles, de révolutions et contre-
révolutions dans toutes les parties du monde, que
l'Angsoc et ses rivaux émergèrent sous forme de
théories politiques entièrement précisées. Mais elles
avaient été annoncées par les systèmes divers, généralement nommés totalitaires, qui étaient apparus
plus tôt dans le siècle, et les lignes principales, du
monde qui devait émerger du chaos régnant, étaient
depuis longtemps visibles.

La nouvelle aristocratie était constituée, pour la
plus grande part, de bureaucrates, de savants, de
techniciens, d'organisateurs de syndicats, d'experts
en publicité, de sociologues, de professeurs, de jour-
nalistes et de politiciens professionnels. Ces gens, qui
sortaient de la classe moyenne salariée et des rangs
supérieurs de la classe ouvrière, avaient été formés
et réunis par le monde stérile du monopole indus-
triel et du gouvernement centralisé. Comparés aux

groupes d'opposition des âges passés, ils étaient moins avares, moins tentés par le luxe ; plus avides de puissance pure et, surtout, plus conscients de ce qu'ils faisaient, et plus résolus à écraser l'opposition.

Cette dernière différence était essentielle. En comparaison de ce qui existe aujourd'hui, toutes les tyrannies du passé s'exerçaient sans entrain et étaient inefficientes. Les groupes dirigeants étaient toujours, dans une certaine mesure, contaminés par les idées libérales, et étaient heureux de lâcher partout la bride, de ne considérer que l'acte patent, de se désintéresser de ce que pensaient leurs sujets. L'Eglise catholique du moyen âge elle-même, se montrait tolérante, comparée aux standards modernes.

La raison en est, en partie, que, dans le passé, aucun gouvernement n'avait le pouvoir de maintenir ses citoyens sous une surveillance constante. L'invention de l'imprimerie, cependant, permit de diriger plus facilement l'opinion publique. Le film et la radio y aidèrent encore plus. Avec le développement de la télévision et le perfectionnement technique qui rendit possibles, sur le même instrument, la réception et la transmission simultanées, ce fut la fin de la vie privée.

Tout citoyen, ou au moins tout citoyen assez important pour valoir la peine d'être surveillé, put être tenu vingt-quatre heures par jour sous les yeux de la police, dans le bruit de la propagande officielle, tandis que tous les autres moyens de communication étaient coupés. La possibilité d'imposer, non seulement une complète obéissance à la volonté de l'Etat, mais une complète uniformité d'opinion sur tous les sujets, existait pour la première fois.

Après la période révolutionnaire qui se place entre 1950 et 1969, la société se regroupa, comme toujours, en classe supérieure, classe moyenne et classe inférieure. Mais le nouveau groupe supérieur, contrairement à tous ses prédécesseurs, n'agissait pas seule-

ment suivant son instinct. Il savait ce qui était nécessaire pour sauvegarder sa position.

On avait depuis longtemps reconnu que la seule
base sûre de l'oligarchie est le collectivisme. La
richesse et les privilèges sont plus facilement défendus quand on les possède ensemble. Ce que l'on a
appelé « l'abolition de la propriété privée » signifiait, en fait, la concentration de la propriété entre
beaucoup moins de mains qu'auparavant, mais avec
cette différence que les nouveaux propriétaires formaient un groupe au lieu d'être une masse d'individus.

Aucun membre du Parti ne possède, individuelle-
ment, quoi que ce soit, sauf d'insignifiants objets
personnels. Collectivement, le Parti possède tout en
Océania, car il contrôle tout et dispose des produits
comme il l'entend.

Dans les années qui suivirent la Révolution, il
était possible d'atteindre ce poste de commande
presque sans rencontrer d'opposition, car le système
tout entier était représenté comme un acte de col-
lectivisation. Il avait toujours été entendu que si la
classe capitaliste était expropriée, le socialisme
devait lui succéder et, indubitablement, les capitalistes avaient été expropriés. Manufactures, mines,
terres, maisons, transports, on leur avait tout enlevé,
et puisque ces biens n'étaient plus propriété privée,
il s'ensuivait qu'ils devaient être propriété publique.

L'Angsoc, qui est sorti du mouvement socialiste
primitif et a hérité de sa phraséologie a, en fait,
exécuté le principal article du programme socialiste,
avec le résultat, prévu et voulu, que l'inégalité économique a été rendue permanente.

Mais les problèmes que pose la volonté de rendre
permanente une société hiérarchisée vont plus loin.
Pour un groupe dirigeant, il n'y a que quatre manières de perdre le pouvoir. Il peut, soit être conquis
de l'extérieur, soit gouverner si mal que les masses

se révoltent, soit laisser se former un groupe moyen fort et mécontent, soit perdre sa confiance en lui-même et sa volonté de gouverner.

Ces causes n'opèrent pas seule chacune et, en général, toutes quatre sont présentes à un degré quelconque. Une classe dirigeante qui pourrait se défendre contre tous ces dangers resterait au pouvoir d'une façon permanente. En fin de compte, le facteur décisif est l'attitude mentale de la classe dirigeante elle-même.

Après la moitié du siècle actuel, le premier danger avait en réalité disparu. Chacune des trois puissances qui, maintenant, se partagent le monde, est, en fait, invincible, et ne pourrait ne plus l'être qu'après de lents changements démographiques qu'un gouvernement aux pouvoirs étendus peut aisément éviter.

Le second danger n'est, lui aussi, que théorique. Les masses ne se révoltent jamais de leur propre mouvement, et elles ne se révoltent jamais par le seul fait qu'elles sont opprimées. Aussi longtemps qu'elles n'ont pas d'élément de comparaison, elles ne se rendent jamais compte qu'elles sont opprimées.

Les crises économiques du passé étaient absolument inutiles et on ne les laisse plus se produire, mais d'autres désorganisations également importantes peuvent survenir, et surviennent, sans avoir de résultat politique, car il n'y a aucun moyen de formuler un mécontentement. Quant au problème de la surproduction, qui est latent dans notre société depuis le développement de la technique par la machine, il est résolu par le stratagème de la guerre continue (voir chapitre III) qui sert aussi à amener le moral public au degré nécessaire.

Du point de vue de nos gouvernants actuels, par conséquent, les seuls dangers réels seraient : la scission d'avec les groupes existants d'un nouveau groupe de gens capables, occupant des postes infé-

rieurs à leurs capacités, avides de pouvoir ; le développement du libéralisme et du scepticisme dans leurs
propres rangs.

Le problème est donc un problème d'éducation.
Il porte sur la façon de modeler continuellement, et
la conscience du groupe directeur, et celle du
groupe exécutant plus nombreux qui vient après lui.
La conscience des masses n'a besoin d'être influencée
que dans un sens négatif.

On pourrait de ces données inférer, si on ne la
connaissait déjà, la structure générale de la société
océanienne. Au sommet de la pyramide est placé
Big Brother.

Big Brother est infaillible et tout puissant. Tout
succès, toute réalisation, toute victoire, toute découverte scientifique, toute connaissance, toute sagesse,
tout bonheur, toute vertu, sont considérés comme
émanant directement de sa direction et de son
inspiration. Personne n'a jamais vu Big Brother. Il
est un visage sur les journaux, une voix au télécran.
Nous pouvons, en toute lucidité, être sûrs qu'il ne
mourra jamais et, déjà, il y a une grande incertitude
au sujet de la date de sa naissance. Big Brother est
le masque sous lequel le Parti choisit de se montrer
au monde. Sa fonction est d'agir comme un point de
concentration pour l'amour, la crainte et le respect,
émotions plus facilement ressenties pour un individu
que pour une organisation.

En dessous de Big Brother vient le Parti Intérieur,
dont le nombre est de six millions, soit un peu moins
de deux pour cent de la population de l'Océania. En
dessous du Parti Intérieur vient le Parti Extérieur
qui, si le Parti Intérieur est considéré comme le *cerveau* de l'Etat, peut justement être comparé aux
mains de l'Etat.

Après le Parti Extérieur viennent les masses amor-
phes que nous désignons généralement sous le nom de
prolétaires et qui comptent peut-être quatre-vingt-

cinq pour cent de la population. Dans l'échelle de notre classification, les prolétaires sont placés au degré le plus bas. Les populations esclaves des terres équatoriales, en effet, qui passent constamment d'un conquérant à un autre, ne constituent pas un groupe permanent et nécessaire de la structure générale.

L'appartenance à ces trois groupes n'est, en principe, pas héréditaire. Un enfant d'un membre du Parti Intérieur n'est pas, en théorie, né dans le Parti Intérieur. L'admission à l'une ou l'autre branche du Parti se fait par examen, à l'âge de seize ans.

Il n'y a non plus aucune discrimination sociale ni aucune domination marquée d'une province sur une autre. Aux rangs les plus élevés du Parti, on trouve des Juifs, des nègres, des sud-Américains de pur sang indien, et les administrateurs d'un territoire sont toujours choisis parmi les habitants de ce territoire. Les habitants n'ont, dans aucune partie de l'Océania, le sentiment d'être une population coloniale gouvernée par une lointaine capitale et leur chef titulaire est quelqu'un dont personne ne connaît le siège. Sauf que l'Anglais est sa principale langue courante et le Novlangue sa langue officielle, l'Océania n'est centralisée d'aucune manière. Ses dirigeants ne sont pas unis par les liens du sang, mais par leur adhésion à une doctrine commune.

Il est vrai que notre société est stratifiée, et très rigidement stratifiée, en des lignes qui, à première vue, paraissent être des lignes héréditaires. Il y a beaucoup moins de mouvements de va-et-vient entre les différents groupes qu'il n'y en a eu à l'époque du capitalisme, ou même aux périodes préindustrielles.

Entre les deux branches du Parti, il y a un certain nombre d'échanges, dans la limite où il est nécessaire d'exclure du Parti Intérieur les faibles, et de rendre inoffensifs, en les faisant monter, des membres ambitieux du Parti Extérieur. En pratique, l'accès au grade qui permet de devenir membre du Parti n'est pas ouvert aux prolétaires. Les plus doués, qui pourraient peut-être former des noyaux de mécontents, sont simplement repérés par la Police de la Pensée et éliminés.

Mais cet état de choses n'est pas nécessairement permanent, il n'est pas non plus une question de principe. Le Parti n'est pas une classe, dans le sens ancien du mot. Il ne vise pas à transmettre le pouvoir à ses enfants, parce qu'ils sont ses enfants, et s'il n'y avait pas d'autre moyen de maintenir au sommet les gens les plus capables, il serait parfaitement prêt à recruter une génération entièrement nouvelle dans les rangs du prolétariat.

Pendant les années cruciales, le fait que le Parti n'était pas un corps héréditaire fit beaucoup pour neutraliser l'opposition. Le socialiste d'ancien modèle, qui avait été entraîné à lutter contre le « privilège de classe », supposait que ce qui n'est pas héréditaire ne peut être permanent. Il ne voyait pas que la continuité d'une oligarchie n'a pas besoin d'être physique, il ne s'arrêtait pas non plus à réfléchir que les aristocraties héréditaires n'ont jamais vécu longtemps, tandis que les organisations basées sur l'adoption, comme l'Eglise catholique par exemple, ont parfois duré des centaines ou des milliers d'années.

L'essentiel de la règle oligarchique n'est pas l'héritage de père en fils, mais la persistance d'une certaine vue du monde et d'un certain mode de vie imposée par les morts aux vivants. Un groupe directeur est un groupe directeur aussi longtemps qu'il peut nommer ses successeurs. Le Parti ne s'occupe pas de perpétuer son sang, mais de se perpétuer lui-même. Il n'est pas important de savoir qui détient le pouvoir, pourvu que la structure hiérarchique demeure toujours la même.

Les croyances, habitudes, goûts, émotions, attitudes mentales qui caractérisent notre époque, sont desti-

nés à soutenir la mystique du Parti et à empêcher
que ne soit perçue la vraie nature de la société
actuelle. Une rébellion matérielle, ou un mouvement
préliminaire en vue d'une rébellion, sont actuellement impossibles. Il n'y a rien à craindre des prolétaires. Laissés à eux-mêmes, ils continueront, de
génération en génération et de siècle en siècle, à travailler, procréer et mourir, non seulement sans ressentir aucune tentation de se révolter, mais sans avoir
le pouvoir de comprendre que le monde pourrait être
autre que ce qu'il est. Ils ne deviendraient dangereux
que si le progrès de la technique industrielle exigeait qu'on leur donne une instruction plus élevée.
Mais comme les rivalités militaires et commerciales
n'ont plus d'importance, le niveau de l'éducation
populaire décline. On considère qu'il est indifférent
de savoir quelles opinions les masses soutiennent ou
ne soutiennent pas. On peut leur octroyer la liberté
intellectuelle, car elles n'ont pas d'intelligence. Mais
on ne peut tolérer chez un membre du Parti, le plus
petit écart d'opinion, sur le sujet le plus futile.

De sa naissance à sa mort, un membre du Parti
vit sous l'œil de la Police de la Pensée. Même quand
il est seul, il ne peut jamais être certain d'être réellement seul. Où qu'il se trouve, endormi ou éveillé,
au travail ou au repos, au bain ou au lit, il peut
être inspecté sans avertissement et sans savoir qu'on
l'inspecte. Rien de ce qu'il fait n'est indifférent. Ses
amitiés, ses distractions, son attitude vis-à-vis de sa
femme et de ses enfants, l'expression de son visage
quand il est seul, les mots qu'il marmonne dans son
sommeil, même les mouvements caractéristiques de
son corps, tout est jalousement examiné de près.

Non seulement tout réel méfait, mais toute excentricité, quelque bénigne qu'elle soit, tout changement d'habitude, toute particularité nerveuse qui
pourrait être le symptôme d'une lutte intérieure, sont
détectés à coup sûr. Il n'a, dans aucune direction, la

liberté de choisir. D'autre part, ses actes ne sont pas déterminés par des lois, ou du moins par des lois claires. Les pensées et actions qui, lorsqu'elles sont surprises, entraînent une mort certaine, ne sont pas formellement défendues et les éternelles épurations, les arrestations, tortures, emprisonnements et vaporisations ne sont pas infligés comme punitions pour des crimes réellement commis. Ce sont simplement des moyens d'anéantir des gens qui pourraient peutêtre, à un moment quelconque, dévier.

On exige d'un membre du Parti, non seulement qu'il ait des opinions convenables, mais des instincts convenables. Nombre des croyances et attitudes exigées de lui ne sont pas clairement spécifiées, et ne pourraient être clairement spécifiées sans mettre à nu les contradictions inhérentes à l'Angsoc. S'il est naturellement orthodoxe, (en Novlangue : *bienpensant*), il saura, en toutes circonstances, sans réfléchir, quelle croyance est la vraie, quelle émotion est désirable. Mais en tout cas, l'entraînement mental minutieux auquel il est soumis pendant son enfance, et qui tourne autour des mots Novlangue *arrêtducrime*, *blancnoir*, et *doublepensée*, le rend incapable de réfléchir et de vouloir réfléchir trop profondément.

On attend d'un membre du Parti qu'il n'éprouve aucune émotion d'ordre privé et que son enthousiasme ne se relâche jamais. Il est censé vivre dans une continuelle frénésie de haine contre les ennemis étrangers et les traîtres de l'intérieur, de satisfaction triomphale pour les victoires, d'humilité devant la puissance et la sagesse du Parti. Les mécontentements causés par sa vie nue, insatisfaisante, sont délibérément canalisés et dissipés par des stratagèmes comme les Deux Minutes de la Haine. Les spéculations qui pourraient peut-être amener une attitude sceptique ou rebelle, sont tuées d'avance par la discipline intérieure acquise dans sa jeunesse.

La première et la plus simple phase de la discipline qui peut être enseignée, même à de jeunes
enfants, s'appelle en Novlangue *arrêtducrime*. L'ar-
rêtducrime, c'est la faculté de s'arrêter net, comme
par instinct, au seuil d'une pensée dangereuse. Il
inclut le pouvoir de ne pas saisir les analogies, de
ne pas percevoir les erreurs de logique, de ne pas
comprendre les arguments les plus simples, s'ils sont
contre l'Angsoc. Il comprend aussi le pouvoir
d'éprouver de l'ennui ou du dégoût pour toute suite
d'idées capable de mener dans une direction hérétique. *Arrêtducrime*, en résumé, signifie stupidité
protectrice.

Mais la stupidité ne suffit pas. Au contraire, l'orthodoxie, dans son sens plein, exige de chacun un
contrôle de ses processus mentaux aussi complet que
celui d'un acrobate sur son corps. La société océanienne repose, en fin de compte, sur la croyance que
Big Brother est omnipotent et le Parti infaillible.
Mais comme, en réalité, Big Brother n'est pas omnipotent, et que le Parti n'est pas infaillible, une inlas-
sable flexibilité des faits est à chaque instant nécessaire.

Le mot clef ici est *noirblanc*. Ce mot, comme
beaucoup de mots Novlangue, a deux sens contradictoires. Appliqué à un adversaire, il désigne l'habitude de prétendre avec impudence que le noir est
blanc, contrairement aux faits évidents. Appliqué à
un membre du Parti, il désigne la volonté loyale de
dire que le noir est blanc, quand la discipline du
Parti l'exige. Mais il désigne aussi l'aptitude à *croire*
que le noir est blanc et, plus, à *savoir* que le noir
est blanc, et à oublier que l'on n'a jamais cru autre
chose. Cette aptitude exige un continuel changement du passé, que rend possible le système mental
qui réellement embrasse tout le reste et qui est connu
en Novelangue sous le nom de *doublepensée*.

Le changement du passé est nécessaire pour deux

raisons dont l'une est subsidiaire et, pour ainsi dire,
préventive. Le membre du Parti, comme le prolétaire, tolère les conditions présentes en partie parce
qu'il n'a pas de terme de comparaison. Il doit être
coupé du passé, exactement comme il doit être coupé
d'avec les pays étrangers car il est nécessaire qu'il
croie vivre dans des conditions meilleures que celles
dans lesquelles vivaient ses ancêtres et qu'il pense
que le niveau moyen du confort matériel s'élève
constamment.

Mais la plus importante raison qu'a le Parti de
réajuster le passé est, de loin, la nécessité de sauvegarder son infaillibilité. Ce n'est pas seulement pour
montrer que les prédictions du Parti sont dans tous
les cas exactes, que les discours, statistiques et rapports de toutes sortes doivent être constamment re-
maniés selon les besoins du jour. C'est aussi que le
Parti ne peut admettre un changement de doctrine
ou de ligne politique. Changer de décision, ou même
de politique est un aveu de faiblesse.

Si, par exemple, l'Eurasia ou l'Estasia, peu importe lequel, est l'ennemi du jour, ce pays doit toujours avoir été l'ennemi, et si les faits disent autre
chose, les faits doivent être modifiés. Aussi l'histoire
est-elle continuellement réécrite. Cette falsification
du passé au jour le jour, exécutée par le Ministère
de la Vérité, est aussi nécessaire à la stabilité du
régime que le travail de répression et d'espionnage
réalisé par le Ministère de l'Amour.

La mutabilité du passé est le principe de base de
l'Angsoc. Les événements passés, prétend-on, n'ont
pas d'existence objective et ne survivent que par les
documents et la mémoire des hommes. Mais comme
le Parti a le contrôle complet de tous les documents
et de l'esprit de ses membres, il s'ensuit que le passé
est ce que le Parti veut qu'il soit. Il s'ensuit aussi
que le passé, bien que plastique, n'a jamais, en
aucune circonstance particulière, été changé. Car

lorsqu'il a été recréé dans la forme exigée par le moment, cette nouvelle version, quelle qu'elle soit, est alors le passé et aucun passé différent ne peut avoir jamais existé. Cela est encore vrai même lorsque, comme il arrive souvent, un événement devient méconnaissable pour avoir été modifié plusieurs fois au cours d'une année. Le Parti est, à tous les instants, en possession de la vérité absolue, et l'absolu ne peut avoir jamais été différent de ce qu'il est.

Le contrôle du passé dépend surtout de la discipline de la mémoire. S'assurer que tous les documents s'accordent avec l'orthodoxie du moment n'est qu'un acte mécanique. Il est aussi nécessaire de se *rappeler* que les événements se sont déroulés de la manière désirée. Et s'il faut réajuster ses souvenirs ou altérer des documents, il est alors nécessaire d'*oublier* que l'on a agi ainsi. La manière de s'y prendre peut être apprise comme toute autre technique mentale. Elle est en effet étudiée par la majorité des membres du Parti et, certainement, par tous ceux qui sont intelligents aussi bien qu'orthodoxes. En Novlangue, cela s'appelle *doublepensée,* mais la doublepensée comprend aussi beaucoup d'autres significations.

La doublepensée est le pouvoir de garder à l'esprit simultanément deux croyances contradictoires, et de les accepter toutes deux. Un intellectuel du Parti sait dans quel sens ses souvenirs doivent être modifiés. Il sait, par conséquent, qu'il joue avec la réalité, mais, par l'exercice de la *doublepensée,* il se persuade que la réalité n'est pas violée. Le processus doit être conscient, autrement il ne pourrait être réalisé avec une précision suffisante, mais il doit aussi être inconscient. Sinon, il apporterait avec lui une impresson de falsification et, partant, de culpabilité.

La doublepensée se place au cœur même de l'Angsoc, puisque l'acte essentiel du Parti est d'employer la duperie consciente, tout en retenant la fermeté

d'intention qui va de pair avec l'honnêteté véritable.
Dire des mensonges délibérés tout en y croyant sin-
cèrement, oublier tous les faits devenus gênants puis,
lorsque c'est nécessaire, les tirer de l'oubli pour seulement le laps de temps utile, nier l'existence d'une
réalité objective alors qu'on tient compte de la
réalité qu'on nie, tout cela est d'une indispensable
nécessité.

Pour se servir même du mot doublepensée, il est
nécessaire d'user de la dualité de la pensée, car
employer le mot, c'est admettre que l'on modifie la
réalité. Par un nouvel acte de doublepensée, on
efface cette connaissance, et ainsi de suite indéfiniment, avec le mensonge toujours en avance d'un
bond sur la vérité.

Enfin, c'est par le moyen de la doublepensée que
le Parti a pu et, pour autant que nous le sachions,
pourra, pendant des milliers d'années, arrêter le
cours de l'Histoire.

Toutes les oligarchies du passé ont perdu le pouvoir, soit parce qu'elles se sont ossifiées, soit parce
que leur énergie a diminué. Ou bien elles deviennent
stupides et arrogantes, n'arrivent pas à s'adapter aux
circonstances nouvelles et sont renversées ; ou elles
deviennent libérales et lâches, font des concessions
alors qu'elles devraient employer la force, et sont
encore renversées. Elles tombent, donc, ou parce
qu'elles sont conscientes, ou parce qu'elles sont in-
conscientes.

L'œuvre du Parti est d'avoir produit un système
mental dans lequel les deux états peuvent coexister.
La domination du Parti n'aurait pu être rendue permanente sur aucune autre base intellectuelle. Pour
diriger et continuer à diriger, il faut être capable de
modifier le sens de la réalité. Le secret de la domination est d'allier la foi en sa propre infaillibilité à
l'aptitude à recevoir les leçons du passé.

Il est à peine besoin de dire que les plus subtils

praticiens de la *doublepensée* sont ceux qui l'inven-
tèrent et qui savent qu'elle est un vaste système de
duperie mentale. Dans notre société, ceux qui ont
la connaissance la plus complète de ce qui se passe,
sont aussi ceux qui sont les plus éloignés de voir le
monde tel qu'il est. En général, plus vaste est la
compréhension, plus profonde est l'illusion. Le plus
intelligent est le moins normal.

Le fait que l'hystérie de guerre croît en intensité
au fur et à mesure que l'on monte l'échelle sociale
illustre ce qui précède. Ceux dont l'attitude en face
de la guerre est la plus proche d'une attitude ration-
nelle sont les peuples sujets des territoires disputés.
Pour ces peuples, la guerre est simplement une continuelle calamité qui, comme une vague de fond, va
et vient en les balayant. Il leur est complètement
indifférent de savoir de quel côté est le gagnant. Un
changement de direction veut simplement dire pour
eux le même travail qu'auparavant, pour de nouveaux maîtres qui les traiteront exactement comme
les anciens.

Les travailleurs légèrement plus favorisés que nous
appelons les prolétaires ne sont que par intermittences conscients de la guerre. On peut, quand c'est
nécessaire, exciter en eux une frénésie de crainte et
de haine, mais laissés à eux-mêmes, ils sont capables
d'oublier pendant de longues périodes que le pays
est en guerre.

C'est dans les rangs du Parti, surtout du Parti Intérieur, que l'on trouve le véritable enthousiasme
guerrier. Ce sont ceux qui la savent impossible qui
croient le plus fermement à la conquête du monde.
Cet enchaînement spécial des contraires (savoir et
ignorance, cynisme et fanatisme) est un des principaux traits qui distinguent la société océanienne.
L'idéologie officielle abonde en contradictions, même
quand elles n'ont aucune raison pratique d'exister.

Ainsi, le Parti rejette et diffame tous les principes

qui furent à l'origine du mouvement socialiste, mais
il prétend agir ainsi au nom du socialisme. Il prê-
che, envers la classe ouvrière, un mépris dont, depuis
des siècles, il n'y a pas d'exemple, mais il revêt ses
membres d'un uniforme qui, à une époque, appartenait aux travailleurs manuels, et qu'il a adopté
pour cette raison. Il mine systématiquement la soli-
darité familiale, mais il baptise son chef d'un nom
qui est un appel direct au sentiment de loyauté familiale.

Les noms mêmes des quatre Ministères qui nous
dirigent font ressortir une sorte d'impudence dans le
renversement délibéré des faits. Le Ministère de la
Paix s'occupe de la guerre, celui de la Vérité, des
mensonges, celui de l'Amour, de la torture, celui de
l'Abondance, de la famine. Ces contradictions ne sont
pas accidentelles, elles ne résultent pas non plus
d'une hypocrisie ordinaire, elles sont des exercices
délibérés de doublepensée.

Ce n'est en effet qu'en conciliant des contraires
que le pouvoir peut être indéfiniment retenu. L'ancien cycle ne pouvait être brisé d'aucune autre façon.
Pour que l'égalité humaine soit à jamais écartée,
pour que les grands, comme nous les avons appelés,
gardent perpétuellement leurs places, la condition
mentale dominante doit être la folie dirigée.

Mais il y a une question que nous avons jusqu'ici
presque ignorée. Pourquoi l'égalité humaine doit-
elle être évitée ? En supposant que le mécanisme du
processus ait été exactement décrit, quel est le motif
de cet effort considérable et précis pour figer l'histoire à un moment particulier ?

Nous atteignons ici au secret central. Comme nous
l'avons vu, la mystique du Parti, et surtout du Parti
intérieur, dépend de la doublepensée. Mais c'est plus
profondément que gît le motif originel, l'instinct
jamais discuté qui conduisit d'abord à s'emparer du
pouvoir, puis fit naître la doublepensée, la Police de

la Pensée, la guerre continuelle et tous les autres atti-
rails nécessaires. Ce motif consiste en réalité...

Winston prit conscience du silence, comme on
devient conscient d'un nouveau son. Il lui sembla
que, depuis un moment, Julia était bien immobile.
Elle était couchée sur le côté, nue jusqu'à la taille,
la main sous la joue, et une boucle noire lui tombait
sur les yeux. Sa poitrine se soulevait et s'abaissait
lentement et régulièrement.

— Julia !

Pas de réponse.

— Julia, tu dors ?

Pas de réponse. Elle était endormie. Il ferma le
livre, le déposa soigneusement sur le parquet, se
coucha et tira la couverture sur eux deux.

Il pensa qu'il n'avait pas encore appris l'ultime
secret. Il comprenait *comment*, il ne comprenait pas
pourquoi. Le chapitre I, comme le chapitre III, ne
lui avait en réalité rien appris qu'il ne sût auparavant. Il avait simplement systématisé le savoir qu'il
possédait déjà. Mais après l'avoir lu, sa certitude de
ne pas être fou était plus forte. Il y avait la vérité,
il y avait le mensonge, et si l'on s'accrochait à la
vérité, même contre le monde entier, on n'était pas
fou.

Un rayon jaune et oblique du soleil couchant
entra par la fenêtre et tomba sur l'oreiller. Il ferma
les yeux. Le soleil sur son visage, et le corps lisse
de la fille qui touchait le sien, lui donnaient une
sensation puissante, reposante, de confiance. Il était
en sécurité, tout allait bien. Il s'endormit en mur-
murant : « Il ne peut y avoir de statistique de la
santé mentale », avec l'impression que cette remarque contenait une profonde sagesse.

X

Quand il se réveilla, ce fut avec l'impression d'avoir dormi longtemps, mais un regard à la pendule démodée lui apprit qu'il n'était que vingt-trois heures. Il resta un moment à sommeiller, puis l'habituelle chanson, chantée à pleins poumons, monta de la cour :

Ce n'était qu'un rêve sans espoir,
il passa comme un jour d'avril,
mais un regard et un mot, et les rêves qu'ils éveillent,
tordent encore les fibres de mon cœur !

La ritournelle semblait encore en vogue. On l'entendait par toute la ville. Elle tenait plus longtemps que la chanson de la Haine. Julia se réveilla au bruit, s'étira voluptueusement et sortit du lit.

— J'ai faim, dit-elle. Faisons encore un peu de café. Zut ! Le fourneau s'est éteint et l'eau est froide. » Elle prit le fourneau et le secoua. « Il n'y a plus de pétrole.

— Le vieux Charrington nous en donnera, je pense.

— C'est bizarre, je m'étais assurée qu'il était rempli. » Elle ajouta :

— Je vais m'habiller. Il me semble qu'il fait plus froid.

Winston se leva aussi et s'habilla. La voix infatigable continuait à chanter :

On dit que le temps apaise toute douleur,
on dit que tout peut s'oublier,
mais les sourires et les pleurs, par delà les années,
tordent encore les fibres de mon cœur.

Quand il eut attaché la ceinture de sa combinaison, il alla à la fenêtre. Le soleil devait descendre derrière les maisons. Il n'éclairait plus la cour. Les pavés étaient humides comme s'ils venaient d'être lavés et Winston avait l'impression que le ciel avait été lavé aussi, tellement le bleu était frais et pâle entre les cheminées. La femme, infatigable, allait et venait, s'emplissait la bouche d'épingles, les enlevait, chantait, puis restait silencieuse, épinglait toujours plus de couches, encore et encore.

Il se demanda si elle lavait pour gagner sa vie ou était simplement l'esclave de vingt ou trente petits-enfants. Julia était venue près de lui. Ils regardaient ensemble, avec une sorte de fascination, la robuste silhouette d'en bas. Winston, frappé par l'attitude caractéristique de la femme, bras épais levés pour atteindre la corde, puissante croupe saillante de jument, se rendit compte, pour la première fois, qu'elle était belle. Il ne lui était jamais venu à l'idée que le corps d'une femme de cinquante ans, épanoui en des dimensions monstrueuses par les maternités, puis endurci, rendu rugueux par le travail jusqu'à être d'un grain plus grossier que celui d'un navet trop mûr, pouvait être beau. Mais il était beau. Et, après tout, pourquoi ne le serait-il pas ? Le corps solide et informe, comme un bloc de granit, et la peau rouge et rugueuse, avaient le même rapport avec le corps d'une fille que le fruit de l'églantier avec une rose. Pourquoi le fruit serait-il tenu pour inférieur à la fleur ?

— Elle est belle, murmura-t-il.

— Elle a bien un mètre d'une hanche à l'autre, facilement, dit Julia.

— C'est son style de beauté, répondit Winston.

Il entourait facilement de son bras la souple taille de Julia. De la hanche au genou, son flanc était contre le sien. Aucun enfant ne naîtrait jamais d'eux. C'était la seule chose qu'ils ne pourraient jamais

faire. Ils ne pourraient transmettre le secret, d'un
esprit à l'autre, que par les mots. La femme d'en
bas n'avait pas d'esprit, elle n'avait que des bras
forts, un cœur ardent, un ventre fertile. Il se
demanda à combien d'enfants elle pouvait avoir
donné naissance. Facilement à une quinzaine. Elle
avait eu sa floraison momentanée. Une année, peut-
être, elle avait eu la beauté d'une rose sauvage, puis
elle avait soudain grossi comme un fruit fertilisé et
était devenue dure, rouge et rugueuse. Sa vie s'était
passée à blanchir, brosser, repriser, cuisiner, balayer,
polir, raccommoder, frotter, blanchir, d'abord pour
ses enfants, puis pour ses petits-enfants, pendant
trente ans d'affilée. Au bout des trente ans, elle chantait encore.

Le respect mystique que Winston éprouvait à son
égard était mêlé à l'aspect du ciel pâle et sans nuages
qui s'étendait au loin derrière les cheminées. Winston pensa qu'il était étrange que tout le monde par-
tageât le même ciel, en Estasia et en Eurasia, comme
en Océania. Et les gens qui vivaient sous le ciel
étaient tous semblables. C'était partout, dans le
monde entier, des centaines ou des milliers de millions de gens s'ignorant les uns les autres, séparés
par des murs de haine et de mensonge, et cependant
presque exactement les mêmes, des gens qui n'avaient
jamais appris à penser, mais qui emmagasinaient
dans leurs cœurs, leurs ventres et leurs muscles, la
force qui, un jour, bouleverserait le monde.

S'il y avait un espoir, il était chez les prolétaires.
Sans avoir lu la fin du livre, Winston savait que ce
devait être le message final de Goldstein. L'avenir
appartenait aux prolétaires. Mais pouvait-on être
certain que le monde qu'ils construiraient quand leur
heure viendrait, ne serait pas aussi étranger à lui,
Winston Smith, que le monde du Parti ? Oui, car
ce serait du moins un monde sain. Là où il y a égalité, il peut y avoir santé. Tôt ou tard, la force

deviendrait consciente et agirait. Les prolétaires
étaient immortels. On ne pouvait en douter, quand
on regardait la vaillante silhouette de la cour. A la
fin, l'heure de leur réveil sonnerait. Et jusqu'à ce
moment, même s'il n'arrivait que dans deux mille
ans, ils resteraient vivants, malgré les intempéries,
comme des oiseaux, transmettant d'un corps à l'autre la vitalité que le Parti ne pouvait partager et ne
pouvait tuer.

— Te souviens-tu, demanda-t-il, de la grive qui
chantait pour nous, le premier jour, à la lisière du
bois ?

— Elle ne chantait pas pour nous, répondit Julia,
elle chantait pour se faire plaisir à elle-même. Non,
pas même cela. Elle chantait, tout simplement.

Les oiseaux chantaient, les prolétaires chantaient,
le Parti ne chantait pas. Partout, dans le monde, à
Londres et à New-York, en Afrique et au Brésil et
dans les contrées mystérieuses et défendues par delà
les frontières, dans les rues de Paris et de Berlin,
dans les villages de l'interminable plaine russe, dans
les bazars de la Chine et du Japon, partout se dressait la même silhouette, solide et invincible, monstrueuse à force de travail et d'enfantement, qui peinait de sa naissance à sa mort, mais chantait encore.
De ces reins puissants, une race d'êtres conscients
devait un jour sortir. On était des morts, l'avenir
leur appartenait. Mais on pouvait partager ce futur
en gardant l'esprit vivant comme ils gardaient le
corps et en transmettant la doctrine secrète que deux
et deux font quatre.

— Nous sommes des morts, dit-il.

— Nous sommes des morts, répéta Julia obéis-
sante.

— Vous êtes des morts, dit une voix de fer derrière eux.

Ils se séparèrent brusquement. Winston était glacé
jusqu'aux entrailles. Il pouvait voir, tout autour des

iris, le blanc des yeux de Julia, dont le visage était devenu d'un blanc de lait. La tache de rouge qu'elle avait encore sur chaque joue ressortait crûment, presque comme si elle n'était pas reliée à la peau.

— Vous êtes des morts, répéta la voix de fer.

— Il était derrière le tableau, souffla Julia.

— Il était derrière le tableau, dit la voix. Restez où vous êtes. Ne faites aucun mouvement jusqu'à ce que je vous l'ordonne.

Ça y était, ça y était à la fin. Ils ne pouvaient rien faire que rester debout à se regarder dans les yeux. Se sauver en courant, s'enfuir de la maison avant qu'il fût trop tard, une telle idée ne leur vint pas. On ne pouvait penser à désobéir à la voix de fer qui venait du mur. Il y eut un claquement, comme si un loquet avait été tourné et un bruit de verre cassé. Le tableau était tombé sur le parquet, découvrant le télécran.

— Maintenant, ils peuvent nous voir, dit Julia.

— Maintenant, nous pouvons vous voir, dit la voix. Debout au milieu de la chambre. Dos à dos. Les mains croisées derrière la tête. Sans vous toucher.

Ils ne se touchaient pas. Mais il semblait à Winston qu'il pouvait sentir trembler le corps de Julia. Ou peut-être était-ce le tremblement du sien. Il pouvait à peine empêcher ses dents de claquer. Ses genoux, eux, échappaient à sa volonté. Il y avait en bas, à l'intérieur et à l'extérieur de la maison, un bruit de bottes. La cour paraissait pleine d'hommes. Le chant de la femme s'était brusquement arrêté. Il y eut un long bruit de roulement, comme si le baquet avait été lancé à travers la cour, puis une confusion de cris de colère qui se termina par un cri de douleur.

— La maison est cernée, dit Winston.

— La maison est cernée, dit la voix.

Il entendit Julia serrer les dents. « Je suppose que nous ferions aussi bien de nous dire adieu », dit-elle.

— Vous feriez aussi bien de vous dire adieu, dit
la voix.

Alors, une autre voix, tout à fait différente, la
voix claire d'un homme cultivé, que Winston eut
l'impression d'avoir déjà entendue, intervint : « Et
à propos, pendant que nous en sommes à ce sujet,
voici une chandelle pour aller vous coucher, voici
un couperet pour couper votre tête ! »

Quelque chose s'écrasa sur le lit, derrière Winston. Le haut d'une échelle avait été poussé à travers
la fenêtre et avait fait tomber le cadre. Quelqu'un
grimpait par là. On entendit le bruit des bottes qui
montaient l'escalier. La pièce fut remplie d'hommes
solides, en uniforme noir, chaussés de bottes ferrées
et munis de matraques.

Winston ne tremblait plus. Il bougeait à peine,
même les yeux. Une seule chose comptait, rester immobile ; rester immobile et ne pas leur fournir de
prétexte pour vous battre. Un homme à la mâchoire
de boxeur, dont la bouche ne formait qu'un trait,
s'arrêta devant lui en balançant pensivement sa
matraque entre le pouce et l'index. Winston rencon-
tra son regard. L'impression de nudité qu'il ressentait, avec les mains derrière la tête et le visage et
le corps exposés tout entiers, était presque insupportable. L'homme sortit un bout de langue blanche,
lécha l'endroit où auraient dû se trouver ses lèvres,
puis passa. Il y eut un nouveau fracas. Quelqu'un
avait pris sur la table le presse-papier de verre et le
réduisait en miettes contre la pierre du foyer.

Le fragment de corail, une fleur minuscule et
plissée, comme un bouton de rose en sucre sur un
gâteau, roula sur le tapis. Combien, pensa Winston,
combien il avait toujours été petit ! Il y eut un halètement et le bruit d'un coup derrière lui et il reçut
sur la jambe un violent coup de pied qui lui fit
presque perdre l'équilibre. Un des hommes avait
lancé à Julia un coup de poing en plein plexus

solaire qui l'avait fait se plier en deux comme une
règle de poche. Etendue sur le parquet, elle s'efforçait de retrouver son souffle. Winston n'osa tourner
la tête, même d'un millimètre, mais le visage livide,
haletant, venait parfois dans l'angle de sa vision.
Même à travers sa terreur, il lui semblait sentir la
douleur dans son propre corps, la douleur mortelle
qui était cependant moins urgente que la lutte pour
reprendre son souffle. Il savait ce qu'elle devait ressentir, la souffrance terrible, torturante, qui ne vous
quitte pas, mais à laquelle on ne peut penser encore,
car il est nécessaire avant tout de pouvoir respirer.

Deux des hommes la saisirent par les genoux et les
épaules et l'emportèrent hors de la pièce, comme un
sac. Winston entrevit rapidement son visage, retourné
vers le bas, jaune et contorsionné, les yeux fermés,
une tache rouge sur chaque joue. Et c'est la dernière
vision qu'il eut d'elle.

Il était debout, immobile comme un mort. Personne ne l'avait encore frappé. Des pensées qui
venaient d'elles-mêmes, mais qui paraissaient absolument sans intérêt, commencèrent à lui traverser l'esprit. Il se demanda si on avait pris M. Charrington.
Il se demanda ce qu'on avait fait à la femme de la
cour. Il remarqua qu'il avait une forte envie d'uriner et s'en étonna, car il n'y avait que deux ou trois
heures qu'il avait uriné. Il vit que l'aiguille de la
pendule indiquait le chiffre neuf, ce qui signifiait
vingt et une heures. Mais la lumière semblait trop
vive. Est-ce qu'à vingt et une heures la lumière ne
diminuait pas, par les soirs d'août ? Il se demanda
si, après tout, Julia et lui ne s'étaient pas trompés
d'heure, s'ils n'avaient pas dormi pendant que l'aiguille faisait le tour du cadran, et pensé qu'il était
vingt-trois heures alors qu'en réalité on était au lendemain matin neuf heures. Mais il ne suivit pas plus
loin le fil de cette idée. Ce n'était pas intéressant.

Il y eut sur le palier un pas plus léger. M. Char-

rington entra. Le maintien des hommes en uniforme
noir se fit soudain plus modéré. L'aspect de M. Charrington avait aussi changé.

— Ramassez ces morceaux, dit-il brièvement.

Un homme se baissa pour obéir. L'accent faubou-
rien avait disparu. Winston comprit soudain quelle
voix il avait entendue au télécran il y avait quelques
minutes. M. Charrington portait encore sa vieille
jaquette de velours, mais ses cheveux, qui avaient
été presque blancs, étaient devenus noirs. Il ne portait pas non plus de lunettes. Il lança un seul coup
d'œil aigu à Winston, comme pour vérifier son identité, puis ne fit plus attention à lui. Il était reconnaissable, mais il n'était plus le même individu. Son
corps s'était redressé et semblait avoir grossi. Son
visage n'avait subi que de minuscules modifications,
mais elles avaient opéré une transformation complète. Les sourcils noirs étaient moins touffus, les
rides étaient effacées, toutes les lignes du visage semblaient avoir changé. Même le nez semblait plus
court. C'était le visage froid et vigilant d'un homme
d'environ trente-cinq ans. Winston pensa que, pour
la première fois de sa vie, il regardait, en connaissance de cause, un membre de la Police de la Pensée.

TROISIÈME PARTIE

Winston ignorait où il se trouvait. Probablement au Ministère de l'Amour, mais il n'y avait aucun moyen de s'en assurer. Il était dans une cellule au plafond élevé, sans fenêtres, aux murs blancs de porcelaine brillante. Des lampes dissimulées l'emplissaient d'une froide lumière et Winston entendait un bourdonnement lent et continu qui, pensa-t-il, avait probablement un rapport avec la fourniture de l'air. Un banc, qui était une sorte d'étagère juste assez large pour s'asseoir, faisait le tour de la pièce, coupé seulement par la porte et, au fond de la pièce, par un seau hygiénique qui n'avait pas de siège en bois.

Il y avait quatre télécrans, un dans chaque mur. Winston sentait au ventre une douleur sourde. Elle ne l'avait pas quitté depuis qu'on l'avait jeté dans un fourgon fermé et emporté. Mais il avait faim aussi, une sorte de faim malsaine qui le rongeait. Il pouvait y avoir vingt-quatre heures qu'il n'avait mangé, peut-être trente-six. Il ne savait toujours pas, et probablement ne saurait jamais, si c'était le matin ou le soir qu'on l'avait arrêté. Depuis son arrestation, il n'avait rien eu à manger.

Il était assis, les mains croisées sur les genoux, aussi immobile qu'il le pouvait, sur le banc étroit

Il avait déjà appris à rester assis sans bouger. Quand il faisait. un mouvement inattendu, on criait sur lui, du télécran. Mais son désir de nourriture augmentait et le dominait. Ce qu'il désirait par-dessus tout, c'était un morceau de pain. Il avait dans l'idée qu'il y avait quelques miettes de pain dans la poche de sa combinaison. Il était même possible — il le pensait parce que de temps en temps quelque chose semblait lui chatouiller la jambe, — qu'il y eut là un morceau de croûte qu'il pourrait saisir. A la fin, la tentation de s'en assurer l'emporta sur sa crainte. Il glissa une main dans sa poche.

— Smith ! glapit une voix au télécran. 6079 Smith W ! Dans les cellules, les mains doivent rester hors des poches !

Il s'immobilisa de nouveau, les mains croisées sur les genoux. Avant d'être amené là, il avait été conduit à un autre endroit qui devait être une prison ordinaire ou un cachot temporaire employé par les patrouilles. Il ne savait pas combien de temps il y était resté. Quelques heures, de toute façon. Sans pendule et sans lumière solaire, il est difficile d'évaluer le temps.

C'était un endroit bruyant, qui sentait mauvais. Il avait été placé dans une cellule analogue à celle où il se trouvait actuellement, mais qui était ignoblement sale et toujours remplie de dix ou quinze personnes. C'étaient, en majorité, des criminels ordinaires, mais, parmi eux, il y avait quelques prisonniers politiques.

Il était resté assis, silencieux, adossé au mur, bousculé par des corps sales, trop préoccupé par sa peur et son mal au ventre pour s'intéresser beaucoup à ce qui l'entourait. Il avait cependant noté l'étonnante différence entre le maintien des prisonniers du Parti et celui des autres. Les prisonniers du Parti étaient toujours silencieux et terrifiés, mais les criminels ordinaires ne semblaient avoir peur de personne. Ils vociféraient des insultes à l'adresse des gardes, luttaient férocement quand leurs effets étaient saisis, écrivaient des mots obscènes sur le parquet, mangeaient de la nourriture passée en fraude qu'ils tiraient de mystérieuses cachettes dans leurs vêtements, criaient même contre le télécran quand il essayait de restaurer l'ordre. Quelques-uns semblaient en bons termes avec les gardes, les appelaient par des surnoms et essayaient, par des cajoleries, de se faire passer des cigarettes par le trou d'espion de la porte. Les gardes, aussi, montraient envers les criminels ordinaires une certaine indulgence, même quand ils devaient les traiter durement. On parlait beaucoup des camps de travaux forcés ou de nombreux prisonniers s'attendaient à être envoyés. Tout allait « très bien » dans les camps, aussi longtemps que l'on avait de bonnes relations et que l'on connaissait les ficelles. Il y avait la corruption, le favoritisme et les dissipations de toutes sortes, il y avait l'homosexualité et la prostitution, il y avait même l'alcool illicite obtenu par la distillation des pommes de terre. On ne donnait les postes de confiance qu'aux criminels communs, spécialement aux gangsters et aux meurtriers qui formaient une sorte d'aristocratie. Toutes les besognes rebutantes étaient faites par les criminels politiques.

Il y avait un va-et-vient constant de prisonniers de tous modèles : colporteurs de drogues, voleurs, bandits, vendeurs du marché noir, ivrognes, prostituées. Quelques-uns des ivrognes étaient si violents que les autres prisonniers devaient s'unir pour les maîtriser.

Une femme énorme, épave d'environ soixante ans, aux grandes mamelles ballottantes, aux épaisses boucles de cheveux blancs défaits, fut apportée hurlante et frappant du pied par quatre gardes qui la tenaient chacun par un bout. Ils lui arrachèrent les bottes avec lesquelles elle avait essayé de les frapper et la jetèrent dans le giron de Winston qui en eut les fémurs presque brisés. La femme se redressa et les poursuivit de cris de « sales bâtards ! ». Remarquant alors qu'elle était assise sur quelque chose qui n'était pas plat, elle glissa des genoux de Winston sur le banc.

— Pardon, chéri, dit-elle. Je m' serais pas assise sur toi, c'est ces animaux qui m'ont mis là. Ils savent pas traiter les dames, pas ? » Elle s'arrêta, se tapota la poitrine et rota. « Pardon, dit-elle. J' suis pas tout à fait dans mon assiette. »

Elle se pencha en avant et vomit copieusement sur le parquet.

— Ça va mieux, dit-elle en se rejetant en arrière, les yeux fermés. Faut jamais garder ça, je t' dis. Faut le sortir pendant qu' c'est comme frais sur l'estomac.

Elle reprenait vie. Elle se tourna pour jeter un autre regard à Winston et parut se toquer immédiatement de lui. Elle entoura l'épaule de Winston de son bras énorme et l'attira à elle, lui soufflant au visage une odeur de bière et de vomissure.

— Comment qu' tu t'appelles, chéri ? demanda-t-elle.

— Smith, répondit Winston.

— Smith ? répéta la femme. Ça c'est drôle. J' m'appelle Smith aussi. Eh ! bien, ajouta-t-elle avec sentiment, j' pourrais être ta mère !

Elle pourrait être ma mère, pensa Winston. Elle avait à peu près l'âge et le physique voulus et il était probable que les gens changeaient quelque peu après vingt ans de travaux forcés.

Personne d'autre ne lui avait parlé. Les criminels ordinaires ignoraient dans une surprenante mesure les prisonniers du Parti. Ils les appelaient « les Polits » avec une sorte de mépris indifférent. Les prisonniers du Parti paraissaient terrifiés de parler à qui que ce soit et, surtout, de se parler entre eux. Une fois seulement, alors que deux membres du Parti, deux femmes, étaient serrées l'une contre

l'autre sur le banc, il surprit, dans le vacarme des
voix, quelques mots rapidement chuchotés et, en
particulier, une allusion à quelque chose appelé
« salle un-ho-un », qu'il ne comprit pas.

Il pouvait y avoir deux ou trois heures qu'on
l'avait apporté là. La douleur sourde de son ventre
était continuelle, mais parfois elle s'atténuait, parfois elle empirait, et le champ de sa pensée s'étendait ou se rétrécissait suivant le même rythme. Quand
elle augmentait, il ne pensait qu'à la douleur elle-
même et à son besoin de nourriture. Quand elle
s'atténuait, il était pris de panique. Il y avait des
moments où il imaginait ce qui devait lui arriver
avec une telle intensité, que son cœur battait au
galop et que sa respiration s'arrêtait. Il sentait les
coups de matraque sur ses épaules et de bottes ferrées sur ses tibias. Il se voyait lui-même rampant sur
le sol et criant grâce de sa bouche aux dents cassées.
Il pensait à peine à Julia. Il ne pouvait fixer son
esprit sur elle.

Il l'aimait et ne la trahirait pas, mais ce n'était
qu'un fait, qu'il connaissait ; comme il connaissait
les règles de l'arithmétique. Il ne sentait aucun
amour pour elle et se demandait même à peine ce
qu'elle devenait. Il pensait plus souvent à O'Brien,
avec un espoir vacillant. O'Brien devait savoir qu'il
avait été arrêté. La Fraternité, avait-il dit, n'essayait
jamais de sauver ses membres. Mais il y avait la
lame de rasoir. On lui enverrait une lame de rasoir
si on pouvait. Il y aurait peut-être cinq secondes
avant que les gardes puissent se précipiter dans la
cellule. La lame lui mordrait la chair avec une froi-
deur brûlante et les doigts mêmes qui la tenaient
seraient coupés jusqu'à l'os.

Tout revenait à son corps malade qui se recroque-
villait en tremblant devant la moindre souffrance. Il
n'était pas certain de pouvoir se servir de la lame
de rasoir, même s'il en avait l'occasion. Il était plus

naturel de vivre chaque moment en acceptant dix
minutes supplémentaires d'existence même avec la
certitude que la torture était au bout.

Il essayait parfois de compter le nombre de car-
reaux de porcelaine des murs de la cellule. Cela
aurait été facile s'il n'en perdait toujours le compte
à un point ou à un autre. Il se demandait plus souvent où et à quelle heure du jour il se trouvait. Parfois, il avait la certitude qu'il faisait grand jour au
dehors. L'instant suivant, il était également certain
qu'il faisait un noir d'encre. Il sentait instinctivement qu'en ce lieu la lumière ne serait jamais éteinte.
C'était l'endroit où il n'y avait pas d'obscurité. Il
comprenait maintenant pourquoi O'Brien avait semblé reconnaître l'allusion. Au Ministère de l'Amour,
il n'y avait pas de fenêtres. Sa cellule pouvait être
au cœur de l'édifice ou contre le mur extérieur. Elle
pouvait se trouver dix étages sous le sol ou trente
au-dessus. Il se déplaçait lui-même mentalement d'un
lieu à un autre et essayait de déterminer par ses
sensations s'il était haut perché dans l'air ou profondément enterré.

Il y eut au dehors un piétinement de bottes. La
porte d'acier s'ouvrit avec un son métallique. Un
jeune officier, luisant de cuir verni, nette silhouette
en uniforme noir dont le visage pâle, aux traits précis, était comme un masque de cire, entra rapidement. Il ordonna aux gardes d'amener le prisonnier
qu'ils conduisaient. Le poète Ampleforth se traîna
dans la cellule. La porte se referma avec le même
bruit métallique.

Il fit un ou deux mouvements incertains à droite et
à gauche, comme s'il pensait qu'il y eût une autre
porte pour s'en aller, puis il se mit à marcher dans
la cellule de long en large. Il n'avait pas encore
remarqué la présence de Winston. Ses yeux troubles
étaient fixés sur le mur à un mètre environ au-dessus
du niveau de la tête de Winston. Il n'avait pas de

chaussures. Des orteils longs et sales passaient par les trous de ses chaussettes. Il y avait aussi plusieurs jours qu'il ne s'était rasé. Une barbe drue lui couvrait le visage jusqu'aux pommettes et lui donnait un air apache qui ne s'harmonisait pas avec sa grande carcasse faible et ses mouvements nerveux.

Winston se réveilla un peu de sa léthargie. Il fallait parler à Ampleforth et risquer le glapissement du télécran. Ampleforth était peut-être même porteur de la lame de rasoir.

— Ampleforth ! dit-il.

Il n'y eut pas de cris au télécran. Ampleforth s'arrêta avec un faible sursaut. Son regard se posa lentement sur Winston.

— Ah ! Smith ! dit-il. Vous aussi !

— Pourquoi vous a-t-on mis dedans ?

— Pour vous dire la vérité... » Il s'assit gauchement sur le banc en face de Winston. « Il n'y a qu'un crime, n'est-ce pas ? dit-il.

— Et vous l'avez commis ?

— Apparemment.

Il se posa la main sur le front et se pressa les tempes un moment comme s'il essayait de rappeler ses souvenirs.

— Ce sont des choses qui arrivent, commença-t-il vaguement. J'ai pu trouver une raison, une raison possible, ce qui est sans doute une indiscrétion. Nous sortions une édition définitive des poèmes de Kipling. J'ai laissé le mot « God » à la fin d'un vers. Je ne pouvais faire autrement, ajouta-t-il presque avec indignation en relevant le visage pour regarder Winston. Il était impossible de changer le vers. La rime était « rod ». Savez-vous qu'il n'y a que douze rimes en « rod » dans toute la langue ? Je me suis raclé les méninges pendant des jours, il n'y avait pas d'autre rime.

L'expression de son visage changea. Son air contrarié disparut et il parut un moment presque content. Une sorte de chaleur intellectuelle, la joie du pédant qui a découvert un fait inutile, brilla à travers sa barbe sale et emmêlée.

— Vous êtes-vous jamais rendu compte, demanda-t-il, que toute l'histoire de la poésie anglaise a été déterminée par le fait que la langue anglaise manque de rimes ?

Non. Cette idée particulière n'était jamais venue à Winston. Vues les circonstances, elle ne le frappa d'ailleurs pas comme particulièrement importante ou intéressante.

— Savez-vous quelle heure il est ? demanda-t-il.

Ampleforth parut de nouveau surpris. « J'y ai à peine pensé, dit-il. Ils m'ont arrêté... il y a peut-être deux jours, ou trois. » Son regard fit rapidement le tour des murs, comme s'il s'attendait à trouver une fenêtre quelque part. « Ici, il n'y a aucune différence entre la nuit et le jour. Je ne vois pas comment on peut calculer l'heure ici. »

Ils causèrent à bâtons rompus pendant quelques minutes puis, sans raison apparente, un glapissement du télécran leur ordonna de rester silencieux. Winston demeura calmement assis, les mains croisées. Ampleforth, trop grand pour être à son aise sur le banc étroit, se tournait et se retournait, les mains jointes tantôt autour d'un genou, tantôt autour de l'autre. Le télécran lui aboya de se tenir immobile. Le temps passait. Vingt minutes, une heure, il était difficile d'en juger. Une fois encore, il y eut un bruit de bottes à l'extérieur. Les entrailles de Winston se contractèrent. Bientôt, bientôt, peut-être dans cinq minutes, peut-être tout de suite, le piétinement des bottes signifierait que son tour était venu.

La porte s'ouvrit. Le jeune officier au visage glacé entra dans la cellule. D'un bref mouvement de la main, il indiqua Ampleforth.

— Salle 101, dit-il.

Ampleforth sortit lourdement entre les gardes, le visage vaguement troublé, mais incompréhensif.

Un long moment, sembla-t-il, passa. La douleur s'était ravivée au ventre de Winston. Son esprit allait à la dérive autour de la même piste, comme une balle qui retomberait toujours dans la même série d'encoches. Il n'avait que six pensées : la douleur au ventre, un morceau de pain, le sang et les hurlements, O'Brien, Julia, la lame de rasoir. Un nouveau spasme lui tordit les entrailles, les lourdes bottes approchaient.

Quand la porte s'ouvrit, le courant d'air fit pénétrer une puissante odeur de sueur refroidie. Parsons entra dans la cellule. Il portait un short kaki et une chemise de sport.

Cette fois, Winston fut surpris jusqu'à s'oublier.

— Vous ici ! dit-il.

Parsons lui lança un coup d'œil qui n'indiquait ni intérêt ni surprise mais seulement de la souffrance. Il se mit à arpenter la pièce d'une démarche saccadée, incapable évidemment de rester immobile. Chaque fois qu'il redressait ses genoux rondelets, on les voyait trembler. Ses yeux écarquillés avaient un regard fixe, comme s'il ne pouvait s'empêcher de regarder quelque chose au loin.

— Pourquoi êtes-vous ici ? demanda Winston.

— Crime-par-la-pensée ! répondit Parsons, presque en pleurnichant. Le son de sa voix impliquait tout de suite un aveu complet de sa culpabilité et une sorte d'horreur incrédule qu'un tel mot pût lui être appliqué. Il s'arrêta devant Winston et se mit à en appeler à lui avec véhémence.

— Vous ne pensez pas qu'on va me fusiller, vieux ? On ne fusille pas quelqu'un qui n'a pas réellement fait quelque chose ? Seulement des idées, qu'on ne peut empêcher de venir. Je sais qu'ils donnent un bon avertissement. Oh ! J'ai confiance en eux pour cela ! Mais ils tiendront compte de mes services,

n'est-ce pas ? Vous savez quel sorte de type j'étais.
Pas un mauvais bougre, dans mon genre. Pas intellectuel, bien sûr, mais adroit. J'essayais de faire de
mon mieux pour le Parti, n'est-ce pas ? Je m'en
tirerai avec cinq ans, ne croyez-vous pas ? Ou peut-
être dix ans ? Un type comme moi peut se rendre
assez utile dans un camp de travail. Ils ne me tueront
pas pour avoir laissé le droit chemin juste une fois ?

— Etes-vous coupable ? demanda Winston.

— Bien sûr, je suis coupable ! cria Parsons avec
un coup d'œil servile au télécran. Vous ne pensez
pas que le Parti arrêterait un innocent, n'est-ce pas ?

Son visage de grenouille se calma et prit même une
légère expression de dévotion hypocrite.

— Le crime-par-la-pensée est une terrible chose,
vieux, dit-il sentencieusement. Il est insidieux. Il
s'empare de vous sans que vous le sachiez. Savez-
vous comme il s'est emparé de moi ? Dans mon sommeil. Oui, c'est un fait. J'étais là, à me surmener, à
essayer de faire mon boulot, sans savoir que j'avais
dans l'esprit un mauvais levain. Et je me suis mis à
parler en dormant. Savez-vous ce qu'ils m'ont
entendu dire ?

Il baissa la voix, comme quelqu'un obligé, pour
des raisons médicales, de dire une obscénité.

— A bas Big Brother ! Oui, j'ai dit cela ! Et je
l'ai répété mainte et mainte fois, paraît-il. Entre
nous, je suis content qu'ils m'aient pris avant que
cela aille plus loin. Savez-vous ce que je leur dirai
quand je serai devant le tribunal ? Merci, vais-je
dire, merci de m'avoir sauvé avant qu'il soit trop
tard.

— Qui vous a dénoncé ? demanda Winston.

— C'est ma petite fille, répondit Parsons avec une
sorte d'orgueil mélancolique. Elle écoutait par le
trou de la serrure. Elle a entendu ce que je disais et,
dès le lendemain, elle filait chez les gardes. Fort,
pour une gamine de sept ans, pas ? Je ne lui en

garde aucune rancune. En fait, je suis fier d'elle. Cela montre en tout cas que je l'ai élevée dans les bons principes.

Il fit encore quelques pas de long en large d'une démarche saccadée et jeta plusieurs fois un coup d'œil d'envie à la cuvette hygiénique puis soudain, il baissa son short et se mit nu.

— Pardon, vieux, dit-il. Je ne peux m'en empêcher. C'est l'attente.

Il laissa tomber son lourd postérieur sur la cuvette. Winston se couvrit le visage de ses mains.

— Smith ! glapit la voix du télécran. 6079 Smith W ! Découvrez votre figure. Pas de visages couverts dans les cellules !

Winston se découvrit le visage. Parsons se servit de la cuvette bruyamment et abondamment. Il se trouva que la bonde était défectueuse, et la cellule pua largement pendant des heures.

Parsons fut emmené. D'autres prisonniers vinrent et repartirent, mystérieusement. L'une, une femme, fut envoyée dans la « Salle 101 » et Winston remarqua qu'elle parut se ratatiner et changer de couleur quand elle entendit ces mots.

Il vint un moment où, s'il avait été amené un matin, ce devait être l'après-midi. Mais s'il avait été amené l'après-midi, ce devait être minuit. Il y avait dans la cellule six prisonniers, hommes et femmes. Tous étaient assis immobiles. En face de Winston, se trouvait un homme au visage sans menton, tout en dents, exactement comme un gros rongeur inoffensif. Ses joues grasses et tachetées étaient si gonflées à la base qu'on pouvait difficilement ne pas imaginer qu'il avait, rangées là, de petites réserves de nourriture. Ses pâles yeux gris erraient timidement d'un visage à l'autre et se détournaient rapidement quand ils rencontraient un regard.

La porte s'ouvrit, et un autre prisonnier, dont l'aspect fit frissonner Winston, fut introduit. C'était un homme ordinaire, d'aspect misérable, qui pouvait avoir été un ingénieur ou un technicien quelconque. Mais ce qui surprenait, c'était la maigreur de son visage. Il était comme un squelette. La bouche et les yeux, à cause de sa minceur, semblaient d'une largeur disproportionnée et les yeux paraissaient pleins d'une haine meurtrière, inapaisable, contre quelqu'un ou quelque chose.

L'homme s'assit sur le banc à peu de distance de Winston. Winston ne le regarda plus, mais le visage squelettique et tourmenté était aussi vivant dans son esprit que s'il l'avait eu sous les yeux. Il comprit soudain de quoi il s'agissait. L'homme mourait de faim. La même pensée sembla frapper en même temps tout le monde dans la cellule. Tout autour de la pièce, il y eut un faible mouvement sur le banc. Les yeux de l'homme sans menton ne cessaient de se diriger vers l'homme au visage de squelette et de se détourner d'un air coupable puis, cédant à une irrésistible attraction, de revenir à l'homme. Il commença par s'agiter sur son siège. A la fin il se leva, traversa la cellule d'une démarche lourde de canard, fouilla dans la poche de sa combinaison et, d'un air confus, tendit à l'homme au visage de squelette un morceau de pain sale.

Il y eut au télécran un hurlement furieux et assourdissant. L'homme sans menton revint en bondissant sur ses pas. L'homme au visage de squelette avait rapidement lancé ses mains en arrière, comme pour montrer au monde entier qu'il refusait le don.

— Bumstead ! hurla la voix. 2713 Bumstead ! Laissez tomber le morceau de pain.

L'homme sans menton laissa tomber le bout de pain sur le sol.

— Restez debout là où vous êtes, reprit la voix. Face à la porte. Ne faites aucun mouvement.

L'homme sans menton obéit. Ses larges joues gonflées tremblaient irrésistiblement. La porte s'ouvrit

avec un claquement. Le jeune officier entra et se
plaça de côté. Derrière lui émergea un garde court
et trapu, aux bras et aux épaules énormes. Il s'arrêta
devant l'homme sans menton puis, à un signal de
l'officier, laissa tomber un terrible coup, renforcé
de tout le poids de son corps, en plein sur la bouche
de l'homme sans menton. La force du coup sembla,
en l'assommant, presque le vider du parquet. Son
corps fut lancé à travers la cellule et s'arrêta contre
la cuvette du water. Il resta un moment étendu,
comme anéanti, tandis que du sang, d'un rouge foncé,
lui sortait de la bouche et du nez. Il poussa un très
faible gémissement ou glapissement, qui semblait
inconscient. Puis il se tourna et se releva en trébuchant sur les mains et les genoux. Dans un ruisseau
de sang et de salive, les deux moitiés d'un dentier
lui tombèrent de la bouche.

Les prisonniers étaient restés assis, absolument
immobiles, les mains croisées sur les genoux.
L'homme sans menton grimpa jusqu'à sa place. Au
bas d'un côté de son visage, la chair devenait bleue.
Sa bouche s'était enflée en une masse informe couleur cerise, creusée en son milieu d'un trou noir. De
temps en temps, un peu de sang coulait goutte à
goutte sur le haut de sa combinaison. Le regard de
ses yeux gris flottait encore d'un visage à l'autre d'un
air plus coupable que jamais, comme s'il essayait de
découvrir jusqu'à quel point les autres le mépri-
saient pour l'humiliation qu'on lui avait infligée.

La porte s'ouvrit. D'un geste bref, l'officier dési-
gna l'homme au visage de squelette.

— Salle 101, dit-il.

Il y eut un halètement et une agitation à côté de
Winston. L'homme s'était jeté sur le parquet à
genoux et les mains jointes.

— Camarade officier ! cria-t-il. Vous n'allez pas
me conduire là ? Est-ce que je ne vous ai pas déjà
tout dit ? Que voulez-vous savoir d'autre ? Il n'y a

rien que je ne veuille vous confesser, rien ! Dites-
moi seulement ce que vous voulez, je le confesserai
tout de suite ! Ecrivez-le et je signerai n'importe
quoi ! Pas la salle 101 !

— Salle 101, répéta l'officier.

Le visage de l'homme, déjà très pâle, prit une
teinte que Winston n'aurait pas crue possible. C'était,
d'une manière précise, indubitable, une nuance
verte.

— Faites-moi n'importe quoi, cria-t-il. Vous
m'avez affamé pendant des semaines. Finissez-en et
laissez-moi mourir. Fusillez-moi, pendez-moi. Con-
damnez-moi à vingt-cinq ans. Y a-t-il quelqu'un d'autre que vous désiriez que je trahisse ? Dites seulement qui c'est et je dirai tout ce que vous voudrez.
Cela m'est égal, qui c'est, et ce que vous lui ferez
aussi. J'ai une femme et trois enfants. L'aîné n'a pas
six ans. Vous pouvez les prendre tous et leur couper
la gorge sous mes yeux, je resterai là et je regarderai.
Mais pas la salle 101 !

— Salle 101 ! dit l'officier.

L'homme, comme un fou, regarda les autres
autour de lui, comme s'il pensait qu'il pourrait mettre à sa place une autre victime. Ses yeux s'arrêtèrent
sur le visage écrasé de l'homme sans menton. Il
tendit un bras maigre.

— C'est celui-là que vous devez prendre, pas moi !
cria-t-il. Vous n'avez pas entendu, quand on lui a
défoncé la gueule, ce qu'il a dit. Donnez-moi une
chance et je vous le répéterai mot pour mot. C'est
lui qui est contre le Parti, pas moi !

Les gardes s'avancèrent. La voix de l'homme s'éleva
et devint déchirante. « Vous ne l'avez pas entendu !
répéta-t-il. Le télécran ne marchait pas. C'est lui,
votre homme ! Prenez-le, pas moi ! »

Les deux robustes gardes s'étaient arrêtés pour le
prendre par les bras, mais il se jeta sur le parquet
et s'agrippa à l'un des pieds de fer qui supportaient

le banc. Il avait poussé un hurlement sans nom,
comme un animal. Les gardes le saisirent pour l'arracher au banc, mais il s'accrocha avec une force étonnante. Pendant peut-être vingt secondes, ils le tirèrent de toutes leurs forces. Les prisonniers étaient
assis, immobiles, les mains croisées sur les genoux,
le regard fixé droit devant eux. Le hurlement s'arrêta. L'homme économisait son souffle pour s'accrocher. Il y eut alors une autre sorte de cri. D'un
coup de son pied botté, un garde lui avait cassé les
doigts d'une main. Ils le traînèrent et le mirent
debout.

— Salle 101, dit l'officier.

L'homme fut emmené, trébuchant, tête basse,
frottant sa main écrasée, toute sa combativité épuisée.

Un long temps s'écoula. Si l'homme au visage
squelettique avait été emmené à minuit, on était au
matin. S'il avait été emmené le matin, on était à
l'après-midi. Winston était seul. Il était seul depuis
des heures. La souffrance éprouvée à rester assis sur
le banc étroit était telle que souvent il se levait et
marchait, sans recevoir de blâme du télécran. Le
morceau de pain se trouvait encore là où l'homme
sans menton l'avait laissé tomber. Il fallait au début
un grand effort à Winston pour ne pas le regarder,
mais la faim faisait maintenant place à la soif. Sa
bouche était pâteuse et avait mauvais goût. Le bourdonnement et la constante lumière blanche produisaient une sorte de faiblesse, une sensation de vide
dans sa tête. Il se levait parce que la souffrance de
ses os n'était plus supportable, puis, presque tout de
suite, il se rasseyait parce qu'il avait trop le vertige
pour être sûr de tenir sur ses pieds.

Dès qu'il pouvait dominer un peu ses sensations,
la terreur réapparaissait. Parfois, avec un espoir qui
allait s'affaiblissant, il pensait à O'Brien et à la
lame de rasoir. Peut-être la lame de rasoir arrive-
rait-elle cachée dans la nourriture, s'il était jamais

nourri. Plus confusément, il pensait à Julia. Quelque part, elle souffrait, peut-être beaucoup plus intensément que lui. Il se pouvait qu'elle fût, à l'instant même, en train de hurler de douleur. Il pensa : Si je pouvais, en doublant ma propre souffrance, sauver Julia, le ferais-je ? Oui, je le ferais. Mais ce n'était qu'une décision intellectuelle, prise parce qu'il savait qu'il devait la prendre. Il ne la sentait pas. Dans ce lieu, on ne sentait que la peine et la prescience de la peine. Etait-il possible, en outre, quand on souffrait réellement, de désirer, pour quelque raison que ce fût, que la douleur augmente ? Mais il n'était pas encore possible de répondre à cette question.

Les bottes approchaient de nouveau. La porte s'ouvrit. O'Brien entra. Winston se dressa sur ses pieds. Le choc de cette visite lui avait enlevé toute prudence. Pour la première fois, depuis de nombreuses années, il oublia la présence du télécran.

— Ils vous ont pris aussi ! cria-t-il.

— Ils m'ont pris depuis longtemps ! dit O'Brien presque à regret, avec une douce ironie. Il s'écarta. Derrière lui émergea un garde au large torse, muni d'une longue matraque noire.

— Vous le saviez, Winston, dit O'Brien. Ne vous mentez pas à vous-même. Vous le saviez, vous l'avez toujours su.

Oui, il le voyait maintenant, il l'avait toujours su. Mais il n'avait pas le temps d'y réfléchir. Tout ce qu'il avait d'yeux était pour la matraque que tenait la main du garde. Elle pouvait tomber n'importe où, sur le sommet de la tête, sur le bout de l'oreille, sur le bras, sur l'épaule...

L'épaule ! Il s'était effondré sur les genoux, presque paralysé, tenant de son autre main son épaule blessée. Tout avait explosé dans une lumière jaune. Inconcevable. Inconcevable qu'un seul coup pût causer une telle souffrance ! La lumière s'éclaircit et

il put voir les deux autres qui le regardaient. Le
garde riait de ses contorsions. Une question, en tout
cas, avait trouvé sa réponse. Jamais, pour aucune
raison au monde, on ne pouvait désirer un accroissement de douleur. De la douleur on ne pouvait désirer qu'une chose, qu'elle s'arrête. Rien au monde
n'était aussi pénible qu'une souffrance physique.
Devant la douleur, il n'y a pas de héros, aucun
héros, se répéta-t-il, tandis qu'il se tordait sur le
parquet, étreignant sans raison son bras gauche
estropié.

II

Winston était couché sur quelque chose qui lui
donnait l'impression d'être un lit de camp, sauf
qu'il était plus élevé au-dessus du sol. Winston était
attaché de telle façon qu'il ne pouvait bouger. Une
lumière, qui semblait plus forte que d'habitude, lui
tombait sur le visage. O'Brien était debout à côté
de lui et le regardait attentivement. De l'autre côté
se tenait un homme en veste blanche qui tenait une
seringue hypodermique.

Même après que ses yeux se fussent ouverts, Winston ne prit conscience de ce qui l'entourait que graduellement. Il avait l'impression de venir d'un
monde tout à fait différent, d'un monde immergé
profondément au-dessous de celui-ci, et d'entrer dans
la salle en nageant. Il ne savait pas combien de
temps il était resté immergé. Depuis le moment de
son arrestation, il n'avait vu ni la lumière du jour,
ni l'obscurité. En outre, la suite de ses souvenirs
n'était pas continue. Il y avait eu des instants où la
conscience, même le genre de conscience que l'on a
dans le sommeil, s'était arrêtée net et avait reparu
après un intervalle vide. Mais étaient-ce des jours,

des semaines, ou seulement des secondes d'intervalle,
il n'y avait aucun moyen de le savoir.

Le cauchemar avait commencé avec ce premier
coup sur l'épaule. Il devait comprendre plus tard
que tout ce qui lui advint alors n'était qu'un préliminaire, une routine de l'interrogatoire à laquelle
presque tous les prisonniers étaient soumis.

Il y avait une longue liste de crimes, espionnage,
sabotage et le reste que tout le monde, naturellement,
devait confesser. La confession était une formalité,
mais la torture était réelle. Combien de fois il avait
été battu, combien de temps les coups avaient duré,
il ne s'en souvenait pas. Il y avait toujours contre lui
à la fois cinq ou six hommes en noir. Parfois c'étaient
les poings, parfois les matraques, parfois les verges
d'acier, parfois les bottes. Il lui arrivait de se rouler
sur le sol, sans honte, comme un animal, en se tor-
dant de côté et d'autre, dans un effort interminable
et sans espoir pour esquiver les coups de pieds. Il
s'attirait simplement plus et encore plus de coups,
dans les côtes, au ventre, sur les épaules, sur les
tibias, à l'aîne, aux testicules, sur le coccyx. La torture se prolongeait parfois si longtemps qu'il lui
semblait que le fait cruel, inique, impardonnable,
n'était pas que les gardes continuassent à le battre,
mais qu'il ne pût se forcer à perdre connaissance. Il
y avait des moments où son courage l'abandonnait
à un point tel qu'il se mettait à crier grâce avant
même que les coups ne commencent ; des moments
où la seule vue d'un poing qui reculait pour prendre
son élan suffisait à lui faire confesser un flot de crimes réels et imaginaires. Il y avait d'autres moments
où il commençait avec la résolution de ne rien
confesser, où chaque mot devait lui être arraché entre
des halètements de douleur, et il y avait des instants
où il essayait faiblement d'un compromis, où il se
disait : « Je vais me confesser, mais pas encore. Je
vais tenir jusqu'à ce que la souffrance devienne in-

supportable. Trois coups de pieds de plus, deux coups de plus, puis je leur dirai ce qu'ils veulent. »

Il était parfois battu au point qu'il pouvait à peine se redresser, puis il était jeté comme un sac de pommes de terre sur le sol de pierre d'une cellule. On le laissait récupérer ses forces quelques heures, puis on l'emmenait et on le battait encore.

Il y avait aussi des périodes plus longues de rétablissement. Il s'en souvenait confusément car il les passait surtout dans la stupeur et le sommeil. Il se souvenait d'une cellule où il y avait un lit de bois, sorte d'étagère qui sortait du mur, une cuvette d'étain, des repas de soupe chaude et de pain, parfois du café. Il se souvenait d'un coiffeur hargneux qui vint le raser et le tondre et d'hommes à l'air affairé, antipathiques, vêtus de vestes blanches, qui lui prenaient le pouls, lui tapotaient les articulations pour étudier ses réflexes, lui relevaient les paupières, le palpaient de doigts durs pour trouver les os cassés, et lui enfonçaient des aiguilles dans le bras pour le faire dormir.

Les passages à tabac se firent moins fréquents et devinrent surtout une menace, une horreur à laquelle il pourrait être renvoyé si ses réponses n'étaient pas satisfaisantes. Ceux qui l'interrogeaient maintenant n'étaient pas des brutes en uniforme noir, mais des intellectuels du Parti, de petits hommes rondelets aux gestes vifs et aux lunettes brillantes, qui le travaillaient pendant des périodes qui duraient (il le pensait, mais ne pouvait en être sûr) dix ou douze heures d'affilée. Ces autres questionneurs veillaient à ce qu'il souffrît constamment d'une légère douleur, mais ce n'était pas surtout sur la souffrance qu'ils comptaient. Ils le giflaient, lui tordaient les oreilles, lui tiraient les cheveux, l'obligeaient à se tenir debout sur un pied, lui refusaient la permsision d'uriner, l'aveuglaient par une lumière éblouissante, jusqu'à ce que l'eau lui coulât des yeux. Mais leur but était simplement de l'humilier et d'annihiler son pouvoir de discussion et de raisonnement. Leur arme réelle était cet interrogatoire sans pitié qui se poursuivait sans arrêt heure après heure, qui le prenait en défaut, lui tendait des pièges, dénaturait tout ce qu'il disait, le convainquait à chaque pas de mensonge et de contradiction, jusqu'à ce qu'il se mît à pleurer, autant de honte que de fatigue nerveuse.

Il lui arrivait de pleurer une demi-douzaine de fois dans une seule session. Ses bourreaux, la plupart du temps, vociféraient qu'il voulait les tromper et menaçaient à chaque hésitation de le livrer de nouveau aux gardes. Mais parfois ils changeaient soudain de ton, lui donnaient du « camarade », en appelaient à lui au nom de l'Angsoc et de Big Brother et lui demandaient tristement si, même en cet instant, il ne lui restait aucune loyauté envers le Parti qui pût le pousser à désirer défaire le mal qu'il avait fait. Quand, après des heures d'interrogatoire, son courage s'en allait en lambeaux, même cet appel pouvait le réduire à un larmoiement hypocrite. En fin de compte, les voix grondeuses l'abattirent plus complètement que les bottes et les poings des gardes. Il devint simplement une bouche qui prononçait, une main qui signait tout ce qu'on lui demandait. Son seul souci était de deviner ce qu'on voulait qu'il confessât, et de le confesser rapidement, avant que les brimades ne recommencent.

Il confessa l'assassinat de membres éminents du Parti, la distribution de pamphlets séditieux, le détournement de fonds publics, la vente de secrets militaires, les sabotages de toutes sortes. Il confessa avoir été un espion à la solde du gouvernement estasien depuis 1968. Il confessa qu'il était un religieux, un admirateur du capitalisme et un inverti. Il confessa avoir tué sa femme, bien qu'il sût, et ses interrogateurs devaient le savoir aussi, que sa femme était encore vivante. Il confessa avoir été pendant des

années personnellement en contact avec Goldstein et
avoir été membre d'une organisation clandestine qui
comptait presque tous les êtres humains qu'il eût
jamais connus. Il était plus facile de tout confesser
et d'accuser tout le monde. En outre, tout, en un
sens, était vrai. Il était vrai qu'il avait été l'ennemi
du Parti et, aux yeux du Parti, il n'y avait pas de
distinction entre la pensée et l'acte.

Winston avait aussi des souvenirs d'un autre genre.
Ils se dressaient dans son esprit sans lien entre eux,
comme des tableaux entourés d'ombre.

Il se trouvait dans une cellule qui pouvait avoir été
sombre ou claire, car il ne pouvait rien voir qu'une
paire d'yeux. Il y avait tout près une sorte d'instrument dont le tic tac était lent et régulier. Les yeux
devinrent plus grands et plus lumineux. Il se détacha
soudain de son siège, flotta, plongea dans les yeux et
fut englouti.

Il était attaché à une chaise entourée de cadrans,
sous une lumière aveuglante. Un homme vêtu d'une
blouse blanche lisait les chiffres des cadrans. Il y eut
un piétinement de lourdes bottes au dehors. La porte
s'ouvrit en claquant. L'officier au visage de cire
entra, suivi de deux gardes.

— Salle 101, dit l'officier.

L'homme à la blouse blanche ne se retourna pas.
Il ne regarda pas non plus Winston. Il ne regardait
que les cadrans.

Il roulait dans un immense couloir d'un kilomètre
de long, plein d'un glorieuse lumière dorée. Il se
tordait de rire et se confessait à haute voix en criant
à tue-tête. Il confessait tout, même les choses qu'il
avait réussi à garder secrètes sous la torture. Il racontait l'histoire entière de sa vie à un auditeur qui la
connaissait déjà. Il y avait près de lui les gardes, les
autres questionneurs, les hommes en blouse blanche,
O'Brien, Julia, M. Charrington. Tous descendaient
le corridor en roulant et se tordaient de rire. Une

chose terrifiante, que l'avenir gardait en réserve, avait en quelque sorte été laissée de côté et ne s'était pas produite. Tout allait bien, il n'y avait plus de souffrance, le plus petit détail de sa vie était mis à nu, compris, pardonné.

Il se levait précipitamment de son lit de planches, à peu près certain d'avoir entendu la voix d'O'Brien. Pendant tout son interrogatoire, bien qu'il ne l'eût jamais vu, il avait eu l'impression qu'O'Brien était à ses côtés, juste hors de sa vue. C'était O'Brien qui dirigeait tout. C'était O'Brien qui lançait les gardes sur lui, et lui les empêchait de le tuer. C'était lui qui décidait à quel moment on devait le faire crier de souffrance, à quel moment on devait lui laisser un répit, quand on devait le nourrir, quand on devait le laisser dormir, quand on devait lui injecter des drogues dans le bras. C'était lui qui posait les questions et suggérait les réponses. Il était le tortionnaire, le protecteur, il était l'inquisiteur, il était l'ami. Une fois, Winston ne pouvait se rappeler si c'était pendant un sommeil artificiel ou normal, ou même à un moment où il était éveillé, une voix murmura à son oreille : « Ne vous inquiétez pas, Winston, vous êtes entre mes mains. Depuis sept ans, je vous surveille. Maintenant, l'instant critique est arrivé. Je vous sauverai, je vous rendrai parfait. » Winston n'était pas certain que ce fût la voix d'O'Brien, mais c'était la même voix qui lui avait dit dans un autre rêve, sept ans plus tôt : « Nous nous rencontrerons là où il n'y a pas de ténèbres. »

Il ne se souvenait d'aucune conclusion à son interrogatoire. Il y eut une période d'obscurité, puis la cellule, ou la pièce, dans laquelle il se trouvait alors s'était graduellement matérialisée autour de lui.

Il était presque à plat sur le dos, et dans l'impossibilité de bouger. Son corps était retenu par tous les points essentiels. Même sa tête était, il ne savait comment, saisie par derrière. O'Brien laissait tomber

sur lui un regard grave et plutôt triste. Son visage,
vu d'en dessous, paraissait grossier et usé, avec des
poches sous les yeux et des rides de fatigue qui
allaient du nez au menton. Il était plus âgé que
Winston l'avait pensé, il avait peut-être quarante-
huit ou cinquante ans. Il avait sous la main un
cadran dont le sommet portait un levier et la surface un cercle de chiffres.

— Je vous ai dit, prononça O'Brien, que si nous
nous rencontrions de nouveau, ce serait ici.

— Oui, répondit Winston.

Sans aucun avertissement qu'un léger mouvement
de la main d'O'Brien, une vague de douleur envahit
le corps de Winston. C'était une souffrance effrayante
parce qu'il ne pouvait voir ce qui lui arrivait et il
avait l'impression qu'une blessure mortelle lui était
infligée. Il ne savait si la chose se passait réellement
ou si l'effet était produit électriquement. Mais son
corps était violemment tordu et déformé, ses articulations lentement déchirées et séparées. Bien que la
souffrance lui eût fait perler la sueur au front, le pire
était la crainte que son épine dorsale ne se casse. Il
serra les dents et respira profondément par le nez,
en essayant de rester silencieux aussi longtemps que
possible.

— Vous avez peur, dit O'Brien qui lui surveillait
le visage, que quelque chose ne se brise bientôt. Vous
craignez spécialement pour votre épine dorsale. Vous
avez une image mentale des vertèbres qui se brisent
et se séparent et de la moelle qui s'en écoule. C'est
à cela que vous pensez, n'est-ce pas, Winston ?

Winston ne répondit pas. O'Brien ramena en
arrière le levier du cadran. La vague de douleur se
retira presque aussi vite qu'elle était venue.

— Nous étions à quarante, dit O'Brien. Vous pouvez voir que les chiffres du cadran vont jusqu'à cent.
Voulez-vous vous rappeler, au cours de notre entre-
tien, que j'ai le pouvoir de vous faire souffrir à

n'importe quel moment et au degré que j'aurai choisi ? Si vous me dites un seul mensonge ou essayez de tergiverser d'une manière quelconque, ou même tombez au-dessous du niveau habituel de votre intelligence, vous crierez de souffrance, instantanément. Comprenez-vous ?

— Oui, répondit Winston.

L'attitude d'O'Brien devint moins sévère. Il replaça pensivement ses lunettes et fit un pas ou deux de long en large. Quand il parla, ce fut d'une voix aimable et patiente. Il avait l'air d'un docteur, d'un professeur, même d'un prêtre, désireux d'expliquer et de persuader plutôt que de punir.

— Je me donne du mal pour vous, Winston, parce que vous en valez la peine. Vous savez parfaitement ce que vous avez. Vous le savez depuis des années, bien que vous ayez lutté contre cette certitude. Vous êtes dérangé mentalement. Vous souffrez d'un défaut de mémoire. Vous êtes incapable de vous souvenir d'événements réels et vous vous persuadez que vous vous souvenez d'autres événements qui ne se sont jamais produits. Heureusement, cela se guérit. Vous ne vous êtes jamais guéri, parce que vous ne l'avez pas voulu. Il y avait un petit effort de volonté que vous n'étiez pas prêt à faire. Même actuellement, je m'en rends bien compte, vous vous accrochez à votre maladie avec l'impression qu'elle est une vertu. Prenons maintenant un exemple. Avec quelle puissance l'Océania est-elle en guerre en ce moment ?

— Quand j'ai été arrêté, l'Océania était en guerre avec l'Estasia.

— Avec l'Estasia. Bon. Et l'Océania a toujours été en guerre avec l'Estasia, n'est-ce pas ?

Winston retint son souffle. Il ouvrit la bouche pour parler mais ne parla pas. Il ne pouvait éloigner ses yeux du cadran.

— La vérité, je vous prie, Winston. *Votre* vérité. Dites-moi ce que vous croyez vous rappeler.

— Je me rappelle qu'une semaine seulement avant mon arrestation, nous n'étions pas du tout en guerre avec l'Estasia. Nous étions les alliés de l'Estasia. La guerre était contre l'Eurasia. Elle durait depuis qua-tre ans. Avant cela...

O'Brien l'arrêta d'un mouvement de la main.

— Un autre exemple, dit-il. Il y a quelques années, vous avez eu une très sérieuse illusion, en vérité. Vous avez cru que trois hommes, trois hommes à un moment membres du Parti, nommés Jones, Aaronson et Rutherford, des hommes qui ont été exécutés pour trahison et sabotage après avoir fait une confession aussi complète que possible, n'étaient pas coupables des crimes dont ils étaient accusés. Vous croyiez avoir vu un document indiscutable prouvant que leurs confessions étaient fausses. Il y avait une cer-taine photographie à propos de laquelle vous aviez une hallucination. Vous croyiez l'avoir réellement tenue entre vos mains. C'était une photographie comme celle-ci.

Un bout rectangulaire de journal était apparu entre les doigts d'O'Brien. Il resta dans le champ de vision de Winston pendant peut-être cinq secon-des. C'était une photographie, et il n'était pas ques-tion de discuter son identité. C'était la photographie. C'était une autre copie de la photographie de Jones, Aaronson et Rutherford à la délégation du Parti à New-York, qu'il avait possédée onze ans auparavant et qu'il avait promptement détruite. Un instant seu-lement, il l'eut sous les yeux, un instant seulement, puis elle disparut de sa vue. Mais il l'avait vue ! Sans aucun doute, il l'avait vue. Il fit un effort d'une violence désespérée pour se tordre et libérer la moi-tié supérieure de son corps. Il lui fut impossible de se mouvoir, dans aucune direction, même d'un centi-mètre. Il avait même pour l'instant oublié le cadran. Tout ce qu'il désirait, c'était tenir de nouveau la photographie entre ses doigts, ou au moins la voir.

— Elle existe ! cria-t-il.

— Non ! répondit O'Brien.

O'Brien traversa la pièce. Il y avait un trou de mémoire dans le mur d'en face. Il souleva le grillage. Invisible, le frêle bout de papier tournoyait, emporté par le courant d'air chaud et disparaissait dans un rapide flamboiement. O'Brien s'éloigna du mur.

— Des cendres ! dit-il. Pas même des cendres identifiables, de la poussière. Elle n'existe pas. Elle n'a jamais existé.

— Mais elle existe encore ! Elle doit exister ! Elle existe dans la mémoire ! Dans la mienne ! Dans la vôtre !

— Je ne m'en souviens pas, dit O'Brien.

Le cœur de Winston défaillit. C'était de la double-pensée. Il avait une mortelle sensation d'impuissance. S'il avait pu être certain qu'O'Brien mentait, cela aurait été sans importance. Mais il était parfaitement possible qu'O'Brien eût, réellement, oublié la photographie. Et s'il en était ainsi, il devait avoir déjà oublié qu'il avait nié s'en souvenir et oublié l'acte d'oublier. Comment être sûr que c'était de la simple supercherie ? Peut-être cette folle dislocation de l'esprit pouvait-elle réellement se produire. C'est par cette idée que Winston était vaincu.

O'Brien le regardait en réfléchissant. Il avait, plus que jamais, l'air d'un professeur qui se donne du mal pour un enfant égaré, mais qui promet.

— Il y a un slogan du Parti qui se rapporte à la maîtrise du passé, dit-il. Répétez-le, je vous prie.

— Qui commande le passé commande l'avenir ; qui commande le présent commande le passé, répéta Winston obéissant.

— Qui commande le présent commande le passé, dit O'Brien en faisant de la tête une lente approbation. Est-ce votre opinion, Winston, que le passé a une existence réelle ?

De nouveau, le sentiment de son impuissance

s'abattit sur Winston. Son regard vacilla dans la direction du cadran. Non seulement il ne savait lequel de « oui » ou de « non » le sauverait de la souffrance, mais il ne savait même pas quelle réponse il croyait être la vraie.

O'Brien sourit faiblement. « Vous n'êtes pas métaphysicien, Winston, dit-il. Jusqu'à présent, vous n'avez jamais pensé à ce que signifiait le mot existence. Je vais poser la question avec plus de précision. Est-ce que le passé existe d'une façon concrète, dans l'espace ? Y a-t-il quelque part, ou ailleurs, un monde d'objets solides où le passé continue à se manifester ?

— Non.

— Où le passé existe-t-il donc, s'il existe ?

— Dans les documents. Il est consigné.

— Dans les documents. Et... ?

— Dans l'esprit. Dans la mémoire des hommes.

— Dans la mémoire. Très bien. Nous le Parti, nous avons le contrôle de tous les documents et de toutes les mémoires. Nous avons donc le contrôle du passé, n'est-ce pas ?

— Mais comment pouvez-vous empêcher les gens de se souvenir ? cria Winston, oubliant encore momentanément le cadran. C'est involontaire. C'est indépendant de chacun. Comment pouvez-vous contrôler la mémoire ? Vous n'avez pas contrôlé la mienne !

L'attitude de O'Brien devint encore sévère. Il posa la main sur le cadran.

— Non, dit-il. C'est vous qui ne l'avez pas dirigée. C'est ce qui vous a conduit ici. Vous êtes ici parce que vous avez manqué d'humilité, de discipline personnelle. Vous n'avez pas fait l'acte de soumission dont le prix est la santé mentale. Vous avez préféré être un fou, un minus habens. L'esprit discipliné peut seul voir la réalité, Winston. Vous croyez que la réalité est objective, extérieure, qu'elle existe

par elle-même. Vous croyez aussi que la nature de
la réalité est évidente en elle-même. Quand vous
vous illusionnez et croyez voir quelque chose, vous
pensez que tout le monde voit la même chose que
vous. Mais je vous dis, Winston, que la réalité n'est
pas extérieure. La réalité existe dans l'esprit humain
et nulle part ailleurs. Pas dans l'esprit d'un individu,
qui peut se tromper et, en tout cas, périt bientôt.
Elle n'existe que dans l'esprit du Parti, qui est collectif et immortel. Ce que le Parti tient pour vrai est
la vérité. Il est impossible de voir la réalité si on ne
regarde avec les yeux du Parti. Voilà le fait que
vous devez réapprendre, Winston. Il exige un acte
de destruction personnelle, un effort de volonté.
Vous devez vous humilier pour acquérir la santé
mentale.

Il s'arrêta un instant, comme pour permettre à ce
qu'il avait dit de pénétrer.

— Vous rappelez-vous, continua-t-il, avoir écrit
dans votre journal : « La liberté est la liberté de
dire que deux et deux font quatre ? »

— Oui, dit Winston.

O'Brien présenta à Winston le dos de sa main
gauche levée. Le pouce était caché, les quatre doigts
étendus.

— Combien est-ce que je vous montre de doigts,
Winston ?

— Quatre.

Le mot se termina par un halètement de douleur.
L'aiguille du cadran était montée à cinquante-cinq.
La sueur jaillie de son corps avait recouvert Winston
tout entier. L'air lui déchirait les poumons et ressortait en gémissements profonds qu'il ne pouvait arrêter, même en serrant les dents. O'Brien le surveillait, quatre doigts levés. Il ramena le levier en
arrière. Cette fois, la souffrance ne s'apaisa que
légèrement.

— Combien de doigts, Winston ?

— Quatre.

L'aiguille monta à soixante.

— Combien de doigts, Winston ?

— Quatre ! Quatre ! Que puis-je dire d'autre ?
Quatre !

L'aiguille avait dû monter encore, il ne la regardait pas. Le visage lourd et sévère et les quatre doigts emplissaient le champ de sa vision. Les doigts étaient dressés devant ses yeux comme des piliers énormes, indistincts, qui semblaient vibrer. Mais il y en avait indubitablement quatre.

— Combien de doigts, Winston ?

— Cinq ! Cinq ! Cinq !

— Non, Winston, c'est inutile. Vous mentez. Vous pensez encore qu'il y en a quatre. Combien de doigts, s'il vous plaît ?

— Quatre ! Cinq ! Quatre ! Tout ce que vous voudrez. Mais arrêtez cela ! Arrêtez cette douleur !

Il fut soudain assis, le bras de O'Brien autour d ses épaules. Il avait peut-être perdu connaissance quelques secondes. Les liens qui le retenaient couché s'étaient détachés. Il avait très froid, il frissonnait sans pouvoir s'arrêter, ses dents claquaient, des larmes lui roulaient sur les joues. Il s'accrocha un moment à O'Brien comme un enfant, étrangement réconforté par le bras lourd autour de ses épaules. Il avait l'impression qu'O'Brien était son protecteur, que la souffrance était quelque chose qui venait de quelque autre source extérieure et que c'était O'Brien qui l'en sauverait.

— Vous êtes un étudiant lent d'esprit, Winston, dit O'Brien gentiment.

— Comment puis-je l'empêcher ? dit-il en pleurnichant. Comment puis-je m'empêcher de voir ce qui est devant mes yeux ? Deux et deux font quatre.

— Parfois, Winston. Parfois ils font cinq. Parfois ils font trois. Parfois ils font tout à la fois. Il faut essayer plus fort. Il n'est pas facile de devenir sensé.

Il étendit Winston sur le lit. L'étreinte se resserra autour de ses membres, mais la vague de souffrance s'était retirée et le tremblement s'était arrêté, le laissant seulement faible et glacé.

O'Brien fit un signe de la tête à l'homme en veste blanche qui était resté immobile pendant qu'il agissait.

L'homme à la veste blanche se baissa et regarda de près les yeux de Winston, lui prit le pouls, appuya l'oreille contre sa poitrine, tapota çà et là, puis fit un signe d'assentiment à O'Brien.

— Encore, dit O'Brien.

La douleur envahit le corps de Winston. L'aiguille devait être à soixante-dix, soixante-quinze. Il avait, cette fois, fermé les yeux. Il savait que les doigts étaient toujours là et qu'il y en avait toujours quatre. Tout ce qui importait, c'était de rester en vie jusqu'à la fin de l'accès. Il ne savait plus s'il pleurait ou non. La souffrance diminua. Il ouvrit les yeux. O'Brien avait tiré le levier en arrière.

— Quatre. Je suppose qu'il y en a quatre. Je verrais cinq si je pouvais. J'essaie de voir cinq.

— Qu'est-ce que vous désirez ? Me persuader que vous voyez cinq, ou les voir réellement ?

— Les voir réellement.

— Encore, dit O'Brien.

L'aiguille était peut-être à quatre-vingts, quatre-vingt-dix. Winston ne pouvait se rappeler que par intermittences pourquoi il souffrait. Derrière ses paupières serrées, une forêt de doigts semblaient se mouvoir dans une sorte de danse, entrer et sortir entrelacés, disparaître l'un derrière l'autre, réapparaître encore. Il essayait de les compter, il ne se souvenait pas pourquoi. Il savait seulement qu'il était impossible de les compter, à cause d'une mystérieuse identité entre quatre et cinq. La souffrance s'éteignit une fois de plus. Quand il ouvrit les yeux,

ce fut pour constater qu'il voyait encore la même
chose. D'innombrables doigts, comme des arbres
mobiles, dévalaient à droite et à gauche, se croisant
et se recroisant. Il referma les yeux.

— Je montre combien de doigts, Winston ?

— Je ne sais. Je ne sais. Vous me tuerez si vous
faites encore cela. Quatre, cinq, six, en toute honnêteté, je ne sais pas.

— Mieux, dit O'Brien.

Une aiguille adroitement introduite glissa dans son
bras. Presque instantanément, une chaleur apaisante
et délicieuse se répandit en lui. La souffrance était
déjà à moitié oubliée. Il ouvrit les yeux et regarda
O'Brien avec reconnaissance. A la vue du visage
ridé et lourd, si laid et si intelligent, son cœur sembla se fondre. S'il avait pu bouger, il aurait tendu le
bras et posé la main sur le bras de O'Brien. Jamais
il ne l'avait aimé si profondément qu'à ce moment,
et ce n'était pas seulement parce qu'il avait fait cesser
la douleur. L'ancien sentiment, qu'au fond peu
importait qu'O'Brien fût un ami ou un ennemi,
était revenu. O'Brien était quelqu'un avec qui on
pouvait causer. Peut-être ne désirait-on pas tellement
être aimé qu'être compris. O'Brien l'avait torturé
jusqu'aux limites de la folie et, dans peu de temps,
certainement, l'enverrait à la mort. Cela ne changeait rien. Dans un sens, cela pénétrait plus profondément que l'amitié. Ils étaient des intimes. D'une
façon ou d'une autre, bien que les mots réels ne
seraient peut-être jamais prononcés, il y avait un
lieu où ils pourraient se rencontrer et parler. Les
yeux d'O'Brien, baissés vers lui, avaient une expression qui faisait penser qu'il avait la même idée.
Quand il se mit à parler, ce fut sur le ton aisé d'une
conversation.

— Savez-vous où vous êtes, Winston ?

— Je ne sais pas. Je peux deviner. Au Ministère
de l'Amour.

— Savez-vous depuis combien de temps vous êtes ici ?

— Je ne sais. Des jours, des semaines, des mois... Je pense que c'est depuis des mois.

— Et vous imaginez-vous pourquoi nous amenons les gens ici ?

— Pour qu'ils se confessent.

— Non. Ce n'est pas là le motif. Cherchez encore.

— Pour les punir.

— Non ! s'exclama O'Brien. Sa voix avait changé d'une façon extraordinaire et son visage était soudain devenu à la fois sévère et animé. Non. Pas simplement pour extraire votre confession ou pour vous punir. Dois-je vous dire pourquoi nous vous avons apporté ici ? Pour vous guérir ! Pour vous rendre la santé de l'esprit. Savez-vous, Winston, qu'aucun de ceux que nous amenons dans ce lieu ne nous quitte malade ? Les crimes stupides que vous avez commis ne nous intéressent pas. Le Parti ne s'intéresse pas à l'acte lui-même. Il ne s'occupe que de l'esprit. Nous ne détruisons pas simplement nos ennemis, nous les changeons. Comprenez-vous ce que je veux dire ?

Il était penché au-dessus de Winston. Sa proximité faisait paraître son visage énorme et Winston, qui le voyait d'en dessous, le trouvait hideux. De plus, il était plein d'une sorte d'exaltation, d'une ardeur folle. Le cœur de Winston se serra une fois de plus. Il se serait tapi plus au fond du lit s'il l'avait pu. Il croyait qu'O'Brien, par pur caprice, était sur le point de tourner le cadran. A ce moment, cependant, O'Brien s'éloigna. Il fit quelques pas de long en large. Puis il continua avec moins de véhémence.

— La première chose que vous devez comprendre, c'est qu'il n'y a pas de martyr. Vous avez lu ce qu'étaient les persécutions religieuses du passé. Au moyen âge, il y eut l'Inquisition. Ce fut un échec. Elle fut établie pour extirper l'hérésie et finit par la perpétuer. Pour chaque hérétique brûlé sur le bûcher, des milliers d'autres se levèrent. Pourquoi ? Parce que l'Inquisition tuait ses ennemis en public et les tuait alors qu'ils étaient encore impénitents. En fait, elle les tuait parce qu'ils étaient impénitents. Les hommes mouraient parce qu'ils ne voulaient pas abandonner leur vraie croyance. Naturellement, toute la gloire allait à la victime et toute la honte à l'Inquisition qui la brûlait.

Plus tard, au vingtième siècle, il y eut les totalitaires, comme on les appelait. C'étaient les nazis germains et les communistes russes. Les Russes persécutèrent l'hérésie plus cruellement que ne l'avait fait l'Inquisition, et ils crurent que les fautes du passé les avaient instruits. Ils savaient, en tout cas, que l'on ne doit pas faire des martyrs. Avant d'exposer les victimes dans des procès publics, ils détruisaient délibérément leur dignité. Ils les aplatissaient par la torture et la solitude jusqu'à ce qu'ils fussent des êtres misérables, rampants et méprisables, qui confessaient tout ce qu'on leur mettait à la bouche, qui se couvraient eux-mêmes d'injures, se mettaient à couvert en s'accusant mutuellement, demandaient grâce en pleurnichant. Cependant, après quelques années seulement, on vit se répéter les mêmes effets. Les morts étaient devenus des martyrs et leur dégradation était oubliée. Cette fois encore, pourquoi ?

En premier lieu, parce que les confessions étaient évidemment extorquées et fausses. Nous ne commettons pas d'erreurs de cette sorte. Toutes les confessions faites ici sont exactes. Nous les rendons exactes et, surtout, nous ne permettons pas aux morts de se lever contre nous. Vous devez cesser de vous imaginer que la postérité vous vengera, Winston. La postérité n'entendra jamais parler de vous. Vous serez gazéifié et versé dans la stratosphère. Rien ne restera de vous, pas un nom sur un registre, pas un souvenir dans un cerveau vivant. Vous serez annihilé,

dans le passé comme dans le futur. Vous n'aurez
jamais existé.

Alors, pourquoi se donner la peine de me torturer ? pensa Winston dans un moment d'amertume.
O'Brien arrêta sa marche, comme si Winston avait
pensé tout haut. Son large visage laid se rapprocha,
les yeux un peu rétrécis.

— Vous pensez, dit-il, que puisque nous avons
l'intention de vous détruire complètement, rien de
ce que vous dites ou faites ne peut avoir d'importance, et qu'il n'y a aucune raison pour que nous
prenions la peine de vous interroger d'abord ? C'est
ce que vous pensez, n'est-ce pas ?

— Oui, dit Winston.

O'Brien sourit légèrement. « Vous êtes une paille
dans l'échantillon, Winston, une tache qui doit être
effacée. Est-ce que je ne viens pas de vous dire que
nous sommes différents des persécuteurs du passé ?
Nous ne nous contentons pas d'une obéissance négative, ni même de la plus abjecte soumission. Quand,
finalement, vous vous rendez à nous, ce doit être de
votre propre volonté. Nous ne détruisons pas l'hérétique parce qu'il nous résiste. Tant qu'il nous résiste,
nous ne le détruisons jamais. Nous le convertissons.
Nous captons son âme, nous lui donnons une autre
forme. Nous lui enlevons et brûlons tout mal et toute
illusion. Nous l'amenons à nous, pas seulement en
apparence, mais réellement, de cœur et d'âme. Avant
de le tuer, nous en faisons un des nôtres. Il nous est
intolérable qu'une pensée erronée puisse exister
quelque part dans le monde, quelque secrète et
impuissante qu'elle puisse être. Nous ne pouvons permettre aucun écart, même à celui qui est sur le point
de mourir. Anciennement, l'hérétique qui marchait
au bûcher était encore un hérétique, il proclamait
son hérésie, il exultait en elle. La victime des épurations russes elle-même pouvait porter la rébellion
enfermée dans son cerveau tandis qu'il descendait

l'escalier, dans l'attente de la balle. Nous, nous rendons le cerveau parfait avant de le faire éclater. Le
commandement des anciens despotismes était : « Tu
ne dois pas. » Le commandement des totalitaires
était : « Tu dois. » Notre commandement est : « Tu
es. » Aucun de ceux que nous amenons ici ne se
dresse plus jamais contre nous. Tous sont entièrement
lavés. Même ces trois misérables traîtres en l'innocence desquels vous avez un jour cru — Jones, Aaronson et Rutherford — finalement, nous les avons brisés. J'ai moi-même pris part à leur interrogatoire.
Je les ai vus graduellement s'user, gémir, ramper,
pleurer et à la fin ce n'était ni de douleur ni de
crainte, c'était de repentir. Quand nous en avons eu
fini avec eux, ils n'étaient plus que des écorces
d'hommes. Il n'y avait plus rien en eux que le regret
de ce qu'ils avaient fait et l'amour pour Big Brother.
Il était touchant de voir à quel point ils l'aimaient.
Ils demandèrent à être rapidement fusillés pour pouvoir mourir alors que leur esprit était encore propre. »
   La voix d'O'Brien était devenue presque rêveuse.
L'exaltation, l'enthousiasme fou marquaient encore
son visage. Il ne feint nullement, pensa Winston. Ce
n'est pas un hypocrite. Il croit tous les mots qu'il
prononce. Ce qui oppressait le plus Winston, c'était
la conscience de sa propre infériorité intellectuelle.
Il regardait la forme lourde, mais pleine de grâce,
qui marchait au hasard de long en large, à l'intérieur
ou à l'extérieur du champ de sa vision. O'Brien était
un être plus grand que lui de toutes les façons. Toutes les idées qu'il avait jamais eues ou pu avoir,
O'Brien les avait depuis longtemps connues, exami-
nées et rejetées. L'esprit d'O'Brien *contenait* l'esprit
de Winston. Comment O'Brien pourrait-il, dans
ce cas, être fou ? Ce devait être lui, Winston, qui
était fou. O'Brien s'arrêta et le regarda. Sa voix
avait encore pris un accent de sévérité.
   — N'imaginez pas que vous vous sauverez, Wins-

ton, quelque complètement que vous vous rendiez à nous. Aucun de ceux qui se sont égarés une fois n'a été épargné. Même si nous voulions vous laisser vivre jusqu'au terme naturel de votre vie, vous ne nous échapperiez encore jamais. Ce qui vous arrive ici vous marquera pour toujours. Comprenez-le d'avance. Nous allons vous écraser jusqu'au point où il n'y a pas de retour. Vous ne guérirez jamais de ce qui vous arrivera, dussiez-vous vivre un millier d'années. Jamais plus vous ne serez capable de sentiments humains ordinaires. Tout sera mort en vous. Vous ne serez jamais plus capable d'amour, d'amitié, de joie de vivre, de rire, de curiosité, de courage, d'intégrité. Vous serez creux. Nous allons vous presser jusqu'à ce que vous soyez vide puis nous vous emplirons de nous-mêmes.

Il s'arrêta et fit signe à l'homme à la veste blanche. Winston se rendit compte qu'un lourd appareil était poussé et placé derrière sa tête. O'Brien s'était assis à côté du lit, de sorte que son visage était presque au niveau de celui de Winston.

— Trois mille, dit-il en s'adressant par-dessus la tête de Winston à l'homme à la veste blanche.

Deux coussinets moelleux, qui paraissaient légèrement humides, furent fixés contre les tempes de Winston. Il trembla. La souffrance allait recommencer, un nouveau genre de souffrance. O'Brien posa sur sa main une main presque rassurante et amicale.

— Cette fois, cela ne vous fera pas souffrir, dit-il. Gardez vos yeux fixés sur les miens.

Il se produisit alors une explosion dévastatrice, ou ce qui lui parut être une explosion, bien que Winston ne fût pas certain qu'il y eut aucun bruit. Il y eut, indubitablement, un éclair aveuglant. Winston n'était pas blessé, il se sentait seulement prostré. Bien qu'il fût déjà couché sur le dos quand passa, il avait l'impression curieuse qu'il se trouvait dans cette

position parce qu'il avait été assommé. Un coup
terrifiant, indolore, l'avait aplati. Il s'était aussi
passé quelque chose dans sa tête. Tandis que ses yeux
retrouvaient leur convergence, il se rappela qui il
était, où il était, et reconnut le visage qui regardait
le sien. Mais il y avait, il ne savait comment, un
grand trou vide, comme si on lui avait enlevé un
morceau de cerveau.

— Cela ne durera pas, dit O'Brien. Regardez-moi
dans les yeux. Avec quel pays l'Océania est-elle en
guerre ?

Winston réfléchit. Il savait ce que signifiait Océania et qu'il était lui-même citoyen de l'Océania. Il
se souvint aussi de l'Eurasia et de l'Estasia. Mais
qui était en guerre et avec qui, il ne s'en souvenait
pas. En fait, il n'avait pas conscience qu'il y eût une
guerre.

— Je ne me souviens pas.

— L'Océania est en guerre contre l'Estasia. Vous
en souvenez-vous, maintenant ?

— Oui.

— L'Océania a toujours été en guerre contre
l'Estasia. Depuis le commencement de votre vie,
depuis le commencement du Parti, depuis le commencement de l'Histoire, la guerre a continué sans
interruption, toujours la même guerre. Vous rappelez-vous cela ?

— Oui.

— Il y a onze ans, vous avez créé une légende au
sujet de trois hommes condamnés à mort pour trahison. Vous prétendiez avoir vu un fragment de papier
qui prouvait leur innocence. Ce papier n'a jamais
existé. Vous l'avez inventé et vous vous êtes ensuite
mis à croire à son existence. Vous vous rappelez
maintenant l'instant même où vous l'avez tout
d'abord inventé. Est-ce que vous vous en souvenez ?

— Oui.

— Je viens de lever devant vous les doigts de ma

main. Vous avez vu cinq doigts. Vous en rappelez-
vous ?

— Oui.

O'Brien leva les doigts de sa main gauche en gardant son pouce caché.

— Il y a là cinq doigts. Voyez-vous cinq doigts ?

— Oui.

Et il les vit, pendant une minute fugitive, tandis
que dans son esprit le décor changeait. Il vit cinq
doigts, et il n'y avait aucune déformation. Puis, tout
redevint normal. La vieille peur, la haine et l'étonnement revinrent ensemble. Mais il y avait eu un
moment, il ne savait combien de temps, trente
secondes, peut-être, de bienheureuse certitude, alors
que chaque nouvelle suggestion de O'Brien comblait
un espace vide et devenait une vérité absolue, alors
que deux et deux auraient pu faire trois aussi bien
que cinq si cela avait été nécessaire.

Ce moment s'était effacé avant qu'O'Brien eût
baissé la main, mais bien que Winston ne pût le retrouver, il pouvait s'en souvenir, comme on se souvient d'une expérience très nette, ayant eu lieu à une
époque reculée de la vie, quand on était, en fait, une
personne différente.

— Vous voyez maintenant, dit O'Brien, qu'en tout
cas c'est possible.

— Oui, répondit Winston.

O'Brien se releva, l'air satisfait. Winston vit à sa
gauche l'homme à la blouse blanche qui brisait une
ampoule et tirait en arrière le piston d'une seringue.

O'Brien se tourna vers Winston avec un sourire.
Presque comme anciennement, il assura sur son nez
l'équilibre de ses lunettes.

— Vous souvenez-vous d'avoir écrit dans votre
journal qu'il était indifférent que je sois un ami ou
un ennemi, puisque j'étais au moins quelqu'un qui
comprenait et à qui on pouvait parler ? Vous aviez
raison. J'aime parler avec vous. Votre esprit me

plait. Il ressemblerait au mien s'il n'avait été malade. Avant que nous mettions fin à la séance, vous
pouvez me poser quelques questions si vous le désirez.

— N'importe quelle question ?

— N'importe laquelle.

Il vit les yeux de Winston posés sur le cadran.

— Il est éteint. Quelle est votre première question ?

— Qu'avez-vous fait de Julia ?

O'Brien sourit encore. « Elle vous a donné, Winston. Immédiatement, sans réserve. J'ai rarement vu
quelqu'un venir si promptement à nous. Vous la re-
connaîtriez à peine si vous la voyiez. Toute sa rébellion, sa fourberie, sa folie, sa malpropreté d'esprit,
tout a été brûlé et effacé. Ce fut une conversion parfaite, un cas de manuel.

— Vous l'avez torturée ?

O'Brien laissa cette question sans réponse.

— Question suivante ? dit-il.

— Big Brother existe-t-il ?

— Naturellement, il existe. Le Parti existe. Big
Brother est la personnification du Parti.

— Existe-t-il de la même façon que j'existe ?

— Vous n'existez pas, dit O'Brien.

Une fois encore un sentiment d'impuissance assail-
lit Winston. Il savait, ou pouvait imaginer les arguments qui prouvaient sa propre non-existence. Mais
ils n'avaient pas de sens, c'étaient des jeux de mots.
Est-ce que la constatation : « Vous n'existez pas »,
ne contenait pas une absurdité de logique ? Mais à
quoi bon le dire ? Son esprit se contracta à la pensée
des arguments fous et indiscutables avec lesquels
O'Brien le démolirait.

— Je pense que j'existe, dit-il avec lassitude. Je
suis né, je mourrai. J'ai des bras et des jambes,
j'occupe un point particulier de l'espace. Aucun
autre objet solide ne peut, en même temps que moi

occuper le même point. Dans ce sens, Big Brother
existe-t-il ?

— Ce sens n'a aucune importance. Big Brother
existe.

— Big Brother mourra-t-il jamais ?

— Naturellement non. Comment pourrait-il mourir ?

— La Fraternité existe-t-elle ?

— Cela, Winston, vous ne le saurez jamais. Même
si nous décidions de vous libérer après en avoir fini
avec vous, et si vous viviez jusqu'à quatre-vingt-dix
ans, vous ne sauriez encore pas si la réponse à cette
question est Oui ou Non. Tant que vous vivrez, ce
sera dans votre esprit une énigme insoluble.

Winston resta silencieux. Sa poitrine s'élevait et
s'abaissait un peu plus vite. Il n'avait pas encore
posé la question qui lui était tout d'abord venue à
l'esprit. Il devait la poser, mais il semblait que sa
langue ne voulût pas la prononcer.

Il y eut une ombre d'amusement sur le visage de
O'Brien. Ses lunettes elles-mêmes semblaient jeter
une lueur ironique. Il sait, pensa soudain Winston.
Il sait ce que je vais demander. A cette idée, les
mots jaillirent d'eux-mêmes.

— Qu'y a-t-il dans la salle 101 ?

L'expression du visage de O'Brien ne changea pas.
Il répondit sèchement :

— Vous savez ce qu'il y a dans la salle 101. Winston. Tout le monde sait ce qu'il y a dans la salle 101.

Il leva un doigt à l'adresse de l'homme à la veste
blanche. Evidemment, la séance se terminait. Une
aiguille fut brusquement introduite dans le bras de
Winston. Il tomba presque instantanément dans un
profond sommeil.

III

— Votre réintégration comporte trois stades. Etudier, comprendre, accepter. Il est temps que vous entriez dans le second stade.

Winston était, comme toujours, couché sur le dos mais, depuis peu, ses liens étaient plus lâches. Ils le retenaient encore au lit, mais il pouvait bouger un peu les genoux, tourner la tête à droite et à gauche, lever les avant-bras. Le cadran, aussi, était devenu moins redoutable. Lorsque son esprit était assez vif, Winston pouvait éviter ses coups. C'était surtout quand il montrait de la stupidité qu'O'Brien poussait le levier. Ils traversaient parfois toute une séance sans que le cadran fût employé. Winston ne se rappelait pas combien il y avait eu de séances. Le processus tout entier semblait s'étendre sur un temps long, indéfini, des semaines peut-être, et les intervalles entre les séances pouvaient avoir été, parfois des jours, parfois une ou deux heures seulement.

— Depuis que vous êtes couché là, dit O'Brien, vous vous êtes souvent demandé, vous m'avez même demandé, pourquoi le Ministère de l'Amour devait dépenser pour vous tant de temps et tant de souci. Quand vous étiez libre, vous étiez embarrassé par une question qui, dans son essence, était la même. Vous pouviez saisir le mécanisme de la société dans laquelle vous viviez, mais pas les motifs sous-jacents. Vous rappelez-vous, avoir écrit dans votre journal : « Je comprends *comment*, je ne comprends pas *pourquoi* ? C'est quand vous pensiez à *pourquoi* que vous doutiez de l'équilibre de votre esprit. Vous avez lu le *livre*, le livre de Goldstein, du moins en partie.

Vous a-t-il appris quelque chose que vous ne saviez déjà ?

— Vous l'avez lu ? demanda Winston.

— Je l'ai écrit. C'est-à-dire, j'ai participé à sa rédaction. Aucun livre n'est l'œuvre d'un seul individu, comme vous le savez.

— Est-ce vrai, ce qu'il dit ?

— Dans sa partie descriptive. oui. Mais le programme qu'il envisage n'a pas de sens. Une accumulation secrète de connaissances, un élargissement graduel de compréhension, en dernier lieu une rébellion prolétarienne et le renversement du Parti, vous prévoyiez vous-même que c'était ce qu'il dirait. Tout cela n'a pas de sens. Les prolétaires ne se révolteront jamais. Pas dans un millier ni un million d'années. Ils ne le peuvent pas. Je n'ai pas à vous en donner la raison, vous la savez déjà. Si vous avez jamais caressé des rêves de violente insurrection, vous devez les abandonner. La domination du Parti est éternelle. Que ce soit le point de départ de vos réflexions.

Il se rapprocha du lit. « Eternelle », répéta-t-il. Et maintenant, revenons à la question « comment » et « pourquoi ».

— Vous comprenez assez bien *comment* le Parti se maintient au pouvoir. Dites-moi maintenant *pourquoi* nous nous accrochons au pouvoir. Pour quel motif voulons-nous le pouvoir ? Allons, parlez, ajouta-t-il, comme Winston demeurait silencieux.

Pendant une minute ou deux, néanmoins, Winston n'ouvrit pas la bouche. Une impression de fatigue l'accablait. La lueur confuse d'enthousiasme fou avait disparu du visage d'O'Brien. Il prévoyait ce que dirait O'Brien. Que le Parti ne cherchait pas le pouvoir en vue de ses propres fins, mais pour le bien de la majorité ; qu'il cherchait le pouvoir parce que, dans l'ensemble, les hommes étaient des créatures frêles et lâches qui ne pouvaient endurer la liberté

ni faire face à la vérité, et devaient être dirigés et
systématiquement trompés par ceux qui étaient plus
forts qu'eux ; que l'espèce humaine avait le choix
entre la liberté et le bonheur et que le bonheur valait
mieux ; que le Parti était le gardien éternel du
faible, la secte qui se vouait au mal pour qu'il en
sorte du bien, qui sacrifiait son propre bonheur à
celui des autres. Le terrible, pensa Winston, le terrible est que lorsqu'O'Brien prononçait ces mots,
il y croyait. On pouvait le voir à son visage. O'Brien
savait tout. Il savait mille fois mieux que Winston
ce qu'était le monde en réalité, dans quelle dégradation vivaient les êtres humains et par quels mensonges et quelle barbarie le Parti les maintenait dans
cet état. Il avait tout compris, tout pesé, et cela ne
changeait rien. Tout était justifié par le but à atteindre. Que peut-on, pensa Winston, contre le fou qui
est plus intelligent que vous, qui écoute volontiers
vos arguments, puis persiste simplement dans sa folie ?

— Vous nous gouvernez pour notre propre bien,
dit-il faiblement. Vous pensez que les êtres humains
ne sont pas capables de se diriger eux-mêmes et
qu'alors...

Il sursauta et pleura presque. Il avait été traversé
d'un élancement douloureux. O'Brien avait poussé
le levier du cadran au-dessus de 35...

— C'est stupide, Winston, stupide, dit-il. Vous
feriez mieux de ne pas dire de pareilles sottises.

Il recula la manette et continua : « Je vais vous
donner la réponse à ma question. La voici : le Parti
recherche le pouvoir pour le pouvoir, exclusivement
pour le pouvoir. Le bien des autres ne l'intéresse pas.
Il ne recherche ni la richesse, ni le luxe, ni une longue vie, ni le bonheur. Il ne recherche que le pouvoir. Le pur pouvoir. Ce que signifie pouvoir pur,
vous le comprendrez tout de suite. Nous différons
de toutes les oligarchies du passé en ce que nous
savons ce que nous voulons. Toutes les autres, même

celles qui nous ressemblent, étaient des poltronnes et des hypocrites.

Les nazis germains et les communistes russes se rapprochent beaucoup de nous par leur méthode, mais ils n'eurent jamais le courage de reconnaître leurs propres motifs. Ils prétendaient, peut-être même le croyaient-ils, ne s'être emparés du pouvoir qu'à contre-cœur, et seulement pour une durée limitée, et que, passé le point critique, il y aurait tout de suite un paradis où les hommes seraient libres et égaux.

Nous ne sommes pas ainsi. Nous savons que jamais personne ne s'empare du pouvoir avec l'intention d'y renoncer. Le pouvoir n'est pas un moyen, il est une fin. On n'établit pas une dictature pour sauvegarder une révolution. On fait une révolution pour établir une dictature. La persécution a pour objet la persécution. La torture a pour objet la torture. Le pouvoir a pour objet le pouvoir. Commencez-vous maintenant à me comprendre ? »

Winston était frappé, comme il l'avait déjà été, par la fatigue du visage d'O'Brien. Il était fort, musclé et brutal, il était plein d'intelligence et d'une sorte de passion contenue contre laquelle il se sentait impuissant, mais c'était un visage fatigué. Il y avait des poches sous les yeux, la peau s'affaissait sous les pommettes... O'Brien se pencha vers lui, rapprochant volontairement de lui son visage usé.

— Vous pensez, dit-il, que mon visage est vieux et fatigué. Vous pensez que je parle de puissance alors que je ne suis même pas capable d'empêcher le délabrement de mon propre corps. Ne pouvez-vous comprendre, Winston, que l'individu n'est qu'une cellule ? La fatigue de la cellule fait la vigueur de l'organisme. Mourez-vous quand vous vous coupez les ongles ?

Il s'éloigna du lit et se mit à arpenter la pièce de long en large, une main dans sa poche.

— Nous sommes les prêtres du pouvoir, dit-il.
Dieu, c'est le pouvoir. Mais actuellement, le pouvoir, pour autant qu'il vous concerne, n'est pour
vous qu'un mot. Il est temps que vous ayez une idée
de ce que signifie ce mot pouvoir. Vous devez pre-
mièrement réaliser que le pouvoir est collectif. L'individu n'a de pouvoir qu'autant qu'il cesse d'être un
individu. Vous connaissez le slogan du Parti : « La
liberté, c'est l'esclavage. » Vous êtes-vous jamais
rendu compte qu'il était réversible ? « L'esclavage,
c'est la Liberté. » Seul, libre, l'être humain est
toujours vaincu. Il doit en être ainsi, puisque le
destin de tout être humain est de mourir, ce qui est
le plus grand de tous les échecs. Mais s'il peut se
soumettre complètement et entièrement, s'il peut
échapper à son identité, s'il peut plonger dans le
Parti jusqu'à *être* le Parti, il est alors tout-puissant
et immortel.

Le second point que vous devez comprendre est
que le pouvoir est le pouvoir sur d'autres êtres humains. Sur les corps mais, surtout, sur les esprits. Le
pouvoir sur la matière, sur la réalité extérieure,
comme vous l'appelez, n'est pas important. Notre
maîtrise de la matière est déjà absolue.

Un moment, Winston oublia le cadran. Il fit un
violent effort pour s'asseoir et ne réussit qu'à se tordre douloureusement.

— Mais comment pouvez-vous commander à la
matière ? éclata-t-il. Vous ne commandez même pas
au climat ou à la loi de gravitation. Et il y a les
maladies, les souffrances, la mort.

O'Brien le fit taire d'un geste de la main.

— Nous commandons à la matière, puisque nous
commandons à l'esprit. La réalité est à l'intérieur du
crâne. Vous apprendrez par degrés, Winston. Il n'y
a rien que nous ne puissions faire. Invisibilité, lévi-
tation, tout. Je pourrais laisser le parquet et flotter
comme une bulle de savon si je le voulais. Je ne le

désire pas parce que le Parti ne, le désire pas. Il faut vous débarrasser l'esprit de vos idées du dix-neuvième siècle sur les lois de la nature. Nous faisons les lois de la nature.

— Non ! Vous n'êtes même pas les maîtres de cette planète. Que direz-vous de l'Eurasia et de l'Estasia ? Vous ne les avez même pas encore conquises.

— Sans importance. Nous les conquerrons quand cela nous conviendra. Et qu'est-ce que cela changerait si nous le faisions ? Nous pouvons les exclure de l'existence. Le monde, c'est l'Océania.

— Mais le monde lui-même n'est qu'une tache de poussière. Et l'homme est minuscule, impuissant ! Depuis quand existe-t-il ? La terre, pendant des milliers d'années, a été inhabitée.

— Sottise. La terre est aussi vieille que nous, pas plus vieille. Comment pourrait-elle être plus âgée ? Rien n'existe que par la conscience humaine.

— Mais les rochers sont pleins de fossiles d'animaux disparus, de mammouths, de mastodontes, de reptiles énormes qui vécurent sur terre longtemps avant qu'on eût jamais parlé des hommes ?

— Avez-vous jamais vu ces fossiles, Winston ? Naturellement non. Les biologistes du dix-neuvième siècle les ont inventés. Avant l'homme, il n'y avait rien. Après l'homme, s'il pouvait s'éteindre, il n'y aurait rien. *Hors de l'homme, il n'y a rien.*

— Mais l'univers entier est extérieur à nous. Voyez les étoiles! Quelques-unes sont à un million d'années-lumière de distance. Elles sont à jamais hors de notre atteinte.

— Que sont les étoiles ? dit O'Brien avec indifférence. Des fragments de feu à quelques kilomètres. Nous pourrions les atteindre si nous le voulions. Ou nous pourrions les faire disparaître. La terre est le centre de l'univers. Le soleil et les étoiles tournent autour d'elle.

Winston eut encore un mouvement convulsif.

Cette fois il ne dit rien. O'Brien continua comme s'il répondait à une objection.

— Dans certains cas, évidemment, ce n'est pas vrai. Quand nous naviguons sur l'océan, ou quand nous prédisons une éclipse, il est souvent commode de penser que la terre tourne autour du soleil et que les étoiles sont à des millions de millions de kilomètres. Et puis après ? Supposez-vous qu'il soit au-dessus de notre pouvoir de mettre sur pied un double système d'astronomie ? Les étoiles peuvent être proches ou distantes selon nos besoins. Croyez-vous que nos mathématiciens ne soient pas à la hauteur de cette dualité ? Avez-vous oublié la doublepensée ?

Winston se recroquevilla dans le lit. Quoi qu'il pût dire, une immédiate et fulgurante réponse l'écrasait comme l'aurait fait un gourdin. Il savait cependant qu'il était dans le vrai. Il y avait sûrement quelque manière de démontrer que la croyance que rien n'existe en dehors de l'esprit était fausse. N'avait-on pas, il y avait longtemps, démontré l'erreur de cette théorie ? On la désignait même d'un nom qu'il avait oublié. Un faible sourire retroussa les coins de la bouche d'O'Brien qui le regardait.

— Je vous ai dit, Winston, que la métaphysique n'est pas votre fort. Le mot que vous essayez de trouver est solipsisme. Mais vous vous trompez. Ce n'est pas du solipsisme. Ou, si vous voulez, c'est du solipsisme collectif. Tout ceci est une digression, ajouta-t-il avec indifférence. Le réel pouvoir, le pouvoir pour lequel nous devons lutter jour et nuit, est le pouvoir, non sur les choses, mais sur les hommes.

Il s'arrêta et reprit un instant l'air du pédagogue qui questionne un élève qui promet. « Comment un homme s'assure-t-il de son pouvoir sur un autre, Winston ?

Winston réfléchit : « En le faisant souffrir, répondit-il.

— Exactement. En le faisant souffrir. L'obéissance

ne suffit pas. Comment, s'il ne souffre pas, peut-on
être certain qu'il obéit, non à sa volonté, mais à la
vôtre ? Le pouvoir est d'infliger des souffrances et
des humiliations. Le pouvoir est de déchirer l'esprit
humain en morceaux que l'on rassemble ensuite sous
de nouvelles formes que l'on a choisies. Commencez-
vous à voir quelle sorte de monde nous créons? C'est
exactement l'opposé des stupides utopies hédonistes
qu'avaient imaginées les anciens réformateurs. Un
monde de crainte, de trahison, de tourment. Un
monde d'écraseurs et d'écrasés, un monde qui, au
fur et à mesure qu'il s'affinera, deviendra plus impi-
toyable. Le progrès dans notre monde sera le progrès
vers plus de souffrance. L'ancienne civilisation prétendait être fondée sur l'amour et la justice. La
nôtre est fondée sur la haine. Dans notre monde, il
n'y aura pas d'autres émotions que la crainte, la
rage, le triomphe et l'humiliation. Nous détruirons
tout le reste, tout.

Nous écrasons déjà les habitudes de pensée qui
ont survécu à la Révolution. Nous avons coupé les
liens entre l'enfant et les parents, entre l'homme et
l'homme, entre l'homme et la femme. Personne
n'ose plus se fier à une femme, un enfant ou un ami.
Mais plus tard il n'y aura ni femme ni ami. Les
enfants seront à leur naissance enlevés aux mères,
comme on enlève leurs œufs aux poules. L'instinct
sexuel sera extirpé. La procréation sera une formalité annuelle, comme le renouvellement de la carte
d'alimentation. Nous abolirons l'orgasme. Nos neu-
rologistes y travaillent actuellement. Il n'y aura plus
de loyauté qu'envers le Parti, il n'y aura plus d'amour
que l'amour éprouvé pour Big Brother. Il n'y aura
plus de rire que le rire de triomphe provoqué par la
défaite d'un ennemi. Il n'y aura ni art, ni littérature, ni science. Quand nous serons tout-puissants,
nous n'aurons plus besoin de science. Il n'y aura
aucune distinction entre la beauté et la laideur. Il

n'y aura ni curiosité, ni joie de vivre. Tous les plaisirs de l'émulation seront détruits. Mais il y aura toujours, n'oubliez pas cela, Winston, il y aura l'ivresse toujours croissante du pouvoir, qui s'affinera de plus en plus. Il y aura toujours, à chaque instant, le frisson de la victoire, la sensation de piétiner un ennemi impuissant. Si vous désirez une image de l'avenir, imaginez une botte piétinant un visage humain... éternellement.

Il se tut comme s'il attendait une réplique de Winston. Celui-ci essayait encore de se recroqueviller au fond du lit. Il ne pouvait rien dire. Son cœur semblait glacé. O'Brien continua :

— Et souvenez-vous que c'est pour toujours. Le visage à piétiner sera toujours présent. L'hérétique, l'ennemi de la société, existera toujours pour être défait et humilié toujours. Tout ce que vous avez subi depuis que vous êtes entre nos mains, tout cela continuera, et en pire. L'espionnage, les trahisons, les arrêts, les tortures, les exécutions, les disparitions, ne cesseront jamais. Autant qu'un monde de triomphe, ce sera un monde de terreur. Plus le Parti sera puissant, moins il sera tolérant. Plus faible sera l'opposition, plus étroit sera le despotisme. Goldstein et ses hérésies vivront à jamais. Tous les jours, à tous les instants, il sera défait, discrédité, ridiculisé, couvert de crachats, Il survivra cependant toujours.

Le drame que je joue avec vous depuis sept ans sera joué et rejoué encore génération après génération, sous des formes toujours plus subtiles. Nous aurons toujours l'hérétique, ici, à notre merci, criant de souffrance, brisé, méprisable, et à la fin absolument repentant, sauvé de lui-même, rampant à nos pieds de sa propre volonté.

Tel est le monde que nous préparons, Winston. Un monde où les victoires succéderont aux victoires et les triomphes aux triomphes ; un monde d'éternelle pression, toujours renouvelée, sur la fibre de

la puissance. Vous commencez, je le vois, à réaliser
ce que sera ce monde, mais à la fin, vous ferez plus
que le comprendre. Vous l'accepterez, vous l'accueil-
lerez avec joie, vous en demanderez une part.

Winston avait suffisamment recouvré son sang-
froid pour parler.

— Vous ne pouvez pas, dit-il faiblement.

— Qu'entendez-vous par là, Winston ?

— Vous ne pourriez créer ce monde que vous venez de décrire. C'est un rêve. Un rêve impossible.

— Pourquoi ?

— Il n'aurait aucune vitalité. Il se désintégrerait.
Il se suiciderait.

— Erreur. Vous êtes sous l'impression que la haine
est plus épuisante que l'amour. Pourquoi en serait-il
ainsi ? Et s'il en était ainsi, quelle différence en
résulterait ? Supposez que nous choisissions de nous
user nous-mêmes rapidement. Supposez que nous
accélérions le cours de la vie humaine de telle sorte
que les hommes soient stériles à trente ans. Et puis
après ? Ne pouvez-vous comprendre que la mort de
l'individu n'est pas la mort ? Le Parti est immortel.

Comme d'habitude, la voix avait vaincu Winston
et l'avait réduit à l'impuissance. De plus, il craignait, s'il persistait dans son désaccord, qu'O'Brien
ne tournât encore le cadran. Il ne pouvait pourtant
rester silencieux. Faiblement, sans arguments, sans
aucun soutien que l'horreur inexprimable de ce
qu'avait dit O'Brien, il retourna à l'attaque.

— Je ne sais pas. Cela m'est égal. D'une façon ou
d'une autre vous échouerez. La vie vous vaincra.

— Nous commandons à la vie, Winston. A tous
ses niveaux. Vous vous imaginez qu'il y a quelque
chose qui s'appelle la nature humaine qui sera
outragé par ce que nous faisons et se retournera
contre nous. Mais nous créons la nature humaine.
L'homme est infiniment malléable. Peut-être revenez-
vous à votre ancienne idée que les prolétaires ou les

esclaves se soulèveront et nous renverseront ? Otez-
vous cela de l'esprit. Ils sont aussi impuissants que
des animaux. L'humanité, c'est le Parti. Les autres
sont extérieurs, en dehors de la question.

— Cela m'est égal. A la fin ils vous battront. Tôt
ou tard ils verront ce que vous êtes et vous déchire-
ront.

— Voyez-vous un signe de ce destin, ou une raison
pour qu'il se réalise ?

— Non. Je le crois. Je sais que vous tomberez. Il
y a quelque chose dans l'univers, je ne sais quoi, un
esprit, un principe, que vous n'abattrez jamais.

— Croyez-vous en Dieu, Winston ?

— Non.

— Alors, qu'est-ce que ce principe qui nous vaincra?

— Je ne sais. L'esprit de l'homme.

— Et vous considérez-vous comme un homme ?

— Oui.

— Si vous êtes un homme, Winston, vous êtes le
dernier. Votre espèce est détruite. Nous sommes les
héritiers. Comprenez-vous que vous êtes seul ? Vous
êtes hors de l'histoire. Vous êtes non-existant.

Ses manières changèrent et il ajouta plus agressivement : « Et vous vous croyez moralement supérieur à nous, à cause de nos mensonges et de notre
cruauté ?

— Oui. Je me considère comme supérieur.

O'Brien se tut. Deux autres voix parlaient. Après
un instant, Winston reconnut en l'une d'elles la
sienne. C'était un enregistrement de la conversation
qu'il avait tenue avec O'Brien, la nuit où il s'était
enrôlé dans la Fraternité. Il s'entendit promettre de
mentir, voler, falsifier, tuer, d'encourager la morphi-
nomanie, la prostitution, de propager les maladies
vénériennes, de lancer du vitriol au visage des enfants. O'Brien fit un léger geste d'impatience, comme
pour signifier qu'il était à peine besoin de conclure.
Il tourna un bouton, et les voix se turent.

— Levez-vous de ce lit, dit-il.

Les liens se relâchèrent. Winston descendit du lit et se mit debout en chancelant.

— Vous êtes le dernier homme, dit O'Brien, vous êtes le gardien de l'esprit humain. Vous allez vous voir tel que vous êtes. Déshabillez-vous.

Winston défit le bout de cordon qui retenait sa combinaison. La fermeture-éclair en avait depuis longtemps été arrachée. Il ne se rappelait pas si, depuis son arrestation, il avait enlevé, à un moment quelconque, tous ses vêtements à la fois. Sous la combinaison, son corps était entouré de haillons jaunâtres et sales dans lesquels on pouvait à peine reconnaître des sous-vêtements. Tandis qu'il les faisait glisser sur le sol, il vit qu'il y avait un miroir à trois faces à l'autre bout de la pièce. Il s'approcha puis s'arrêta court. Un cri involontaire lui avait échappé.

— Continuez, dit O'Brien. Mettez-vous entre les battants du miroir. Vous aurez ainsi une vue de côté.

Il s'était arrêté parce qu'il était effrayé. Une chose courbée, de couleur grise, squelettique, avançait vers lui. L'apparition était effrayante, et pas seulement parce que Winston savait que c'était sa propre image. Il se rapprocha de la glace. Le visage de la créature, à cause de sa stature courbée, semblait projeté en avant. Un visage lamentable de gibier de potence, un front découvert qui se perdait dans un crâne chauve, un nez de travers et des pommettes écrasées au-dessus desquelles les yeux étaient d'une fixité féroce. Les joues étaient couturées, la bouche rentrée. C'était certainement son propre visage, mais il semblait à Winston que son visage avait plus changé que son esprit. Les émotions qu'il exprimait étaient différentes de celles qu'il ressentait. Il était devenu partiellement chauve. Il avait d'abord cru qu'il avait seulement grisonné, mais c'était la peau de son crâne

qui était grise. Son corps, à l'exception de ses mains
et de son visage, était entièrement gris, d'une poussière ancienne qui ne pouvait se laver. Il y avait çà
et là, sous la poussière, des cicatrices rouges de bles-
sures et, près de son cou de pied, l'ulcère variqueux formait une masse enflammée dont la peau
s'écaillait.

Mais ce qui était vraiment effrayant, c'était la
maigreur de son corps. Le cylindre des côtes était
aussi étroit que celui d'un squelette. Les jambes
s'étaient tellement amincies que les genoux étaient
plus gros que les cuisses. Il comprenait maintenant
ce que voulait dire O'Brien par « vue de côté ». La
courbure de la colonne vertébrale était étonnante.
Les minces épaules projetées en avant faisaient rentrer la poitrine en forme de cavité. Le cou décharné
semblait plié en deux sous le poids du crâne. Au
jugé, il aurait dit que c'était le corps d'un homme
de soixante ans, souffrant d'une maladie pernicieuse.

— Vous avez parfois pensé, dit O'Brien, que
mon visage, le visage d'un membre du Parti Intérieur, paraissait vieux et usé. Que pensez-vous du
vôtre ?

Il saisit l'épaule de Winston et le fit tourner pour
l'avoir en face de lui.

— Voyez dans quel état vous êtes, dit-il. Voyez
cette crasse malpropre sur tout votre corps. Voyez la
poussière entre vos orteils. Voyez cette plaie dégoûtante qui vous prend toute la jambe. Savez-vous que
vous puez comme un porc ? Vous avez probablement
cessé de le remarquer. Autour de votre biceps, je
pourrais, voyez-vous, faire rencontrer mon pouce et
mon index. Je pourrais vous casser le cou comme
s'il était en verre. Savez-vous que vous avez perdu
vingt-cinq kilogs depuis que vous êtes entre nos
mains ? Même vos cheveux s'en vont par poignées.

Il tira sur la tête de Winston et arracha une touffe
de cheveux. Ouvrez la bouche. Il reste neuf, dix,

onze dents. Combien en aviez-vous quand vous êtes
venu à nous ? Et le peu qui vous reste tombe de
votre mâchoire. Voyez !

Il saisit entre son pouce et son index puissants,
l'une des dents de devant qui restaient à Winston.
Un élancement de douleur traversa la mâchoire de
Winston. O'Brien avait déraciné et arraché la dent.
Il la jeta dans la cellule.

— Vous pourrissez, dit-il. Vous tombez en morceaux. Qu'est-ce que vous êtes ? Un sac de boue.
Maintenant, tournez-vous et regardez-vous dans le
miroir. Voyez-vous cette chose en face de vous ?
C'est le dernier homme. Si vous êtes un être humain,
ceci est l'humanité. Maintenant, rhabillez-vous.

Winston se rhabilla avec des gestes lents et raides.
Il n'avait pas, jusqu'à ce moment, remarqué combien il était mince et faible. Une seule pensée occupait son esprit, c'est qu'il devait être dans cet endroit
depuis plus longtemps qu'il l'avait imaginé. Subitement, tandis qu'il fixait autour de lui ses misérables haillons, un sentiment de pitié pour son corps
en ruine le domina. Avant d'avoir réalisé ce qu'il
faisait, il s'était écroulé sur un petit tabouret qui
était à côté du lit et avait éclaté en sanglots. Il avait
conscience de sa laideur, de son inélégance — un
paquet d'os dans des sous-vêtements sales assis à pleurer sous la blanche lumière crue — mais il ne pouvait s'arrêter.

O'Brien posa une main sur son épaule, presque
avec bonté.

— Cela ne durera pas éternellement, dit-il. Vous
pourrez vous en sortir quand vous le voudrez. Tout
dépend de vous.

— C'est vous qui l'avez fait, dit Winston. Vous qui
m'avez réduit en cet état.

— Non, Winston. Vous vous y êtes réduit vous-
même. C'est ce que vous avez accepté quand vous
vous êtes dressé contre le Parti. Tout était contenu

dans ce premier acte. Rien n'est arrivé que vous n'ayez prévu.

Il s'arrêta, puis poursuivit :

— Nous vous avons battu, Winston. Nous vous avons brisé. Vous avez vu ce qu'est votre corps. Votre esprit est dans le même état. Je ne pense pas qu'il puisse rester en vous beaucoup d'orgueil. Vous avez reçu des coups de pied, des coups de fouet et des insultes, vous avez crié de douleur. Vous vous êtes roulé sur le parquet dans votre vomissure et votre sang. Vous avez pleurniché en demandant grâce. Vous avez trahi tout le monde et avoué tout. Pouvez-vous penser à une seule dégradation qui ne vous ait pas été infligée ?

Winston s'était arrêté de pleurer, mais ses yeux étaient encore mouillés. Il les leva vers O'Brien.

— Je n'ai pas trahi Julia, dit-il.

O'Brien le regarda pensivement.

— Non, dit-il, non. C'est parfaitement vrai. Vous n'avez pas trahi Julia.

Le respect particulier, que rien ne semblait pouvoir détruire, qu'il éprouvait à l'égard d'O'Brien, gonfla le cœur de Winston. Combien il est intelligent ! pensa-t-il. Combien intelligent ! Jamais O'Brien ne manquait de comprendre ce qu'on lui disait. N'importe qui sur terre aurait tout de suite répondu qu'il avait en réalité trahi Julia. Qu'est-ce qu'on ne lui avait pas en effet arraché, sous la torture ? Il leur avait dit tout ce qu'il savait d'elle, ses habitudes, son caractère, sa vie antérieure. Il avait confessé jusqu'au détail le plus trivial tout ce qui s'était passé à leurs rendez-vous, tout ce qu'il lui avait dit et qu'elle lui avait dit, leurs repas de produits achetés au marché noir, leur adultère, leurs vagues complots contre le Parti, tout. Et cependant, dans le sens dans lequel il entendait le mot, il ne l'avait pas trahie. Il n'avait pas cessé de l'aimer, ses sentiments à son égard étaient restés les mêmes.

O'Brien avait compris, sans besoin d'explication, ce qu'il voulait dire.

— Dites-moi, demanda Winston. Quand me fusillera-t-on ?

— Ce peut être dans longtemps, répondit O'Brien. Vous êtes un cas difficile. Mais ne désespérez pas. Tout le monde est guéri tôt ou tard. A la fin, nous vous fusillerons.

IV

Il allait beaucoup mieux. Il devenait chaque jour plus gros et plus fort, s'il était possible de parler de jour. La lumière blanche et le bourdonnement étaient plus que jamais les mêmes, mais la cellule était un peu plus confortable que celles dans lesquelles il s'était trouvé. Il y avait un oreiller et un matelas sur une planche formant lit, et un tabouret pour s'asseoir. On lui avait donné un bain et on lui permettait de se laver assez fréquemment dans une cuvette d'étain. On lui donnait même de l'eau chaude pour se nettoyer. On lui avait donné de nouveaux sous-vêtements et une combinaison propre. On avait pansé son ulcère avec une pommade calmante. Les dents qui lui restaient avaient été enlevées et on lui avait mis un dentier.

Des semaines ou des mois devaient s'être écoulés. Il lui aurait été maintenant possible de tenir le compte des jours s'il avait éprouvé le moindre désir de le faire, car il était maintenant nourri à intervalles qui paraissaient réguliers. On lui donnait, estima-t-il, trois repas en vingt-quatre heures. Il se demandait vaguement parfois si on les lui donnait pendant le jour ou pendant la nuit. La nourriture était très bonne et comportait de la viande un repas sur trois. Il y eut même une fois un paquet de ciga-

rettes. Il n'avait pas d'allumettes, mais le garde silencieux qui lui apportait sa nourriture lui donna du
feu. La première fois qu'il essaya de fumer, il fut
malade, mais il persévéra et fit longtemps durer son
paquet en fumant une moitié de cigarette après chaque repas.

On lui avait donné une ardoise blanche à un coin
de laquelle était attaché un bout de crayon. Au
début, il ne s'en servit pas. Même réveillé, il était
dans une torpeur complète. D'un repas à l'autre,
souvent il restait étendu, presque sans bouger, parfois endormi, parfois éveillé et s'abandonnant à de
vagues rêveries au cours desquelles ouvrir les yeux
était un trop grand effort. Il s'était depuis longtemps
habitué à dormir avec une lumière vive sur les yeux.
Elle ne le gênait aucunement, mais les rêves étaient
plus cohérents. Il rêva beaucoup pendant toute cette
période, et c'étaient toujours des rêves heureux.

Il se trouvait dans le Pays Doré. Il était assis au
milieu de ruines gigantesques, éclairées par un soleil
éclatant, en compagnie de sa mère, de Julia,
d'O'Brien. Il ne faisait rien. Il était simplement
assis au soleil, à parler de choses paisibles. Les pensées qu'il avait quand il était éveillé concernaient
surtout ses rêves. Il semblait avoir perdu le pouvoir
de l'effort intellectuel, maintenant que l'aiguillon de
la souffrance lui avait été enlevé. Il ne s'ennuyait pas,
il n'avait aucun désir de conservation ou de distraction. Etre simplement seul, ne pas être battu ou
questionné, avoir suffisamment à manger, être propre
de la tête aux pieds, c'était tout à fait satisfaisant.

Il en vint graduellement à passer moins de temps
à dormir, mais il n'éprouvait encore aucun désir de
sortir du lit. Tout ce qui l'intéressait c'était rester
calmement étendu et sentir s'amasser les forces en
lui. Il se palpait lui-même çà et là pour s'assurer
que ce n'était pas une illusion de croire que ses muscles s'arrondissaient et que sa peau se tendait. Fina-

lement, il fut certain qu'il engraissait. Ses cuisses
étaient nettement plus grosses que ses genoux.

Ensuite, à regret d'abord, il se mit à faire régulièrement des exercices. En peu de temps, il put parcourir trois kilomètres, qu'il mesurait en arpentant
la cellule, et ses épaules courbées se redressèrent. Il
essaya des exercices plus difficiles et fut humilié et
étonné de découvrir les mouvements qu'il ne pouvait faire. Il ne pouvait accélérer le pas. Il ne pouvait tenir son tabouret à bras tendu. Il ne pouvait
rester sur un pied sans tomber. Il s'accroupit sur les
talons et constata qu'avec de terribles douleurs aux
cuisses et aux mollets, il parvenait tout juste à se
mettre debout. Il se coucha à plat ventre et essaya
de se relever sur les mains. Ce fut impossible, il ne
put se soulever d'un centimètre. Mais après quelques
jours, (quelques repas de plus) il put réussir même
ce mouvement. Il vint un moment où il put le faire
six fois de suite. Il se mit à devenir réellement fier
de son corps et à caresser l'intermittente certitude
que son visage redevenait normal. Ce n'est que lorsqu'il lui arrivait de mettre la main sur son crâne nu
qu'il se rappelait le visage couturé, en ruines, qui
l'avait regardé dans le miroir.

Son esprit devint plus actif. Assis sur le lit, le dos
appuyé au mur, l'ardoise sur les genoux, il entreprit
délibérément le travail de se rééduquer.

Il avait capitulé. Il le reconnaissait. En réalité, il
le voyait maintenant, il avait été prêt à capituler
longtemps avant d'en avoir pris la décision. Dès
l'instant où il s'était trouvé à l'intérieur du Ministère
de l'Amour et, oui, même durant ces minutes au
cours desquelles Julia et lui étaient restés impuissants tandis que la voix de fer du télécran leur donnait des ordres, il avait saisi la frivolité, le peu
de profondeur de son essai de rébellion contre le
pouvoir du Parti.

Il savait maintenant que, depuis sept ans, la Police

de la Pensée le surveillait, comme on surveille un hanneton sous une loupe. Il n'y avait aucun acte, aucun mot prononcé à haute voix qu'elle n'eût remarqué, aucune suite d'idées qu'elle n'eût été capable d'inférer. Elle avait même soigneusement replacé le grain de poussière blanchâtre sur la couverture de son journal. On lui avait joué des disques, montré des photographies. Quelques-unes étaient des photographies de Julia et de lui. Oui, même...

Il ne pouvait lutter plus longtemps contre le Parti. En outre, le Parti avait raison. Il devait en être ainsi. Comment pourrait se tromper un cerveau immortel et collectif ? D'après quel modèle extérieur pourrait-on vérifier ses jugements ? La santé était du domaine des statistiques. Apprendre à penser comme ils pensaient était simplement une question d'étude. Mais !...

Entre ses doigts le crayon était épais, peu maniable. Il se mit à écrire les idées qui lui passaient par la tête. Il écrivit d'abord, en grandes majuscules mal faites :

LA LIBERTÉ C'EST L'ESCLAVAGE.

puis, presque sans s'arrêter, il écrivit en dessous :

DEUX ET DEUX FONT CINQ.

Puis il y eut une sorte de contrainte. Son esprit, comme s'écartant par pudeur d'une idée, paraissait incapable de se concentrer. Il savait qu'il connaissait ce qui suivrait mais, pour le moment, ne pouvait s'en souvenir. Il retrouva la mémoire de ce qu'était cette idée, mais par un raisonnement conscient. Les mots ne vinrent pas d'eux-mêmes. Il écrivit :

DIEU C'EST LE POUVOIR.

Il acceptait tout. Le passé pouvait être modifié. Le

passé n'avait jamais été modifié. L'Océania était en
guerre contre l'Estasia. L'Océania avait toujours été
en guerre contre l'Estasia. Jones, Aaronson et Rutherford étaient coupables des crimes dont ils étaient
accusés. Il n'avait jamais vu la photographie qui
réfutait l'accusation. Elle n'avait jamais existé. Il
l'avait inventée. Il se souvenait d'avoir eu dans
sa mémoire des faits qui se contredisaient, mais
c'étaient des souvenirs faux, des produits d'auto-
suggestion. Combien tout était facile ! Il n'y avait
qu'à se rendre et le reste suivait... C'était comme
de nager contre un courant qui vous envoie rouler en
arrière quel que soit l'effort fourni, puis de décider
que l'on va se retourner et nager dans le sens du
courant au lieu de s'y opposer. Seule, votre propre
attitude changeait. Ce qui devait arriver arrivait de
toutes façons. Il savait à peine pourquoi il s'était
jamais révolté. Tout était facile, sauf !...

Tout pouvait être vrai. Ce qu'on appelait lois de
la nature n'était qu'absurdités. La loi de la gravitation n'avait pas de sens. « Si je le désirais, avait
dit O'Brien, je pourrais m'envoler de ce parquet et
flotter comme une bulle de savon. »

Winston étudia cette phrase. S'il pense qu'il flotte
au-dessus du parquet et si, en même temps, je pense
que je le vois flotter, c'est qu'il flotte.

Soudain, comme un bout d'épave immergée rompt
la surface de l'eau, une pensée éclata dans son esprit.
« Il ne flotte pas réellement. Nous l'imaginons. C'est
de l'hallucination. »

Il repoussa volontairement l'idée. L'erreur était
évidente. Elle supposait que quelque part, en dehors
de soi, il y avait un monde réel dans lequel des
choses réelles se produisaient. Mais comment pourrait-il y avoir un tel monde ? Quelle connaissance
avons-nous des choses hors de notre propre esprit ?
Tout ce qui se passe est dans l'esprit. Quoi qu'il
arrive dans l'esprit arrive réellement.

Il n'eut aucune difficulté à réfuter l'erreur et il
n'y avait aucun danger qu'il y succombât. Il se rendit compte, néanmoins, qu'elle n'aurait jamais dû
se présenter à lui. L'esprit doit entourer d'un mur
sans issue toute pensée dangereuse. Le processus doit
être automatique, instinctif. En Novlangue, cela
s'appele *arrêtducrime*.

Il s'exerça à *l'arrêtducrime*. Il soumettait à son esprit
des propositions : « Le Parti dit que la terre est
plate », « le Parti dit que la glace est plus lourde
que l'eau », et s'entraînait à ne pas voir ou ne pas
comprendre les arguments qui les contredisaient. Ce
n'était pas facile. Il y fallait un grand pouvoir de
raisonnement et d'improvisation. Les problèmes
arithmétiques qui découlaient d'un axiome comme
« deux et deux font cinq » étaient hors de la portée
de son intelligence. Il fallait aussi une sorte d'athlé-
tisme de l'esprit, le pouvoir, tantôt de faire l'usage
le plus délicat de la logique, tantôt d'être inconscient
des erreurs de logique les plus grossières. La stupidité était aussi nécessaire que l'intelligence et aussi
difficile à atteindre.

Une part de son esprit se demandait pendant ce
temps quand on le tuerait. « Tout dépend de vous-
même », avait dit O'Brien. Mais il savait qu'il n'y
avait aucun acte conscient par quoi il aurait pu en
rapprocher l'instant. Ce pouvait être dans dix minutes ou dans dix ans. On pouvait l'interner pendant
des années. On pouvait l'envoyer dans un camp de
travail. On pouvait le relâcher pour quelque temps,
comme on le faisait parfois. Il était parfaitement
possible qu'avant qu'il fût tué soit joué, de nouveau,
le drame de son arrestation et de son interrogatoire.

La seule chose certaine était que la mort ne venait
jamais quand on l'attendait. La tradition, — tradition non exprimée, mais que l'on connaissait d'une
façon ou d'une autre, bien qu'on n'en entendît jamais

parler — était qu'on vous fusillait par derrière, toujours à la nuque, sans avertissement, tandis que vous longiez un corridor pour passer d'une cellule à l'autre.

Un jour, — mais « un jour » n'était pas l'expression exacte... il n'était pas moins vraisemblable que ce fût au milieu de la nuit — une fois, il tomba dans une rêverie étrange et heureuse.

Il longeait le corridor et attendait la balle. Il savait que, d'un instant à l'autre, elle viendrait. Tout était arrangé, aplani, concilié. Il n'y avait plus de doute, plus d'argumentation, plus de souffrance, plus de crainte. Il était en bonne santé et fort. Il marchait avec aisance avec une joie du mouvement et la sensation de marcher au soleil. Il ne se trouvait plus dans les étroits couloirs blancs du Ministère de l'Amour. Il se trouvait dans l'immense paysage ensoleillé, d'un kilomètre, au long duquel il avait cru marcher au cours d'un délire provoqué par des drogues. Il était dans le Pays Doré. Il marchait dans le sentier qui traversait l'ancien pâturage tondu par les lapins. Il pouvait sentir sous ses pieds le court gazon élastique et, sur son visage, la douce chaleur du soleil. Au bout du champ, les ormeaux se balançaient faiblement et, quelque part plus loin, se trouvait la rivière où, sous les saules, dans des étangs verts, flottaient des poissons d'or.

Il fut soudain frappé d'horreur. Son épine dorsale se mouilla de sueur. Il s'était entendu crier tout haut :

— Julia ! Julia ! Julia, mon amour ! Julia !

L'hallucination de sa présence s'était, un instant, entièrement emparée de lui. Il lui avait semblé que Julia n'était pas seulement avec lui, mais en lui. C'était comme si elle faisait partie de la texture de sa peau. Il l'avait, à ce moment, beaucoup plus aimée qu'il ne l'avait jamais fait quand ils étaient ensemble, et libres. Il savait aussi que, quelque part, elle était encore vivante et avait besoin de son aide.

Il se recoucha et essaya de se calmer. Combien d'années avait-il ajouté à sa servitude par ce moment de faiblesse ? Il entendrait bientôt le piétinement des bottes au dehors. Le Parti ne laisserait pas impuni un tel éclat. Il savait maintenant, s'il ne l'avait déjà su, que le pacte passé avec lui était déchiré.

Il obéissait au Parti, mais il haïssait toujours le Parti. Il avait, auparavant, caché un esprit hérétique sous un masque de conformité. Maintenant, il avait reculé d'un pas. Il s'était soumis en esprit, mais il avait espéré garder inviolé le fond de son cœur. Il savait qu'il était dans l'erreur, mais il préférait être dans l'erreur. Ils comprendraient cela, O'Brien le comprendrait. Tout était confessé dans ce seul cri stupide.

Il lui faudrait tout recommencer. Cela pourrait durer des années. Il se passa la main sur le visage, pour essayer de se familiariser avec sa nouvelle forme. Dans les joues, il y avait des sillons profonds. Les pommettes paraissaient aiguës, le nez aplati. En outre, après l'épisode du miroir, on lui avait donné un dentier complet. Il n'était pas facile de garder un visage impénétrable quand on ne savait pas à quoi ressemblait son visage. En tout cas, la seule maîtrise des traits ne suffisait pas. Pour la première fois de sa vie, il comprit que lorsque l'on désirait garder un secret on devait aussi se le cacher à soi-même. On doit savoir qu'il est toujours là, mais il ne faut pas, tant que ce n'est pas nécessaire, le laisser émerger dans la conscience sous une forme identifiable. A partir de ce moment, il allait, non seulement penser juste, mais sentir juste, rêver juste. Et pendant ce temps, il garderait sa haine enfermée en lui comme une boule de matière qui serait une part de lui-même et n'aurait cependant aucun lien avec le reste de lui-même, comme une sorte de kyste.

On déciderait un jour de le fusiller. On ne pouvait savoir à quel instant la balle allait vous frapper mais il devait être possible, quelques secondes auparavant, de le deviner. C'était toujours par derrière, alors qu'on longeait un corridor. Dix secondes suffiraient. En dix secondes, son monde intérieur pourrait se retourner. Et soudain alors, sans un mot prononcé, sans un arrêt de son pas, sans qu'un muscle de son visage ne bouge, le masque serait jeté et, bang ! les batteries de sa haine lanceraient leur décharge.

La haine le remplirait comme une énorme flamme mugissante et, presque instantanément, bang ! partirait la balle. Trop tard, ou trop tôt. Ils auraient fait éclater son cerveau en morceaux avant de pouvoir le reprendre. La pensée hérétique serait impunie et lui, impénitent, à jamais hors de leur atteinte. En le fusillant, ils creuseraient un trou dans leur propre perfection. Mourir en les haïssant, c'était ça la liberté.

Il ferma les yeux. C'était plus difficile que d'accepter une discipline intellectuelle. C'était une question de dégradation, de mutilation personnelle. Il fallait plonger dans la vase la plus putride. Quelle était, de toutes, la chose la plus horrible, la plus écœurante ? Il pensa à Big Brother. L'énorme face, (comme il la voyait constamment sur des affiches, il ne l'imaginait jamais que large d'un mètre) l'énorme face à l'épaisse moustache noire dont les yeux avaient l'air de vous suivre, sembla se présenter d'elle-même à son esprit. Quels étaient ses véritables sentiments à l'égard de Big Brother ?

Il y eut sur le palier un lourd piétinement de bottes. La porte d'acier tourna et s'ouvrit avec un bruit métallique. O'Brien entra dans la cellule. Derrière lui venaient l'officier au visage de cire et les gardes en uniforme noir.

— Debout ! dit O'Brien. Venez ici !

Winston se mit debout devant lui. O'Brien lui prit

les épaules entre ses mains puissantes et le regarda
de près.

— Vous avez pensé à me tromper, dit-il. C'est
stupide. Redressez-vous. Regardez-moi en face.

Il s'arrêta et continua sur un ton plus aimable :
« Vous vous améliorez. Intellectuellement, il y a très
peu de mal en vous. Ce n'est que par la sensibilité
que vous n'avez pas progressé. Dites-moi, Winston,
et attention ! pas de mensonge ! Vous savez que je
puis toujours déceler un mensonge. Dites-moi, quels
sont vos véritables sentiments à l'égard de Big
Brother ?

— Je le hais.

— Vous le haïssez. Bon. Le moment est donc venu
pour vous de franchir le dernier pas. Il faut que vous
aimiez Big Brother. Lui obéir n'est pas suffisant.
Vous devez l'aimer !

Il relâcha Winston et le poussa légèrement vers les
gardes.

— Salle 101, dit-il.

V

A chaque étape de sa détention, Winston avait su,
ou cru savoir, dans quelle région de l'énorme édifice
sans fenêtres il se trouvait. Il y avait probablement
de légères différences dans la pression atmosphéri-
que. Les cellules où les gardes l'avaient battu étaient
en souterrain. La pièce où il avait été interrogé par
O'Brien était tout en haut, près du toit. L'endroit
où il se trouvait actuellement était de plusieurs
mètres sous le sol, aussi bas qu'il était possible de
s'enfoncer.

Elle était plus grande que la plupart des cellules

dans lesquelles il s'était trouvé. Mais il regarda à
peine ce qui l'entourait. Tout ce qu'il remarqua,
c'est qu'il y avait devant lui deux petites tables, couvertes chacune d'un tapis vert. L'une n'était qu'à
un mètre ou deux de lui, l'autre se trouvait plus
loin, près de la porte. Il était assis sur une chaise, et
si étroitement attaché qu'il ne pouvait même pas
bouger la tête. Une sorte de crampon lui prenait la
tête par derrière et l'obligeait à regarder droit devant
lui.

Il demeura seul un moment, puis la porte s'ouvrit
et O'Brien entra.

— Vous m'avez une fois demandé, dit O'Brien,
ce qui se trouvait dans la salle 101. Je vous ai répondu
que vous le saviez déjà. Tout le monde le sait. Ce
qui se trouve dans la salle 101, c'est la pire chose qui
soit au monde.

La porte s'ouvrit encore. Un garde entra, qui
apportait un objet fait de fil métallique, une boîte
ou une corbeille quelconque. Il le déposa sur la table
la plus éloignée de Winston. Celui-ci, empêché par
la position d'O'Brien, ne pouvait voir ce que c'était.

— La pire chose du monde, poursuivit O'Brien,
varie suivant les individus. C'est tantôt être enterré
vivant, tantôt être brûlé vif, tantôt encore être noyé
ou empalé, et il y en a une cinquantaine d'autres qui
entraînent la mort. Mais il y a des cas où c'est quelque chose de tout à fait ordinaire, qui ne comporte
même pas d'issue fatale.

Il s'était un peu écarté, de sorte que Winston pouvait mieux voir l'objet qui se trouvait sur la table.
C'était une cage oblongue de fils métalliques que l'on
pouvait tenir par une poignée placée au sommet.
Fixé en avant de la cage se trouvait un objet qui
ressemblait à un masque d'escrime dont la partie
concave serait tournée vers l'extérieur. Bien que cette
cage fût placée à trois ou quatre mètres de lui, il pouvait voir qu'elle était divisée dans le sens de la lon-

gueur en deux compartiments dans chacun desquels
il y avait des créatures. C'étaient des rats.

— Dans votre cas, dit O'Brien, il se trouve que le
pire du monde, ce sont les rats.

Une sorte de tremblement avertisseur, une crainte
d'il ne savait quoi, avait traversé Winston dès le
premier coup d'œil jeté sur la cage. Mais, à ce
moment, la signification du masque fixé devant la
cage pénétra soudain en lui. Ses entrailles se gla-
cèrent.

— Vous ne pouvez faire cela ! hurla-t-il d'une voix
aiguë et cassée. Vous ne pouvez pas ! Vous ne pouvez pas ! C'est impossible !

— Vous rappelez-vous, dit O'Brien, le moment de
panique qui survenait toujours dans vos rêves ? Il y
avait devant vous un mur d'ombre et, dans vos
oreilles, le bruit d'un mugissement. De l'autre côté
du mur, il y avait quelque chose de terrible. Vous
saviez ce que c'était, et vous reconnaissiez le savoir,
mais vous n'osiez tirer cette connaissance jusqu'à la
lumière de votre conscience. De l'autre côté du mur,
ce qu'il y avait, c'étaient des rats.

— O'Brien, dit Winston en faisant un effort pour
maîtriser sa voix, vous savez que ce n'est pas nécessaire, que voulez-vous que je fasse ?

O'Brien ne répondit pas directement. Quand il
parla, ce fut du ton professoral qu'il affectait parfois. Il regardait pensivement au loin, comme s'il
s'adressait à un auditoire, placé quelque part derrière
Winston.

— La souffrance par elle-même, dit-il, ne suffit
pas toujours. Il y a des cas où les êtres humains supportent la douleur, même jusqu'à la mort. Mais il y
a pour chaque individu quelque chose qu'il ne peut
supporter, qu'il ne peut contempler. Il ne s'agit pas
de courage ni de lâcheté. Quand on tombe d'une hauteur, ce n'est pas une lâcheté que de se cramponner
a une corde. Quand on remonte du fond de l'eau, ce

n'est pas une lâcheté que de s'emplir les poumons
d'air. C'est simplement un instinct auquel on ne
peut désobéir. Il en est ainsi pour vous avec les rats.
Vous ne pouvez les supporter. Ils constituent une
forme de pression à laquelle vous ne pourriez résister, même si vous le désiriez. Vous ferez ce que l'on
exige de vous.

— Mais qu'est-ce donc ? Qu'est-ce ? Comment
pourrai-je le faire, si je ne sais ce que c'est ?

O'Brien saisit la cage et s'avançant vers la table
qui était plus près de Winston, la déposa avec précaution sur le tapis vert. Winston entendait le sang
lui bourdonner aux oreilles. Il avait l'impression
d'être absolument seul. Il était au centre d'une vaste
plaine vide, un désert plat desséché par le soleil, à
travers lequel tous les sons arrivaient de distances
infinies. La cage aux rats était cependant à moins de
deux mètres de lui. C'étaient des rats énormes. Ils
étaient à l'âge où le museau devient grossier et féroce,
où le poil gris tourne au brun.

— Le rat, dit O'Brien en s'adressant toujours à
son invisible auditoire, est un carnivore, bien qu'il
soit un rongeur. Vous avez dû entendre parler de ce
qui se passe dans les quartiers pauvres de la ville.
Dans certaines rues, les femmes n'osent, n.ême pour
cinq minutes, laisser seul leur bébé dans la maison.
Les rats l'attaqueraient certainement. En très peu
de temps, ils l'éplucheraient jusqu'aux os. Ils attaquent aussi les malades et les mourants. Ils savent
reconnaître, avec une étonnante intelligence, si un
homme est impotent.

Il y eut, dans la cage, une explosion de cris perçants. Il sembla à Winston qu'ils lui arrivaient de
très loin. Les rats se battaient. Ils essayaient de
s'attaquer à travers la cloison. Il entendit aussi un
profond gémissement de désespoir. Cela aussi lui
parut venir de l'extérieur.

O'Brien prit la cage et pressa quelque chose à

l'intérieur. Il y eut un déclic aigu. Winston fit un effort désespéré pour se libérer. C'était impossible. Toutes les parties de son corps, même la tête, étaient immobilisées. O'Brien rapprocha la cage. Elle se trouva alors à moins d'un mètre du visage de Winston.

— J'ai appuyé sur le premier levier, dit O'Brien. Vous comprenez la construction de cette cage. Le masque s'adaptera à votre tête, sans lui laisser aucune échappée. Quand j'appuierai sur cet autre levier, la porte de la cage glissera. Ces brutes affamées s'élanceront comme des balles. Avez-vous déjà vu un rat sauter en l'air ? Ils vous sauteront à la figure et creuseront droit dedans. Parfois, ils s'attaquent d'abord aux yeux. Parfois ils creusent les joues et dévorent la langue.

La cage était plus proche. Elle était fermée à l'intérieur. Winston entendit une succession de cris perçants qui lui parurent provenir d'en haut, au-dessus de sa tête. Mais il lutta furieusement contre sa panique. Réfléchir, même s'il ne restait qu'une demi-seconde, réfléchir était le seul espoir.

La répugnante odeur musquée des brutes lui frappa soudain les narines. Une violente nausée le convulsa et il perdit presque connaissance. Tout était devenu noir. Un moment, il fut un fou, un animal hurlant. Cependant il revint de l'obscurité en s'accrochant à une idée. Il n'y avait qu'un moyen, et un seul, de se sauver. Il devait interposer un autre être humain, le corps d'un autre, entre les rats et lui.

Le cercle du masque était assez grand maintenant pour l'empêcher de voir quoi que ce soit d'autre. La porte de treillis était à deux mains de son visage. Les rats savaient maintenant ce qui allait venir. L'un d'eux faisait des sauts. L'autre, un vieux grand-père squameux d'égout, était dressé, ses pattes roses sur les barres, et reniflait férocement. Winston pouvait voir les moustaches et les dents jaunes. Une panique folle s'empara encore de lui. Il était aveugle, impuissant, hébété.

— C'était une punition fréquente dans la Chine Impériale, dit O'Brien plus didactique que jamais.

Le masque se posait sur son visage. Le fil lui frotta la joue. Puis — non, ce n'était pas un soulagement, c'était seulement un espoir, un tout petit bout d'espoir. Trop tard peut-être, trop tard. Mais il avait soudain compris que, dans le monde entier, il n'y avait qu'une personne sur qui il pût transférer sa punition, un seul corps qu'il pût jeter entre les rats et lui. Il cria frénétiquement, à plusieurs reprises :

— Faites-le à Julia ! Faites-le à Julia ! Pas à moi ! Julia ! Ce que vous lui faites m'est égal. Déchirez-lui le visage. Epluchez-la jusqu'aux os. Pas moi ! Julia ! Pas moi !

Il tombait en arrière, dans des profondeurs immenses, loin des rats. Il était encore attaché à la chaise, mais il tombait à travers le parquet, à travers les murs de l'édifice, à travers la terre, les océans, l'atmosphère, dans l'espace sans limite, dans les golfes qui séparaient les étoiles, plus loin, toujours plus loin des rats. Il était à des années-lumière de distance, mais O'Brien était encore debout près de lui. Il sentait encore contre sa joue le contact froid du treillis. A travers l'obscurité qui l'enveloppait, il entendit un autre déclic métallique et comprit que la porte de la cage n'avait pas été ouverte, mais fermée.

VI

Le café du Châtaignier était presque vide. Un rayon de soleil oblique entrait par la fenêtre et dorait la surface des tables poussiéreuses. Il était quinze heures, l'heure solitaire. Une musique métallique s'écoulait des télécrans.

Winston était assis dans son coin habituel, le regard fixé sur son verre vide. De temps en temps, il jetait un coup d'œil au large visage qui le regardait du mur d'en face. BIG BROTHER VOUS REGARDE, disait la légende.

Un garçon, sans attendre la commande, lui remplit son verre de gin de la Victoire et y fit tomber quelques gouttes, d'une autre bouteille qu'il agita, dont le bouchon était traversé par un tuyau. C'était de la saccharine parfumée au clou de girofle, spécialité du café.

Winston écoutait le télécran. Il n'en sortait pour l'instant que de la musique, mais il pouvait y avoir, d'un moment à l'autre, un bulletin spécial du Ministère de la Paix. Les nouvelles du front africain étaient extrêmement alarmantes. Winston s'en était, d'une façon intermittente, inquiété tout le jour. Une armée eurasienne, (l'Océania était en guerre avec l'Eurasia, l'Océania avait toujours été en guerre avec l'Eurasia) s'avançait en direction du Sud à une vitesse terrifiante. Le bulletin de midi n'avait mentionné aucune région précise, mais il était probable que l'embouchure du Congo était déjà un champ de bataille. Brazzaville et Léopoldville étaient en danger. On n'avait pas besoin de regarder une carte pour savoir ce que cela signifiait. Il n'était pas simplement question de perdre l'Afrique centrale. Pour la première fois de la guerre, le territoire de l'Océania lui-même était menacé.

Une violente émotion, pas exactement de la peur, mais une sorte d'excitation indifférenciée, s'élevait en lui comme une flamme, puis s'éteignait. Il cessa de penser à la guerre. Il ne pouvait, ces jours-là, fixer son esprit sur un sujet que pendant quelques minutes. Il prit son verre et le vida d'un trait. Il en

eut, comme toujours, un frisson et même un léger
haut-le-cœur. Le breuvage était horrible. Les clous
de girofle et la saccharine, eux-mêmes plutôt d'un
goût répugnant de remède, ne pouvaient déguiser
l'odeur d'huile. Le pire de tout était que l'odeur du
gin, qui ne le quittait ni jour ni nuit, était inextricablement liée dans son esprit à l'odeur de ces...

Il ne les nommait jamais, même mentalement et,
autant que possible, ne les représentait jamais. Ils
étaient quelque chose dont il avait à moitié
conscience, qui rôdait près de son visage, une odeur
qui s'attachait à ses narines.

Comme le gin lui remontait, il rota entre des
lèvres rouges. Il était devenu plus gras depuis qu'on
l'avait relâché et avait retrouvé son teint — en vérité,
l'avait plus que retrouvé. Ses traits s'étaient épaissis.
La peau de son nez et de ses pommettes était d'un
rouge vulgaire. Son crâne chauve lui-même était
d'un rose trop foncé.

Un garçon, toujours sans avoir reçu d'ordres,
apporta le jeu d'échecs et le *Times* du jour, la page
tournée au problème d'échec. Puis, voyant le verre
de Winston vide, il apporta la bouteille de gin et le
remplit. Il n'était pas nécessaire de donner des
ordres. On connaissait ses habitudes. Le jeu d'échecs
l'attendait toujours, la table du coin lui était toujours réservée. Même quand le café était plein il
avait sa table pour lui seul car personne ne se souciait d'être vu assis trop près de lui. Il ne prenait
même jamais la peine de compter ses consommations.
A intervalles irréguliers, on lui présentait un bout
de papier sale qu'on disait être la note, mais il avait
l'impression qu'on lui faisait toujours payer moins
qu'il ne devait. Peu importait d'ailleurs que ce fût
le contraire. Il possédait toujours maintenant beaucoup d'argent. Il occupait même un poste. Une
sinécure, plus payée que ne l'avait été son ancien
travail

La musique du télécran s'arrêta et une voix la
remplaça. Winston leva la tête pour écouter. Pas de
bulletin du front, pourtant. Ce n'était qu'une brève
annonce du Ministère de l'Abondance. Au trimestre
précédent, paraît-il, le quota du dixième plan de
trois ans, pour les lacets de souliers avait été dépassé
de 98 pour cent.

Il examina le problème d'échecs et posa les pièces.
C'était un problème qui demandait de l'astuce et
mettait en jeu deux chevaliers. « Le blanc joue et
gagne en deux coups. » Winston leva les yeux vers
le portrait de Big Brother. Les blancs gagnent toujours, pensa-t-il avec une sorte de mysticisme obscur.
Toujours, sans exception, il en est ainsi. Depuis le
commencement du monde, dans aucun problème
d'échecs le noir n'a gagné. Ce jeu ne symbolisait-il
pas le triomphe éternel et inéluctable du Bien sur le
Mal ? Le visage plein de puissance calme lui rendit
son regard. Les blancs font toujours échec et mat.

La voix du télécran s'arrêta et ajouta sur un ton
différent et plus grave : « Vous êtes priés d'écouter
à quinze heures et demie une importante déclaration.
Quinze heures et demie ! Ce sont des nouvelles de la
plus grande importance. Ayez soin de ne pas les
manquer. Quinze heures et demie ! » La musique
métallique se fit à nouveau entendre.

Le cœur de Winston frémit. C'était le bulletin du
front. Un instinct lui disait que c'étaient de mau-
vaises nouvelles qui arrivaient. Toute la journée,
avec de petits sursauts d'excitation, la pensée d'une
défaite écrasante en Afrique avait hanté son esprit.
Il lui semblait voir réellement l'armée eurasienne
traverser en masse la frontière jamais violée jusqu'alors et se déployer dans le sud de l'Afrique
comme une colonne de fourmis. Pourquoi n'avait-on
pu, d'une façon ou d'une autre, les prendre à revers ?
La ligne de la côte occidentale africaine se détachait
nettement dans son esprit. Il prit le chevalier blanc

et le déplaça sur le jeu. C'était *là* qu'était le bon endroit. Tandis qu'il voyait dévaler la horde noire vers le Sud, il considérait une autre force, mystérieusement rassemblée, qui s'implantait sur les arrières de la première et coupait ses communications par mer et par terre.

Winston sentait que sa volonté faisait naître cette autre force. Mais il était nécessaire d'agir rapidement. S'ils obtenaient la domination de toute l'Afrique, s'ils possédaient des champs d'aviation et des bases sous-marines au Cap, ils couperaient l'Océania en deux. Cela pouvait tout signifier : la défaite, l'écrasement, le nouveau partage du monde, la destruction du Parti ! Il respira profondément. Une étrange mixture de sentiments — mais ce n'était pas à proprement parler une mixture, c'étaient plutôt des couches successives de sentiments, dont on ne pouvait dire laquelle était plus profonde — une étrange mixture de sentiments luttait en lui.

L'accès disparut. Il remit à sa place le chevalier blanc mais ne put, pour le moment, entreprendre une étude sérieuse du problème d'échecs. Ses pensées s'égaraient de nouveau. Presque inconsciemment, il traça du doigt dans la poussière de la table :

$$2 + 2 = 5$$

— Ils ne peuvent pénétrer en vous, avait-elle dit. Mais ils pouvaient entrer en vous. « Ce qui vous arrive ici vous marquera à jamais, » avait dit O'Brien. C'était le mot vrai. Il y avait des choses, vos propres actes, dont on ne pouvait guérir. Quelque chose était tué en vous, brûlé, cautérisé.

Il avait vu Julia, il lui avait parlé. Il n'y avait aucun danger à le faire. Il savait, presque instinctivement, que le Parti ne s'intéressait plus maintenant à ses actes. Il aurait pu s'arranger pour la rencontrer une seconde fois si elle ou lui l'avait désiré. C'était réellement par hasard qu'ils s'étaient rencontrés.

Il se trouvait dans le parc, par un jour de mars froid et piquant alors que la terre est dure comme du fer, toutes les plantes semblent mortes, il n'y a nulle part de boutons, hors ceux de quelques crocus qui ont poussé plus haut que les autres plantes et sont battus par·le vent. Les mains gelées et les yeux humides, il marchait à bonne allure quand il la vit à moins de dix mètres de lui. Il vit tout de suite qu'elle avait changé. En quoi ? Il ne put le définir. Ils se croisèrent presque sans se regarder, puis il se retourna et la suivit, sans grand empressement. Il savait pouvoir le faire sans danger, personne ne s'intéressait à eux. Elle ne parlait pas. Elle obliqua à travers la pelouse, comme pour essayer de se débarrasser de lui, puis parut se résigner à sa présence. Ils étaient au milieu d'un bouquet d'arbustes dépouillés de leurs feuilles, qui ne les cachaient ni ne les protégeaient du vent. Ils s'arrêtèrent. Il faisait horriblement froid. Le vent sifflait à travers les rameaux et agitait les rares crocus poussiéreux. Il lui entoura la taille de son bras.

Il n'y avait pas de télécran, mais il pouvait y avoir des microphones cachés, en outre, on pouvait les voir. Cela n'avait pas d'importance, rien n'avait d'importance. Ils auraient pu se coucher par terre et faire *cela* s'ils l'avaient voulu. Winston se sentit, à cette pensée, glacé d'horreur. Julia ne réagit dans aucun sens à l'étreinte de son bras. Elle n'essaya même pas de se libérer. Il comprit alors ce qui avait changé en elle.

Son visage était plus blême et une longue cicatrice, en partie cachée par les cheveux, lui traversait le front et la tempe. Mais ce n'était pas en cela qu'était le changement. C'était que sa taille avait épaissi et s'était roidie d'une façon étonnante. Il se souvint avoir une fois aidé, après l'explosion d'une bombe-fusée, à sortir un corps des décombres. Il avait été

étonné, non seulement du poids incroyable de la
chose, mais de sa rigidité et de la difficulté éprouvée
à la manier. Cela ressemblait à de la pierre plutôt
qu'à de la chair. Le corps de Julia donnait cette
impression. Il sembla à Winston que la texture de
sa peau devait être aussi tout à fait différente de ce
qu'elle avait été.

Il n'essaya pas de l'embrasser et ils ne se parlèrent pas. Tandis qu'ils traversaient la pelouse en
sens inverse, elle le regarda en face pour la première
fois. Ce ne fut qu'un coup d'œil rapide, plein de
mépris et de dégoût. Il se demanda si ce dégoût
venait du passé ou s'il était aussi inspiré par son
visage boursouflé et les larmes que le vent continuait
à faire couler de ses yeux.

Ils s'assirent côte à côte sur deux chaises de fer,
mais pas trop près l'un de l'autre. Il vit qu'elle
allait parler. Elle avança de quelques centimètres sa
chaussure grossière et écrasa du pied un rameau. Il
remarqua que ses pieds semblaient s'être élargis.

— Je vous ai trahi ! dit-elle méchamment.

— Je vous ai trahie, répéta-t-il.

Elle lui jeta un autre rapide regard de dégoût.

— Parfois, dit-elle, ils vous menacent de quelque
chose, quelque chose qu'on ne peut supporter, à
quoi on ne peut même penser. Alors on dit : « Ne
me le faites pas, faites-le à quelqu'un d'autre, faites-
le à un tel. » On pourrait peut-être prétendre ensuite
que ce n'était qu'une ruse, qu'on ne l'a dit que pour
faire cesser la torture et qu'on ne le pensait pas réellement. Mais ce n'est pas vrai. Au moment où ça se
passe, on le pense. On se dit qu'il n'y a pas d'autre
moyen de se sauver et l'on est absolument prêt à se
sauver de cette façon. On veut que la chose arrive
à l'autre. On se moque pas mal de ce que l'autre
souffre. On ne pense qu'à soi.

— On ne pense qu'à soi, répéta-t-il en écho.

— Après, on n'est plus le même envers l'autre.

— Non, dit-il, on n'est plus le même.

Il n'y avait pas, semblait-il, autre chose à dire. Le vent plaquait contre leurs corps leurs minces combinaisons. Ils furent tout de suite gênés de rester assis là, silencieux. En outre, il faisait trop froid pour demeurer immobile. Elle prétexta vaguement d'avoir à prendre le métro et se leva pour partir.

— Nous nous reverrons, dit-il.

— Oui, répondit-elle, nous nous reverrons.

Irrésolu, il la suivit un moment à un pas en arrière. Ils ne parlèrent plus. Elle n'essaya même pas réellement de se débarrasser de lui, mais avança d'un pas juste assez rapide pour éviter de se trouver de front avec lui. Il avait décidé de l'accompagner jusqu'à la station de métro, mais cette manière de traîner dans le froid lui parut soudain inutile et insupportable. Il fut pris d'un désir irrésistible, non pas tellement de s'éloigner de Julia, mais de retourner au café du Châtaignier qui ne lui avait jamais paru si attrayant qu'à ce moment. En une vision nostalgique, il se représentait sa table de coin, le journal, le jeu d'échecs et le gin coulant sans arrêt. Surtout, il y faisait chaud.

L'instant d'après, ce n'était pas absolument fortuit, il se laissa séparer d'elle par un petit groupe de gens. Il essaya sans conviction de la rattraper, puis ralentit, tourna, et prit une direction opposée.

Cinquante mètres plus loin, il se retourna. La rue n'était pas tellement encombrée. Il ne pouvait pourtant déjà plus distinguer Julia. N'importe laquelle de la douzaine de silhouettes qui se dépêchaient pouvait être la sienne. Son corps épaissi, raidi, ne pouvait peut-être plus être reconnu de dos.

« Au moment où ça se passe, avait-elle dit, on le pense. » Il l'avait pensé. Il ne l'avait pas simplement dit. Il l'avait désiré. Il avait désiré que ce fût elle plutôt que lui qu'on livrât aux...

La musique qui s'écoulait du télécran fut changée.

Il y eut une note brisée et saccadée, une note jaune. Et puis — mais peut-être n'était-ce pas réel, peut-être n'était-ce qu'un souvenir qui prenait la forme d'un son — une voix chanta :

> *Sous le châtaignier qui s'étale,*
> *Je t'ai vendu, tu m'as vendue !...*

Des larmes lui montèrent aux yeux. Un garçon qui passait remarqua son verre vide et revint avec la bouteille de gin.

Il prit son verre et le flaira. Le breuvage paraissait plus horrible à chaque gorgée. Mais il était devenu l'élément dans lequel il pouvait nager. C'était sa vie, sa mort et sa résurrection. C'était le gin qui, chaque soir, le plongeait dans la stupeur, c'était le gin qui, chaque matin, le faisait revivre. Quand il se réveillait, rarement avant onze heures, les paupières collées, la bouche enflammée, le dos brisé, il lui était impossible même de quitter la position horizontale, si la bouteille et la tasse n'avaient été placées près de son lit avant la nuit.

Il restait ensuite assis, pendant les heures du milieu du jour, le visage enluminé, la bouteille à portée de la main, à écouter le télécran.

De quinze heures à la fermeture, il était un pilier du Châtaignier. Personne ne se souciait de ce qu'il faisait. Aucun coup de sifflet ne le réveillait, aucun télécran ne le réprimandait.

Parfois, peut-être deux fois par semaine, il se rendait à un bureau poussiéreux et oublié du Ministère de la Vérité et abattait un peu de travail, du moins ce que l'on appelait travail. Il avait été nommé au sous-comité d'une sous-commission qui était née d'un des innombrables comités qui s'occupaient des difficultés secondaires que l'on rencontrait dans la compilation de la onzième édition du dictionnaire Novlangue. Ce sous-comité s'occupait de la rédaction

de ce que l'on appelait un rapport provisoire. Mais
Winston n'avait jamais pu définir avec précision ce
qui était rapporté.

C'était quelque chose qui avait trait à la question
de l'emplacement des virgules. Devaient-elles être
placées à l'intérieur des parenthèses ou à l'extérieur ? Il y avait au comité quatre autres employés
semblables à Winston. Parfois ils se rassemblaient
puis se séparaient promptement en s'avouant franchement qu'il n'y avait réellement rien à faire. Mais
il y avait des jours où ils s'attelaient à leur travail
presque avec ardeur, faisaient un étalage extraordinaire des notes qu'ils rédigeaient et ébauchaient de
longs memoranda qui n'étaient jamais terminés ; des
jours où la discussion à laquelle ils étaient censés
apporter des arguments devenait tout à fait embrouil-
lée et abstruse, provoquait de subtils marchandages
sur les définitions, des digressions infinies, des querelles, des menaces mêmes d'en appeler à une autorité supérieure. Mais subitement, leur ardeur les
abandonnait et, comme des fantômes qui disparais-
sent au chant du coq, ils restaient assis autour de la
table à se regarder avec des yeux éteints.

Le télécran se tut un moment. Winston releva
encore la tête. Le communiqué ! Mais non, c'était
simplement la musique qui changeait. Winston avait
sous les paupières la carte de l'Afrique. Le mouvement des armées formait un diagramme : une flèche
noire verticale lancée à toute vitesse en direction du
Sud, une flèche blanche horizontale lancée en direction de l'Est, à travers la queue de la première.
Comme pour se rassurer, Winston leva les yeux vers
l'impassible visage de l'affiche. Etait-il concevable
que la seconde flèche n'existât même pas ?

Son intérêt se relâcha encore. Il but une autre
gorgée de gin, saisit le chevalier blanc et essaya de
le déplacer. Echec et mat. Mais ce n'était évidemment pas le bon mouvement car...

Un souvenir, qu'il n'avait pas cherché, lui vint à l'esprit. Il vit une chambre éclairée par une chandelle et meublée d'un grand lit recouvert d'une courtepointe blanche. Lui, alors un garçon de neuf ou dix ans, se trouvait assis sur le parquet. Il agitait un cornet de dés et riait avec excitation. Sa mère, assise en face de lui, riait aussi. Ce devait être environ un mois avant sa disparition. C'était dans un moment de réconciliation. La faim qui rongeait son ventre était momentanément oubliée et l'affection qu'il avait portée à sa mère était revenue pour un instant.

Il se souvenait bien du jour, un jour de grêle et de pluie. L'eau ruisselait sur les vitres et, à l'intérieur, la lumière était trop faible pour permettre de lire. L'ennui des deux enfants dans la chambre sombre et étroite devint insupportable. Winston gémissait et grognait, demandait inutilement de la nourriture, s'agitait dans la pièce, déplaçait tout, frappait sur les lambris, si bien que les voisins protestèrent en cognant sur les murs, tandis que le plus jeune enfant se plaignait par intermittences.

La mère, à la fin, avait dit : « Maintenant, soyez gentils, et je vais vous acheter un jouet, un beau jouet, qui vous plaira. Puis elle était allée sous la pluie à une petite boutique voisine qui vendait de tout et ouvrait encore sporadiquement. Elle revint avec une boîte de carton qui contenait un attirail d'échelles et de serpentins. Winston retrouvait encore l'odeur du carton humide. C'était un assortiment misérable. Le carton était craquelé et les minuscules dés de bois étaient si mal taillés qu'ils ne tenaient pas sur leurs côtés. Winston avait regardé le jeu d'un air maussade et sans intérêt. Mais sa mère avait alors allumé un bout de bougie et ils s'étaient assis sur le parquet pour jouer. Bientôt, Winston était follement excité et se tordait de rire à voir les puces grimper les échelles avec espoir puis glisser au bas des ser-

pentins et revenir presque au point de départ. Ils
jouèrent huit parties. Chacun en gagna quatre. Sa
petite sœur, trop jeune pour comprendre le jeu,
était appuyée à un traversin et riait parce que les
autres riaient. Pendant un après-midi entier, ils
avaient été heureux ensemble, comme dans sa première enfance.

Winston repoussa l'image de son esprit. C'était un
souvenir erroné. Il était parfois troublé par des souvenirs erronés. Ils n'avaient pas d'importance, tant
qu'on les prenait pour ce qu'ils étaient. Certains événements avaient eu lieu, d'autres non. Il revint au
jeu d'échecs et reprit le chevalier blanc. Presque au
même instant, il le laissa retomber. Il avait sursauté
comme s'il avait été piqué par une épingle. Un appel
de clairon avait fait vibrer l'air. C'était le communiqué. Victoire ! L'appel du clairon annonçait toujours une victoire. Une sorte de frisson électrique se
propagea dans le café. Les garçons eux-mêmes avaient
sursauté et avaient dressé l'oreille.

L'appel du clairon libéra un énorme volume de
bruit. Déjà, au télécran, une voix excitée parlait
avec volubilité. Mais elle n'avait pas commencé que
déjà elle était presque noyée par les hourras venus
de l'extérieur. La nouvelle s'était, comme par magie,
propagée le long de toutes les rues.

Winston pouvait entendre juste assez de ce qu'émettait le télécran pour comprendre que tout était arrivé
comme il l'avait prévu. Une vaste armada transpor-
tée par mer, secrètement rassemblée, un coup soudain sur l'arrière de l'ennemi, la blanche flèche lan-
cée à travers la queue de la noire. Des fragments de phrases triomphantes traversaient
le vacarme : « Vaste manœuvre stratégique — par-
faite coordination — défaite complète — un demi-
million de prisonniers — complète démoralisation —
domination de toute l'Afrique — amène la guerre
à une distance de sa fin que l'on peut évaluer — Vic-

toire ! la plus grande victoire de l'Histoire de l'humanité ! Victoire ! Victoire ! Victoire ! »

Les pieds de Winston, sous la table s'agitaient convulsivement. Il n'avait pas bougé de son siège, mais en esprit il courait, il courait de toutes ses forces. Il était avec la foule au dehors et s'assourdissait lui-même de hourras. Il regarda encore le portrait de Big Brother, le colosse qui chevauchait le monde ! Le roc contre lequel les hordes asiatiques s'écrasaient elles-mêmes en vain ! Il pensa que dix minutes auparavant — oui, dix minutes seulement — il y avait encore de l'équivoque dans son cœur alors qu'il se demandait si les nouvelles du front annonceraient la victoire ou la défaite. Ah ! C'était plus qu'une armée eurasienne qui avait péri. Depuis le premier jour passé au Ministère de l'Amour, il avait beaucoup changé, mais le changement final, indispensable, qui le guérirait, ne s'était jamais jusqu'alors produit.

La voix du télécran déversait encore son histoire de prisonniers, de butin et de carnage, mais le vacarme extérieur s'était un peu apaisé. Les garçons revenaient à leur service. L'un d'eux s'approcha de Winston avec la bouteille de gin. Winston, plongé dans un rêve heureux ne faisait aucunement attention à son verre que l'on remplissait. Il ne courait ni n'applaudissait plus. Il était de retour au Ministère de l'Amour. Tout était pardonné, et son âme était blanche comme neige. Il se voyait au banc des prévenus. Il confessait tout, il accusait tout le monde. Il longeait le couloir carrelé de blanc, avec l'impression de marcher au soleil, un garde armé derrière lui. La balle longtemps attendue lui entrait dans la nuque.

Il regarda l'énorme face. Il lui avait fallu quarante ans pour savoir quelle sorte de sourire se cachait sous la moustache noire. O cruelle, inutile incompréhension ! obstiné ! volontairement exilé de la poitrine

aimante ! Deux larmes empestées de gin lui coulè-
rent de chaque côté du nez. Mais il allait bien, tout
allait bien.

LA LUTTE ÉTAIT TERMINÉE.

IL AVAIT REMPORTÉ LA VICTOIRE SUR LUI-
MÊME.

IL AIMAIT BIG BROTHER.

APPENDICE

LES PRINCIPES DU NOVLANGUE

Le Novlangue a été la langue officielle de l'Océania. Il fut inventé pour répondre aux besoins de l'Angsoc, ou socialisme anglais.

En l'an 1984, le Novlangue n'était pas la seule langue en usage, que ce fût oralement ou par écrit. Les articles de fond du *Times* étaient écrits en Novlangue, mais c'était un tour de force qui ne pouvait être réalisé que par des spécialistes. On comptait que le Novlangue aurait finalement supplanté l'Ancilangue (nous dirions la langue ordinaire) vers l'année 2050.

Entre temps, il gagnait régulièrement du terrain. Les membres du Parti avaient de plus en plus tendance à employer des mots et des constructions grammaticales Novlangue dans leurs conversations de tous les jours. La version en usage en 1984 et résumée dans les neuvième et dixième éditions du dictionnaire Novlangue était une version temporaire qui contenait beaucoup de mots superflus et de formes archaïques qui devaient être supprimés plus tard.

Nous nous occupons ici de la version finale, perfectionnée, telle qu'elle est donnée dans la onzième édition du dictionnaire.

Le but du Novlangue était, non seulement de fournir un mode d'expression aux idées générales et aux habitudes mentales des dévots de l'Angsoc, mais de rendre impossible tout autre mode de pensée.

Il était entendu que lorsque le Novlangue serait une fois pour toutes adopté et que l'Ancilangue serait oublié, une idée hérétique — c'est-à-dire une idée s'écartant des principes de l'Angsoc — serait littéralement impensable, du moins dans la mesure où la pensée dépend des mots.

Le vocabulaire du Novlangue était construit de telle sorte qu'il pût fournir une expression exacte, et souvent très nuancée, aux idées qu'un membre du Parti pouvait, à juste titre, désirer communiquer. Mais il excluait toutes les autres idées et même la possibilité d'y arriver par des méthodes indirectes. L'invention de mots nouveaux, l'élimination surtout des mots indésirables, la suppression dans les mots restants de toute signification non orthodoxe et, autant que possible, de toute signification secondaire, quelle qu'elle fût, contribuaient à ce résultat.

Ainsi le mot *libre* existait encore en Novlangue, mais ne pouvait être employé que dans des phrases comme « le chemin est libre ». Il ne pouvait être employé dans le sens ancien de « liberté politique » ou de « liberté intellectuelle ». Les libertés politique et intellectuelle n'existaient en effet plus, même sous forme de concept. Elles n'avaient donc nécessairement pas de nom.

En dehors du désir de supprimer les mots dont le sens n'était pas orthodoxe, l'appauvrissement du vocabulaire était considéré comme une fin en soi et on ne laissait subsister aucun mot dont on pouvait se passer. Le Novlangue était destiné, non à étendre, mais à diminuer le domaine de la pensée et la réduction au minimum du choix des mots aidait indirectement à atteindre ce but.

Le Novlangue était basé sur la langue que nous connaissons actuellement, bien que beaucoup de phrases Novlangue, même celles qui ne contiennent

aucun mot nouveau, seraient à peine intelligibles à
notre époque.

Les mots Novlangue étaient divisés en trois classes
distinctes, connues sous les noms de vocabulaire A.
vocabulaire B (aussi appelé mots composés) et vocabulaire C. Il sera plus simple de discuter de chaque
classe séparément, mais les particularités grammaticales de la langue pourront être traitées dans la partie consacrée au vocabulaire A car les mêmes règles
s'appliquent aux trois catégories.

Vocabulaire A. — Le vocabulaire A comprenait les
mots nécessaires à la vie de tous les jours, par exemple pour manger, boire, travailler, s'habiller, monter
et descendre les escaliers, aller à bicyclette, jardiner,
cuisiner, et ainsi de suite... Il était composé presque
entièrement de mots que nous possédons déjà de
mots comme : *coup, course, chien, arbre, sucre,
maison, champ.* Mais en comparaison avec le vocabulaire actuel. il y en avait un très petit nombre et
leur sens était délimité avec beaucoup plus de rigidité. On les avait débarrassés de toute ambiguïté et
de toute nuance. Autant que faire se pouvait, un
mot Novlangue de cette classe était simplement un
son *staccato* exprimant un seul concept clairement
compris. Il eût été tout à fait impossible d'employer
le vocabulaire A à des fins littéraires ou à des discus-
sions politiques ou philosophiques. Il était destiné
seulement à exprimer des pensées simples, objec-
tives, se rapportant en général à des objets concrets
ou à des actes matériels.

La grammaire Novlangue renfermait deux particularités essentielles. La première était une inter-
changeabilité presque complète des différentes parties
du discours. Tous les mots de la langue (en principe,
cela s'appliquait même à des mots très abstraits
comme *si* ou *quand*) pouvaient être employés comme
verbes, noms, adjectifs ou adverbes. Il n'y avait

jamais aucune différence entre les formes du verbe
et du nom quand ils étaient de la même racine.

Cette règle du semblable entraînait la destruction
de beaucoup de formes archaïques. Le mot *pensée*
par exemple, n'existait pas en Novlangue. Il était
remplacé par *penser* qui faisait office à la fois de
nom et de verbe. On ne suivait dans ce cas aucun
principe étymologique. Parfois c'était le nom originel qui était choisi, d'autres fois, c'était le verbe.

Même lorsqu'un nom et un verbe de signification
voisine n'avaient pas de parenté étymologique, l'un
ou l'autre était fréquemment supprimé. Il n'existait
pas, par exemple, de mot comme *couper*, dont le
sens était suffisamment exprimé par le nom-verbe
couteau.

Les adjectifs étaient formés par l'addition du suffixe *able* au nom-verbe, et les adverbes par l'addition du suffixe *ment* à l'adjectif. Ainsi, l'adjectif
correspondant à vérité était *véritable*, l'adverbe,
véritablement.

On avait conservé certains de nos adjectifs actuels
comme *bon, fort, gros, noir, doux*, mais en très petit
nombre. On s'en servait peu puisque presque tous
les qualificatifs pouvaient être obtenus en ajoutant
able au nom-verbe.

Aucun des adverbes actuels n'était gardé, sauf un
très petit nombre déjà terminés en *ment*. La termi-
naison *ment* était obligatoire. Le mot *bien*, par
exemple, était remplacé par *bonnement*.

De plus, et ceci s'appliquait encore en principe à
tous les mots de la langue, n'importe quel mot pouvait prendre la forme négative par l'addition du
préfixe *in*. On pouvait en renforcer le sens par l'addition du préfixe *plus* ou, pour accentuer davantage,
du préfixe *doubleplus*. Ainsi *incolore* signifie pâle,
tandis que *pluscolore* et *doublepluscolore* signifient
respectivement « très coloré » et « superlativement
coloré ».

Il était aussi possible de modifier le sens de presque tous les mots par des préfixes-prépositions tels que *anté*, *post*, *haut*, *bas*, etc...

Grâce à de telles méthodes, on obtint une considérable diminution du vocabulaire. Etant donné par exemple le mot *bon*, on n'a pas besoin du mot *mauvais*, puisque le sens désiré est également, et, en vérité, mieux exprimé par *inbon*. Il fallait simplement, dans les cas où deux mots formaient une paire naturelle d'antonymes, décider lequel on devait supprimer. *Sombre*, par exemple, pouvait être remplacé par *inclair*, ou *clair* par *insombre*, selon la préférence.

La seconde particularité de la grammaire Novlangue était sa régularité. Toutes les désinences, sauf quelques exceptions mentionnées plus loin, obéissaient aux mêmes règles. C'est ainsi que le passé défini et le participe passé de tous les verbes se terminaient indistinctement en *é*. Le passé défini de *voler* était *volé*, celui de *penser* était *pensé* et ainsi de suite. Les formes telles que *nagea*, *donnât*, *cueillit*, *parlèrent*, *saisirent*, étaient abolies.

Le pluriel était obtenu par l'adjonction de *s* ou *es* dans tous les cas. Le pluriel d'*œil*, *bœuf*, *cheval*, était, respectivement, *œils*, *bœufs*, *chevals*.

Les adjectifs comparatifs et superlatifs étaient obtenus par l'addition de suffixes invariables. Les vocables dont les désinences demeuraient irrégulières étaient, en tout et pour tout, les pronoms, les relatifs, les adjectifs démonstratifs et les verbes auxiliaires. Ils suivaient les anciennes règles. *Dont*, cependant, avait été supprimé, comme inutile.

Il y eut aussi, dans la formation des mots, certaines irrégularités qui naquirent du besoin d'un parler rapide et facile. Un mot difficile à prononcer ou susceptible d'être mal entendu, était ipso facto tenu pour mauvais. En conséquence, on insérait parfois dans le mot des lettres supplémentaires, ou on gardait une forme archaïque, pour des raisons d'euphonie.

Mais cette nécessité semblait se rattacher surtout au vocabulaire B. Nous exposerons clairement plus loin, dans cet essai, les raisons pour lesquelles une si grande importance était attachée à la facilité de la prononciation.

Vocabulaire B. — Le vocabulaire B comprenait des mots formés pour des fins politiques, c'est-à-dire des mots qui, non seulement, dans tous les cas, avaient une signification politique, mais étaient destinés à imposer l'attitude mentale voulue à la personne qui les employait.

Il était difficile, sans une compréhension complète des principes de l'Angsoc, d'employer ces mots correctement. On pouvait, dans certains cas, les traduire en Ancilangue, ou même par des mots puisés dans le vocabulaire A, mais cette traduction exigeait en général une longue périphrase et impliquait toujours la perte de certaines harmonies.

Les mots B formaient une sorte de sténographie verbale qui entassait en quelques syllabes des séries complètes d'idées, et ils étaient plus justes et plus forts que ceux du langage ordinaire.

Les mots B étaient toujours des mots composés. (On trouvait, naturellement, des mots composés tels que *phonoscript* dans le vocabulaire A, mais ce n'étaient que des abréviations commodes qui n'avaient aucune couleur idéologique spéciale.)

Ils étaient formés de deux mots ou plus, ou de portions de mots, soudés en une forme que l'on pouvait facilement prononcer. L'amalgame obtenu était toujours un nom-verbe dont les désinences suivaient les règles ordinaires. Pour citer un exemple, le mot « bonpensé » signifiait approximativement « orthodoxe » ou, si on voulait le considérer comme un verbe « penser d'une manière orthodoxe ». Il chan₋

geait de désinence comme suit : nom-verbe bonpensé, passé et participe passé *bienpensé* ; participe
présent : *bonpensant* ; adjectif : bonpensable ; nom
verbal : bonpenseur.

Les mots B n'étaient pas formés suivant un plan
étymologique. Les mots dont ils étaient composés
pouvaient être n'importe quelle partie du langage.
Ils pouvaient être placés dans n'importe quel ordre
et mutilés de n'importe quelle façon, pourvu que
cet ordre et cette mutilation facilitent leur prononciation et indiquent leur origine.

Dans le mot *crimcpensée* par exemple, le mot *pensée* était placé le second, tandis que dans *penséepol*
(police de la pensée) il était placé le premier, et le
second mot, *police*, avait perdu sa deuxième syllabe.
A cause de la difficulté plus grande de sauvegarder
l'euphonie, les formes irrégulières étaient plus fré-
quentes dans le vocabulaire B que dans le vocabulaire A. Ainsi, les formes qualificatives : *Miniver,
Minipax* et *Miniam* remplaçaient, respectivement :
Minivéritable, Minipaisible et Miniaimé, simplement
parce que *véritable, paisible, aimé*, étaient légèrement difficiles à prononcer. En principe, cependant,
tous les mots B devaient recevoir des désinences, et
ces désinences variaient exactement suivant les mêmes
règles.

Quelques-uns des mots B avaient de fines subtilités
de sens à peine intelligibles à ceux qui n'étaient pas
familiarisés avec l'ensemble de la langue. Considé-
rons, par exemple, cette phrase typique d'un article
de fond du *Times : Ancipenseur nesentventre Angsoc.*
La traduction la plus courte que l'on puisse donner
de cette phrase en Ancilangue est : « Ceux dont les
idées furent formées avant la Révolution ne peuvent
avoir une compréhension pleinement sentie des principes du Socialisme anglais. »

Mais ceci n'est pas une traduction exacte. Pour
commencer, pour saisir dans son entier le sens de la

phrase Novlangue citée plus haut, il fallait avoir une
idée claire de ce que signifiait *Angsoc*. De plus, seule
une personne possédant à fond l'Angsoc pouvait
apprécier toute la force du mot : *sentventre* (sentir
par les entrailles) qui impliquait une acceptation
aveugle, enthousiaste, difficile à imaginer aujour-
d'hui ; ou du mot *ancipensée* (pensée ancienne), qui
était inextricablement mêlé à l'idée de perversité et
de décadence.

Mais la fonction spéciale de certains mots Novlangue comme *ancipensée*, n'était pas tellement d'exprimer des idées que d'en détruire. On avait étendu
le sens de ces mots, nécessairement peu nombreux,
jusqu'à ce qu'ils embrassent des séries entières de
mots qui, leur sens étant suffisamment rendu par un
seul terme compréhensible, pouvaient alors être effa-
cés et oubliés. La plus grande difficulté à laquelle
eurent à faire face les compilateurs du dictionnaire
Novlangue, ne fut pas d'inventer des mots nouveaux
mais, les ayant inventés, de bien s'assurer de leur
sens, c'est-à-dire de chercher quelles séries de mots
ils supprimaient par leur existence.

Comme nous l'avons vu pour le mot *libre*, des mots
qui avaient un sens hérétique étaient parfois conser-
vés pour la commodité qu'ils présentaient, mais ils
étaient épurés de toute signification indésirable.

D'innombrables mots comme : *honneur, justice,
moralité, internationalisme, démocratie, science, religion*, avaient simplement cessé d'exister. Quelques
mots-couverture les englobaient et, en les englobant,
les supprimaient.

Ainsi tous les mots groupés autour des concepts de
liberté et d'égalité étaient contenus dans le seul mot
penséecrime, tandis que tous les mots groupés autour
des concepts d'objectivité et de rationalisme étaient
contenus dans le seul mot *ancipensée*. Une plus
grande précision était dangereuse. Ce qu'on demandait aux membres du Parti, c'était une vue analogue

à celle des anciens Hébreux qui savaient — et ne savaient pas grand'chose d'autre — que toutes les nations autres que la leur adoraient de « faux Dieux ». Ils n'avaient pas besoin de savoir que ces Dieux s'appelaient Baal, Osiris, Moloch, Ashtaroh et ainsi de suite... Moins ils les connaissaient, mieux cela valait pour leur orthodoxie. Ils connaissaient Jéhovah et les commandements de Jéhovah. Ils savaient, par conséquent, que tous les dieux qui avaient d'autres noms et d'autres attributs étaient de faux dieux.

En quelque sorte de la même façon, les membres du Parti savaient ce qui constituait une bonne conduite et, en des termes excessivement vagues et généraux, ils savaient quelles sortes d'écarts étaient possibles. Leur vie sexuelle, par exemple, était minutieusement réglée par les deux mots Novlangue : *crimesex* (immoralité sexuelle) et *biensex* (chasteté).

Crimesex concernait les écarts sexuels de toutes sortes. Ce mot englobait la fornication, l'adultère, l'homosexualité et autres perversions et, de plus, la sexualité normale pratiquée pour elle-même. Il n'était pas nécessaire de les énumérer séparément puisqu'ils étaient tous également coupables. Dans le vocabulaire C, qui comprenait les mots techniques et scientifiques, il aurait pu être nécessaire de donner des noms spéciaux à certaines aberrations sexuelles, mais le citoyen ordinaire n'en avait pas besoin. Il savait ce que signifiait *biensex*, c'est-à-dire les rapports normaux entre l'homme et la femme, dans le seul but d'avoir des enfants, et sans plaisir physique de la part de la femme. Tout autre rapport était *crimesex*. Il était rarement possible en Novlangue de suivre une pensée non orthodoxe plus loin que la perception qu'elle était non orthodoxe. Au delà de ce point, les mots n'existaient pas.

Il n'y avait pas de mot, dans le vocabulaire B, qui fût idéologiquement neutre. Un grand nombre d'en-

tre eux étaient des euphémismes. Des mots comme,
par exemple : *joiecamp* (camp de travaux forcés) ou
minipax (ministère de la paix, c'est-à-dire ministère
de la guerre) signifiaient exactement le contraire de
ce qu'ils paraissaient vouloir dire.

D'autre part, quelques mots révélaient une franche
et méprisante compréhension de la nature réelle de
la société océanienne. Par exemple *prolealiment* qui
désignait les spectacles stupides et les nouvelles falsi-
fiées que le Parti délivrait aux masses.

D'autres mots, eux, étaient bivalents et ambigus.
Ils sous-entendaient le mot *bien* quand on les appliquait au Parti et le mot *mal* quand on les appliquait
aux ennemis du Parti, de plus, il y avait un grand
nombre de mots qui, à première vue, paraissaient
être de simples abréviations et qui tiraient leur couleur idéologique non de leur signification, mais de
leur structure.

On avait, dans la mesure du possible, rassemblé
dans le vocabulaire B tous les mots qui avaient ou
pouvaient avoir un sens politique quelconque. Les
noms des organisations, des groupes de gens, des doctrines, des pays, des institutions, des édifices publics,
étaient toujours abrégés en une forme familière, c'est-
à-dire en un seul mot qui pouvait facilement se prononcer et dans lequel l'étymologie était gardée par
un minimum de syllabes.

Au Ministère de la Vérité, par exemple, le commissariat aux Archives où travaillait Winston s'appelait *Comarch*, le commissariat aux Romans *Comrom*,
le commissariat aux Téléprogrammes *Télécom* et
ainsi de suite.

Ces abréviations n'avaient pas seulement pour but
d'économiser le temps. Même dans les premières
décades du vingtième siècle, les mots et phrases téles-
copés avaient été l'un des traits caractéristiques de la
langue politique, et l'on avait remarqué que, bien
qu'universelle, la tendance à employer de telles abré-

viations était plus marquée dans les organisations et dans les pays totalitaires. Ainsi les mots : Gestapo, Comintern, Imprecorr, Agitprop. Mais cette habitude, au début, avait été adoptée telle qu'elle se présentait, instinctivement. En Novlangue, on l'adoptait dans un dessein conscient.

On remarqua qu'en abrégeant ainsi un mot, on restreignait et changeait subtilement sa signification, car on lui enlevait les associations qui, autrement, y étaient attachées. Les mots « communisme international », par exemple, évoquaient une image composite : Universelle fraternité humaine, drapeaux rouges barricades, Karl Marx, Commune de Paris, tandis que le mot « Comintern » suggérait simplement une organisation étroite et un corps de doctrine bien défini. Il se référait à un objet presque aussi reconnaissable et limité dans son usage qu'une chaise ou une table. *Comintern* est un mot qui peut être prononcé presque sans réfléchir tandis que *Communisme International* est une phrase sur laquelle on est obligé de s'attarder, au moins momentanément.

De même, les associations provoquées par un mot comme *Miniver* étaient moins nombreuses et plus faciles à contrôler que celles amenées par *Ministère de la Vérité*.

Ce résultat était obtenu, non seulement par l'habitude d'abréger chaque fois que possible, mais encore par le soin presque exagéré apporté à rendre les mots aisément prononçables.

Mise à part la précision du sens, l'euphonie, en Novlangue, dominait toute autre considération. Les règles de grammaire lui étaient toujours sacrifiées quand c'était nécessaire. Et c'était à juste titre, puisque ce que l'on voulait obtenir, surtout pour des fins politiques, c'étaient des mots abrégés et courts, d'un sens précis, qui pouvaient être rapidement prononcés et éveillaient le minimum d'écho dans l'esprit de celui qui parlait.

Les mots du vocabulaire B gagnaient même en force, du fait qu'ils étaient presque tous semblables. Presque invariablement, ces mots — *bienpensant, Minipax, Prolealim, crimesex, joiecamp, Angsoc, ventresent penséepol...* — étaient des mots de deux ou trois syllabes dont l'accentuation était également répartie de la première à la dernière syllabe. Leur emploi entraînait une élocution volubile, à la fois martelée et monotone. Et c'était exactement à quoi l'on visait. Le but était de rendre l'élocution autant que possible indépendante de la conscience, spécialement l'élocution traitant de sujets qui ne seraient pas idéologiquement neutres.

Pour la vie de tous les jours, il était évidemment nécessaire, du moins quelquefois, de réfléchir avant de parler. Mais un membre du Parti appelé à émettre un jugement politique ou éthique devait être capable de répandre des opinions correctes aussi automatiquement qu'une mitrailleuse sème des balles. Son éducation lui en donnait l'aptitude, le langage lui fournissait un instrument grâce auquel il était presque impossible de se tromper, et la texture des mots, avec leur son rauque et une certaine laideur volontaire, en accord avec l'esprit de l'Angsoc, aidait encore davantage à cet automatisme.

Le fait que le choix des mots fût très restreint y aidait aussi. Comparé au nôtre, le vocabulaire Novlangue était minuscule. On imaginait constamment de nouveaux moyens de le réduire. Il différait, en vérité, de presque tous les autres en ceci qu'il s'appauvrissait chaque année au lieu de s'enrichir. Chaque réduction était un gain puisque, moins le choix est étendu, moindre est la tentation de réfléchir.

Enfin, on espérait faire sortir du larynx le langage articulé sans mettre d'aucune façon en jeu les centres plus élevés du cerveau. Ce but était franchement admis dans le mot Novlangue : *canelangue*, qui signifie « faire coin-coin comme un canard ». Le mot

canelangue, comme d'autres mots divers du vocabulaire B, avait un double sens. Pourvu que les opinions émises en *canelangue* fussent orthodoxes, il ne
contenait qu'un compliment, et lorsque le *Times* parlait d'un membre du Parti comme d'un *doubleplusbon canelangue*, il lui adressait un compliment cha-
leureux qui avait son poids.

Vocabulaire C. — Le vocabulaire C, ajouté aux
deux autres, consistait entièrement en termes scientifiques et techniques. Ces termes ressemblaient aux
termes scientifiques en usage aujourd'hui et étaient
formés avec les mêmes racines. Mais on prenait soin,
comme d'habitude, de les définir avec précision et
de les débarrasser des significations indésirables. Ils
suivaient les mêmes règles grammaticales que les
mots des deux autres vocabulaires.

Très peu de mots du vocabulaire C étaient courants dans le langage journalier ou le langage politique. Les travailleurs ou techniciens pouvaient
trouver tous les mots dont ils avaient besoin dans la
liste consacrée à leur propre spécialité, mais ils
avaient rarement plus qu'une connaissance superfi-
cielle des mots qui appartenaient aux autres listes.
Il y avait peu de mots communs à toutes les listes et
il n'existait pas, indépendamment des branches par-
ticulières de la science, de vocabulaire exprimant la
fonction de la science comme une habitude de l'esprit
ou une méthode de pensée. Il n'existait pas, en
vérité, de mot pour exprimer *science*, toute signification de ce mot étant déjà suffisamment englobée
par le mot *Angsoc*.

On voit, par ce qui précède, qu'en Novlangue, l'expression des opinions non orthodoxes était presque
impossible, au-dessus d'un niveau très bas. On pouvait, naturellement, émettre des hérésies grossières,
des sortes de blasphèmes. Il était possible, par exemple, de dire : « Big Brother est inbon. » Mais cette

constatation, qui, pour une oreille orthodoxe, n'exprimait qu'une absurdité évidente par elle-même, n'aurait pu être soutenue par une argumentation raisonnée, car les mots nécessaires manquaient.

Les idées contre l'Angsoc ne pouvaient être conservées que sous une forme vague, inexprimable en mots, et ne pouvaient être nommées qu'en termes très généraux qui formaient bloc et condamnaient des groupes entiers d'hérésies sans pour cela les définir. On ne pouvait, en fait, se servir du Novlangue dans un but non orthodoxe que par une traduction inexacte des mots Novlangue en Ancilangue. Par exemple la phrase : « Tous les hommes sont égaux » était correcte en Novlangue, mais dans la même proportion que la phrase : « Tous les hommes sont roux » serait possible en Ancilangue. Elle ne contenait pas d'erreur grammaticale, mais exprimait une erreur palpable, à savoir que tous les hommes seraient égaux en taille, en poids et en force.

En 1984, quand l'Ancilangue était encore un mode normal d'expression, le danger théorique existait qu'en employant des mots Novlangue on pût se souvenir de leur sens primitif. En pratique, il n'était pas difficile, en s'appuyant solidement sur la *double-pensée*, d'éviter cette confusion. Toutefois, la possibilité même d'une telle erreur aurait disparu avant deux générations.

Une personne dont l'éducation aurait été faite en Novlangue seulement, ne saurait pas davantage que *égal* avait un moment eu le sens secondaire de *politiquement égal* ou que *libre* avait un moment signifié *libre politiquement* que, par exemple, une personne qui n'aurait jamais entendu parler d'échecs ne connaîtrait le sens spécial attaché à *reine* et à *tour*. Il y aurait beaucoup de crimes et d'erreurs qu'il serait hors de son pouvoir de commettre, simplement parce qu'ils n'avaient pas de nom et étaient par conséquent inimaginables.

Et l'on pouvait prévoir qu'avec le temps les .caractéristiques spéciales du Novlangue deviendraient de plus en plus prononcées, car le nombre des mots diminuerait de plus en plus, le sens serait de plus en plus rigide, et la possibilité d'une impropriété de termes diminuerait constamment.

Lorsque l'Ancilangue aurait, une fois pour toutes, été supplantée, le dernier lien avec le passé serait tranché. L'Histoire était réécrite, mais des fragments de la littérature du passé survivaient çà et là, imparfaitement censurés et, aussi longtemps que l'on gardait l'Ancilangue, il était possible de les lire. Mais de tels fragments, même si par hasard ils survivaient, seraient plus tard inintelligibles et intraduisibles.

Il était impossible de traduire en Novlangue aucun passage de l'Ancilangue, à moins qu'il ne se référât, soit à un processus technique, soit à une très simple action de tous les jours, ou qu'il ne fût, déjà, de tendance orthodoxe (*bienpensant*, par exemple, était destiné à passer tel quel de l'Ancilangue au Novlangue).

En pratique, cela signifiait qu'aucun livre écrit avant 1960 environ ne pouvait être entièrement traduit. On ne pouvait faire subir à la littérature prérévolutionnaire qu'une traduction idéologique, c'est-à-dire en changer le sens autant que la langue. Prenons comme exemple un passage bien connu de la Déclaration de l'Indépendance :

« *Nous tenons pour naturellement évidentes les vérités suivantes : Tous les hommes naissent égaux. Ils reçoivent du Créateur certains droits inaliénables, parmi lesquels sont le droit à la vie, le droit à la liberté et le droit à la recherche du bonheur. Pour préserver ces droits, des gouvernements sont constitués qui tiennent leur pouvoir du consentement des gouvernés. Lorsqu'une forme de gouvernement s'oppose à ces fins, le peuple a le droit de changer ce gouvernement, ou de l'abolir et d'en instituer un nouveau. »*

Il aurait été absolument impossible de rendre ce passage en Novlangue tout en conservant le sens originel. Pour arriver aussi près que possible de ce sens, il faudrait embrasser tout le passage d'un seul mot : *crimepensée.* Une traduction complète ne pourrait être qu'une traduction d'idées dans laquelle les mots de Jefferson seraient changés en un panégyrique du gouvernement absolu.

Une grande partie de la littérature du passé était, en vérité, déjà transformée dans ce sens. Des considérations de prestige rendirent désirables de conserver la mémoire de certaines figures historiques, tout en ralliant leurs œuvres à la philosophie de l'Angsoc. On était en train de traduire divers auteurs comme Shakespeare, Milton, Swift, Byron, Dickens et d'autres. Quand ce travail serait achevé, leurs écrits originaux et tout ce qui survivait de la littérature du passé seraient détruits.

Ces traductions exigeaient un travail lent et difficile, et on pensait qu'elles ne seraient pas terminées avant la première ou la seconde décade du vingt et unième siècle.

Il y avait aussi un nombre important de livres uniquement utilitaires — indispensables manuels techniques et autres — qui devaient subir le même sort. C'était principalement pour laisser à ce travail de traduction qui devait être préliminaire, le temps de se faire, que l'adoption définitive du Novlangue avait été fixée à cette date si tardive : 2050.

Ouvrage reproduit
par procédé photomécanique.
Impression S.E.P.C.
à Saint-Amand (Cher), 5 novembre 1984,
pour le compte de France Loisirs
123, boulevard de Grenelle, Paris.
Dépôt légal : novembre 1984.
Numéro d'imprimeur : 1886.
Numéro d'éditeur : 9851.

Imprimé en France.

